£15

# ṢOḌAŚĀṄGAHṚDAYAM

*Essentials of Āyurveda*

# ṢOḌAŚĀṄGAHṚDAYAM
## *Essentials of Āyurveda*

TEXT WITH ENGLISH TRANSLATION

PRIYA VRAT SHARMA

MOTILAL BANARSIDASS PUBLISHERS
PRIVATE LIMITED ● DELHI

*First Edition: Delhi, 1993*

© MOTILAL BANARSIDASS PUBLISHERS PRIVATE LIMITED

ISBN: 81-208-1081-3

*Also available at:*

**MOTILAL BANARSIDASS**

41 U.A. Bungalow Road, Jawahar Nagar, Delhi 110 007
120 Royapettah High Road, Mylapore, Madras 600 004
16 St. Mark's Road, Bangalore 560 001
Ashok Rajpath, Patna 800 004
Chowk, Varanasi 221 001

PRINTED IN INDIA

BY JAINENDRA PRAKASH JAIN AT SHRI JAINENDRA PRESS,
A-45 NARAINA INDUSTRIAL AREA, PHASE I, NEW DELHI 110 028
AND PUBLISHED BY NARENDRA PRAKASH JAIN FOR MOTILAL
BANARSIDASS PUBLISHERS PVT. LTD., BUNGALOW ROAD,
JAWAHAR NAGAR, DELHI 110 007

काश्यामस्सीनिकाये स्वरचितसदने जह्नुकन्यासमीपे,
आसीन्मान्यो गुरुर्मे करकलितयशा वैद्यराजेश्वरो यः ।
स्मारं स्मारं तदीयं धवलदृगमलाम्भोजरम्यस्मितास्यं,
लास्यीभूतां मदन्तःस्फुरितकविकृतिं तत्पदाब्जेऽर्पयामि ॥

*The work is dedicated to my teacher*
*Vaidya Pt. Rajeshvara Datta Shastri,*
*a renowned physician-scholar of Varanasi*

# CONTENTS

*Section I*

## CHAPTER I

*Basic Concepts*

### CHAPTER IV

*Bheṣajakalpanā* (*Pharmacy*)

*Vaṭikā* (Pills)

## CHAPTER V

### *Rasaśāstra* (*Science of Mercury and Minerals*)

## CHAPTER VI

*Svasthavṛtta (Preventive and Social Medicine)*

### CHAPTER VII

### *Rasāyana (Promotive Therapy)*

### CHAPTER VIII

### *Vājikaraṇa (Aphrodisiac Therapy)*

### CHAPTER IX

### *Rogavijñāna (Pathology and Diagnosis of Diseases)*

## CHAPTER X

*Kāyacikitsā (General Medicine)*

## CHAPTER XI

### *Mānasa Roga (Psychiatry)*

## Chapter XII

*Prasūtitantra—Strīroga (Obstetrics and Gynaecology)*

## Chapter XIII

*Kaumārabhṛtya (Pediatrics)*

## CHAPTER XIV

### *Agadatantra (Toxicology)*

## CHAPTER XV

### *Śalyatantra (surgery)*

## CHAPTER XVI

*Śālākya (Speciality Dealing with Supra-clavicular Diseases)*

# SECTION II

# SANSKRIT TEXT

## विषय-सूची

### १. मौलिकसिद्धान्ताः

### २. शारीरम्

## ३. द्रव्यगुणम्

## ४. भेषज-कल्पना

## ५. रसशास्त्रम्

# INTRODUCTION

Āyurveda or the Veda of ayus (Science of life) is the medicine of
India coming down traditionally from the earliest times. Caraka
says that it was revealed by Brahmā, the Creator, Himself[1] while
Suśruta goes one step further by stating that it was delivered even
before creation.[2] Generally Āyurveda is recognised as an upaveda
related to either Ṛgveda or Atharvaveda.[3] Kaśyapa takes it as
the fifth veda and gives it the topmost position among them.[4]
All this proves its existence since antiquity as Caraka explicitly
says it śāśvata (eternal) with untraceable beginning.[5]

Even in pre-historic India, evidences of medicine are found.
In Harappa and Mohenjo-daro seals with images of Lord
Paśupati (Śiva) have been found, who is regarded as the first
divine physician. Besides there are also found remains of
substances of vegetable, animal and mineral origin used as
drugs.[6] In Vedas too, immense material is found relating to
medicine. The oṣadhi-sūkta of the Ṛgveda (10.47.1-23) is an
important document on ancient Botany and vegetable drugs. The
miracles of Aśvins show an advanced state of medicine and
surgery.[7] It is further developed by the traditional healers as seen
in the Atharvaveda.

The medical knowledge acquired in the early age was
documented systematically and organised scientifically in the
compendia (saṃhitās) of Āyurveda of which the Caraka-saṃhitā,
the enlarged and redacted edition of the Agniveśa-tantra, tops
the list. During this period, the basic concepts were established
and the whole system of medicine including physiology, patho-
logy and pharmacology was rationalised. It, in fact, revolutioniz-
ed the medicine of India by replacing the magical charms by
rational therapeutic measures.

All this was made possible by the rich philosophical back-
ground and the atmosphere of free thinking characteristic of the
upaniṣadic age.

Carakas, the wandering mendicants expert in medicine, contri-
buted a lot to the evolution of Ayurvedic theories and practices.[8]
The greatest fundamental discovery of this age was the Law of
the Uniformity of Nature (Loka-puruṣa-sāmānya) (*Puruṣo'yam*

*lokasammitaḥ*—CS. Sa.5.3) which paved the way for observing the intimate relation between microcosm and macrocosm and for applying the physical laws governing gravitation, hydraulics, thermodynamics, electricity, magnetism, motion etc. to the biological field. Moreover, minute observation of Nature and its phenomena led to postulation of many concepts.

## SALIENT FEATURES OF ĀYURVEDA

It may be quite pertinent here to throw some light on the salient features of Āyurveda which distinguish it from the other systems of medicine. In fact, Āyurveda is not a system of medicine but a dynamic philosophy of life by which one can attain healthy individual and social life so as to perform the functions efficiently and fulfil the social obligations fully, at the end to attain perfect bliss of liberation.

There are two objects of Āyurveda—one preservation of health in the healthy and the other, cure of illness in the diseased.[9] The first place given to preventive medicine and also the elaborate description of daily routine, seasonal regimen etc. indicate its preferential position.

### Pañca Mahābhūta

Puruṣa (person—the living being), in Āyurveda, is regarded as composed of six components—five mahābhūtas (matter) and self[10] (spirit). The gross human body along with its different organs and parts, the sense organs and the sense objects are all composed of five mahābhūtas, e.g. ākāśa, vāyu, agni, ap and pṛthivi. The outer universe also has the same material composition and thus there is similarity between it and the material frame and skeleton of the living being. Though every material is composed of all the five mahābhūtas, there is predominance of one of them.[11] The organs and substances are classified accordingly (CS. Sa. 7.16, SU. 26.11).

### Theory of Tridoṣa

Though Pañcamahābhūtas prepare the frame, they cannot as such take up the functions of life. For this, as soon as life enters into the body three vital principles emerge which regulate and control the biological functions. They are known as vāta, pitta and śleṣman (kapha). In fact, they are the subtle forms of the three bhūtas—vāyu, agni (tejas) and ap—respectively.[12] In physical forms they are represented by air, fire and water. Of the remaining two bhūtas—ākāśa and pṛthivi—the former is too subtle and the latter too gross to be involved in the above functions.

This theory is formulated on the basis of observation of Nature and application of the Law of the Uniformity of Nature. Suśruta says that as Soma (the Moon), Sūrya (the Sun) and Vāyu (air) hold the cosmos by their functions of visarga (releasing), ādāna (receiving) and Vikṣepa (dissemination) so do the three doṣas—kapha, pitta and vāta in the living body (SS. SU. 21.8).

All motions, transportation, and electromagnetic activities are controlled by vāta. Pitta represents fire-principle and as such is concerned with processes of conversion, consumption and other chemical changes taking place in the living body. Kapha is the principle of water and as such maintains the body-fluid, controls growth and strength in the body. Wherever there is life tridoṣas are there (CS. SU.18.48) and as such every living cell is pervaded by them in order to perform their functions. The dead body and the other inanimate objects have none of them. It proves that tridoṣas are invariably connected with life (prāṇa).

On this basis, 'doṣa' has been defined as that which is one of the components of Prāṇa and plays causative role in physiology and pathology.[13]

As it covers the wide range of the entire living world, it has been applied to the other animate groups as well such as those relating to animals (aśvāyurveda, gajāyurveda, gavāyurveda etc.) and plants (vṛkṣāyurveda).

Doṣas have wide range of functions but on the basis of the prominent ones they are mentioned each as of five types as below:

## TABLE I

| | Types of doṣa | Functions |
|---|---|---|
| Vāta | 1. Prāṇa | 1. Respiration |
| | 2. Udāna | 2. Speech |
| | 3. Samāna | 3. Stimulating digestive fire |
| | 4. Vyāna | 4. General movements |
| | 5. Apāna | 5. Excretion[14] |

| | | |
|---|---|---|
| Pitta | 1. Pācaka | 1. Digestion |
| | 2. Rañjaka | 2. Pigmentation |
| | 3. Bhrājaka | 3. Lustre |
| | 4. Ālocaka | 4. Vision |
| | 5. Sādhaka | 5. Energising heart[15] |
| Kapha | 1. Avalambaka | 1. Toning heart |
| | 2. Bodhaka | 2. Instrumental in taste—perception |
| | 3. Tarpaka | 3. Saturating head |
| | 4. Kledaka | 4. Moistening food |
| | 5. Śleṣaka | 5. Uniting joints[16] |

Similarly, though doṣas are all-pervasive they are predominantly manifested in certain sites such as vāta below the navel, pitta between heart and navel and kapha in the region above the head.[17] More or less, the same thing has been expressed by Dṛḍhabala (CS. ci. 26.291) when he says vāta, pitta and kapha situated in basti (pelvic region), hṛdaya (cardiac region) and Śiras (head) respectively.

The quantum of doṣas undergo fluctuation under the influence of biological and environmental factors. This has been recorded as follows:

TABLE II

| *Doṣa* | *Increase* |
|---|---|
| Vāta | Old age, last period of day and night, after the food is digested. |
| Pitta | Youthful age, midday and midnight, food under digestion. |
| Kapha | Childhood, morning and early hours of night, after meals.[18] |

The change of seasons also has great impact on the status of doṣas. They undergo fluctuations in the following manner:

TABLE III

| *Doṣa* | *Seasons and Status* |
|---|---|
| Vāta | summer (accumulation) |
| | rains (aggravation) |
| | autumn (pacification) |
| Pitta | rains (accumulation) |

<pre>
         autumn (aggravation)
         early winter (pacification)
Kapha    early winter (accumulation)
         spring (aggravation)
         summer (pacification)[19]
</pre>

The above table is very important as for prevention of seasonal disorders one has to keep in mind the status of doṣas in different seasons and modify his routine accordingly.

There has been attempts from time to time to correlate the three doṣas with some concrete physiological entities but it has always been futile because the three doṣas are all-pervasive and control all the biological functions and as such it is not possible to restrict them in certain gross substances. In fact, Ācārya Yādavajī was right in taking the three doṣas as three group-entities as indicated in Harivaṃśapurāṇa.[30] Hence instead of correlating them with single substances, it is rational to put all the biological factors, according to function, into three groups—vāta, pitta and kapha which would cover the single substances as well.

## Genetics and Constitution

Āyurveda has considered minutely the genetic factors which make up and influence individual's life. Caraka has described the parental constituents of foetus (CS. Sa. 3.6-7), transference of merits and demerits including diseases and also defects in genes partially or wholly (bīja, bījabhāga, bījabhāgāvayava—CS. Sa. 3.17, 4.14, 30).

Similarly constitution (prakṛti) has been given due emphasis in Āyurveda. According to Āyurveda, every individual is unique in himself as he differs from all others in respect of his psycho-somatic constitution.

Prakṛti (or doṣaprakṛti) is decided by the preponderance of one or more doṣas at the time of fertilization.[21] For instance, if vāta is predominant the person would have vātaprakṛti and so on. Similarly one of the qualities—sattva, rajas and tamas—of mind may be predominent which make up the psychic constitution. Examination of prakṛti is very important in Āyurveda as it influences pathogenesis, prognosis and drug response. It has been said that drug should be administered after examining the prakṛti of the individual as it varies from puruṣa to puruṣa (CS. SU. 1.123).

Suśruta describes various types of physical and psychic prakṛtis (Sa. 4.64-99), including bhautikī prakṛti (Prakṛti caused by predominance of bhūtas). Caraka, however, takes it strictly in technical sense and says that as 'prakṛti' means normalcy it cannot denote any preponderance of doṣa. Thus it can be termed as doṣaprakṛti (so as to discriminate it from the real prakṛti) and the persons concerned may be levelled as vātala, pittala etc. He has also described the characters of various prakṛtis (CS. Vi. 6.13, 8.95-99, Sa. 4.36-39). Apart from sperm and ovum, prakṛti is influenced also by uterine condition, nutritional status and condition of mahābhūtas etc. Mahābhūtas play important role in evolution of various qualities in foetus (CS. Sa. 4.12; In. 1.5).

## Digestion and metabolism

Digestion is the process of conversion of ingested substances into assimilable form. As said earlier, this process is governed by agni which is known as jāṭharāgni as it is situated in jaṭhara (abdomen) mainly in its gastrointestinal tract. Grahaṇī (the pyloric portion of stomach and duodenum) has been said as the seat of digestive fire.[22] Evidently it consists of various juices and enzymes which participate in the process. This agni is said as the most important one because without its proper function no food could be assimilated which would ultimately lead to loss of life.

Besides jāṭharāgni, there are five bhūtāgnis and seven dhātvagnis acting at the levels of pañca mahābhūtas and seven dhātus as without agni no transformation or conversion could take place. Thus thirteen major types of agni are recognized for practical purposes.[23]

After food is digested, the āhāra-rasa (essence of food) is absorbed and carried into the circulation of blood. This āhāra-rasa replenishes the Rasa dhātu already circulating with blood.[24] The former is known as 'poṣaka rasa' and the latter as 'poṣya (sthāyi) rasa'. This is further acted upon by its respective agni leading to its conversion into the successive dhātu, e.g. blood (rakta). Dhātus (supporting tissues and entities) are seven in number, e.g. rasa, rakta, māṃsa, medas, asthi, majjā and śukra. They are all formed successively by their respective agnis. Generally it is held that Rasa traverses in the body through channels, as water flows in irrigating channels in the field, and its suitable portion acted upon by the respective agni at the selected site is converted into the specific dhātu.[25]

After activation of agni the substance acted upon is converted into two products—essence (prasāda) and excrete (mala). At the level of digestion, the essence is āhāra-rasa while the excrete is faeces and urine. Similarly at the level of metabolism (dhātupāka) the two portions become quite distinct. By the essence portion the concerned dhātu is nourished and the successive dhātu is formed while the excreta are expelled in the forms of mucus (or sputum) bile, dirt in orifices, sweat hairs and unctuous portion in eyes, faeces and skin.[26]

Besides agni, srotas (channels) also play important role. As agni is necessary for transformation, srotas is required for unrestricted flow of the materials.[27] Srotorodha (obstruction in channels) leads to disorders. Caraka (Vi. ch. 5) has described thirteen main channels each for prāṇa (air), udaka (water) and anna (food); rasa, rakta, māṃsa, medas, asthi, majjā, śukra; mūtra (urine), purīṣa (faeces) and sveda (sweat) along with the symptoms of their disorders. In fact, all passages, blood vessels, lymphatics, nerves, orifices, pores, viscera etc. come under srotas.[28]

## Ojas

In Āyurveda, ojas holds the important position. It is mentioned as the essence of all the dhātus emanating after śukra.[29] It is neither dhātu nor upadhātu but has independent position.[30] It is seated in hṛdaya and is intimately connected with prāṇa. In absence of ojas no living being can survive.[31] It supports strength and lustre and is the basic factor of general immunity. Ojas maintains the tone of heart as well as brain.[32] By poisons and alcoholic drinks ojas is affected leading to derangement and ultimate death.[33] For practical purposes, ojas is said of two types— para (superior) and apara (inferior). The affections of the latter cause various symptoms while those of the former causes death.[34] When ojas is diminished the natural power of immunity (resistance) goes down and as such the person falls prey to a number of ailments. AIDS is a typical example where the man suffers from ojaḥkṣaya (diminution of ojas) and consequent disorders leading to death.

*Nutrition and Dietetics*

There is a quadruple (SU. chs. 25-28) in the Carakasaṃhitā which deals with this topic extensively. While prescribing a diet one has to keep in mind not only its nutritive value but also its effect on doṣas and digestibility. Quantity of food is also important wholly and component-wise for which the terms 'sarvagraha' and 'parigraha'[35] are used. The essential components of food are mentioned in a stanza comprehensively.[36] This gives an idea about the concept of balanced diet which the ancients had. Moreover, the detailed lists of the items under these components are given[37] from which one can choose the items according to his requirement. Diet also nourishes the mind[38] and as such one has to be careful in selecting the items in relation to mental qualities.[39] There are also some rules for taking food which help maintaining health.[40] Processing of dietary items is also important as it influences the quality of the product such as soups, spiced or unspiced, boiled and fried items have different qualities in terms of digestibility and effect on doṣas.

*Health and Disease*

Equilibrium of psycho-somatic elements is health (prakṛti) and dis-equilibrium is disease (vikṛti).[41] Health is also termed as 'svāsthya' which denotes the state of staying in 'sva' (self-normalcy). Here 'sva' covers a wide range of psychosmatic well-being of the person. Suśruta has included ātman also in the definition of health thus according to him the concept of health is three-dimensional in comprehensive way[42] while for practical purposes it is two-dimensional, e.g. psycho-somatic.

In fact, the terms 'prakṛti' and 'vikṛti' are philosophical. In Sāṅkhya philosophy the former means the primordial element while the latter is its product.[43] Vikṛti emanates from prakṛti and in the end dissolves in the same. Similarly disease springs from health and again moves to that to attain the state of prakṛti. Philosophically the entire universe is vikṛti and moving towards prakṛti ultimately to be dissolved in that. Hence the object of physician is prakrtisthāpana[44] (restoration of normalcy).

Sama yoga (balanced intake or reception) is the per-requisite of sāmya (equilibrium) while ayoga (non-use), atiyoga (excessive use) and mithyā yoga (faulty use) cause disease.[45]

Thus in order to maintain health one should avoid extremes and

follow the middle course.[46] This exactly corroborates with the
middle path propounded by Lord Buddha except that Caraka has
added miythyā yoga to that. According to Caraka, these four
yogas (conjunctions) are causes of health and disease—sama yoga
of the former and the other three of the latter.[47] In Gītā, the word
'yukta' also denotes sama yoga.[48]

Dis-equilibrium (vaiṣamya) may be in terms of either vṛddhi
(increase) or kṣaya (diminution) which exhibit the characteristic
symptoms of disorder. By cikitsā (therapeutic measures) it is
brought back to normalcy.[49]

Thus sāmya (equilibrium) is the central pivot and criterion of
health.

*Pharmacological Concepts*

As in modern age chemistry is the basis of drug composition,
Pañca-mahābhūta is its counterpart in Āyurveda for composition
of dravya (drug). Thus, according to Āyurveda, every drug is
pāñcabhautika[50] and as every material substance is composed of
pañca-mahābhūtas they can be used as drugs with definite pur-
pose and method.[51] Drug has got some qualities and actions.[52]
The pāñcabhautika composition of drug is inferred from the
physico-pharmacological properties and mostly by Rasas (tastes).
Rasas are the best indicators of the pāñcabhautika composition
of the drug which they do indirectly on the basis of their effects
on doṣas. For instance, madhura rasa increases kapha which is
composed of ap and pṛthivī and as such it is inferred that
madhura rasa and also the substratum (dravya) is composed of
the same mahābhūtas.[53]

Rasa is perceived by the gustatory sense organ and is essen-
tially watery though other mahābhūtas also participate in mani-
festation of different types.[54]

Rasas are six in number—madhura (sweet), amla (sour), lavaṇa
(salty), kaṭu (pungent), tikta (bitter) and kaṣāya (astringent).[55]
They influence the doṣas as follows:

TABLE IV

| Rasa | Predominant Mahābhūta | Aggravates | Pacifies |
|------|------------------------|------------|----------|
| 1. Madhura | Ap+Pṛthivī | Kapha | Vāta—pitta |
| 2. Amla | Pṛthivī+Agni | Pitta—Kapha | Vāta |

| | | | |
|---|---|---|---|
| 3. Lavaṇa | Ap+Agni | Pitta—Kapha | Vāta |
| 4. Kaṭu | Vāyu+Agni | Vāta—Pitta | Kapha |
| 5. Tikta | Vāyu+Ākāśa | Vāta | Kapha—Pitta |
| 6. Kaṣāya | Pṛthivī+Vāyu | Vāta | Kapha—Pitta[56] |

On going through the above table, it is evident that each Rasa has positive action, either aggravating or pacifying on two doṣas, on this basis it is inferred that each has two predominant mahābhūtas in its composition such as—ap and pṛthivī in madhura etc.[57]

Rasas have their own actions and exhibit disorders on excessive use.[58]

Drugs have qualities known as gurvādi guṇas which are twenty in number and arranged in pairs as below:

TABLE V

| | |
|---|---|
| 1. guru | 2. laghu |
| 3. śīta | 4. uṣṇa |
| 5. snigdha | 6. rūkṣa |
| 7. manda | 8. tīkṣṇa |
| 9. ślakṣṇa | 10. khara |
| 11. sāndra | 12. drava |
| 13. mṛdu | 14. kaṭhina |
| 15. sthira | 16. sara |
| 17. sūkṣma | 18. sthūla |
| 19. viśada | 20. picchila[59] |

Drugs when taken in exert certain actions. The potency or power inherent in dravya which is responsible for action is termed as vīrya.[60] It is generally held that the qualities which are powerful enough to produce action are, in fact, vīryas.[61] Accordingly some take it eight in number[62] but on applied basis ṣaḍvidhavīryavāda is more reasonable[63] which makes the background for the six upakramas (therapeutic measures). They are as follows:

TABLE VI

| *Virya* | *Upakrama* |
|---|---|
| 1. Guru | 1. Bṛṃhaṇa |
| 2. Laghu | 2. Laṅghana |
| 3. Śīta | 3. Stambhana |
| 4. Uṣṇa | 4. Svedaba |
| 5. Snigdha | 5. Snehana |
| 6. Rūkṣa | 6. Rūkṣaṇa[64] |

They are again based on the tridoṣas two for each doṣa—one for increase and the other for decrease. In the above tables 1-2, 3-4 and 5-6 are for kapha, pitta and vāta respectively.

Ordinarily the two vīryas, śīta and uṣṇa, based on the ancient concept of agni and soma are prevalent in general usage.[65] Pitta is increased by uṣṇa while śīta aggravates both kapha and vāta the former with unctuousness and the latter with roughness.

Prabhāva differs from vīrya in the sense that the former is specific in nature due to specific chemical composition of the drug[66] such as purgatives, emetics etc. perform their action due to their specific composition.

Vipāka is the term for the final transformation of the drug when its action curves down after reaching the peak.[67] It is known from its action on doṣa, dhātu and mala. Caraka takes it as three-madhura, amla and kaṭu while Suśruta holds two—guru and laghu.[68] The former is based on the effect on doṣas while the latter on that on the dhātus.

The drugs act by the law of sāmānya and viśeṣa according to which similarity increases while dissimilarity decreases[69] such as barley increases vāta because of its similarity with vāta in term of roughness while oil decreases it due to dissimilarity.

Caraka (SU. 4) and Susruta (SU. 38) have classified drugs, according to action and uses, in fifty and thirty seven groups respectively. (For details see my 'Introduction to Dravyaguṇa', Chaukhambha Orientalia, Varanasi, 1976.)

## *Pathogenesis*

As said earlier, disequilibrium of doṣa is the genesis of diseases. The aggravated doṣa circulates in the body, reaches and stays at the point of obstruction in channels affecting the tissue therein which is termed as dūṣya (affected tissue). The involved organ is known as adhiṣṭhāna (site). Thus the combination of doṣa and dūṣya produces disorder (vyādhi).[70]

The entire process of pathogenesis has been analysed into the following six stages:

1. Sañcaya (accumulation)
2. Prakopa (Aggravation)
3. Prasara (dissemination)
4. Sthānasaṃśraya (localization)

5. Vyakti (manifestation)
6. Bheda[71] (Explosion)

In the fourth stage the premonitory symptoms appear and in the next stage the disease is fully manifested. In the last stage the abscess bursts (in surgery) and the disease becomes chronic (in medicine). These stages are also known as kriyākālas (stages for remedial measures). Even before the disease manifests, the physician has to take proper action so that it is nipped in the bud.

The factor of āma also causes disorder. The concept of āma is quite peculiar to Āyurveda. Āma is immature Rasa caused by diminished agni prone to produce pathological syndromes.[72] It is, in fact, endotoxin produced by incomplete digestion or transformation of edibles or metabolites due to diminished agni at respective levels. Āma associates in the process of pathogenesis by combining with doṣa and dūṣya and exhibits its characteristic symptoms.

Apart from doṣa-dūṣya and adhiṣṭhāna, the etiological factors (nidāna or samutthāna) have to be taken into account before tackling the disorder.[73]

Nidāna (etiology), pūrvarūpa (prodrome), rūpa (symptoms), samprāpti (pathogenesis) and upaśaya (therapeutic suitability) —these collectively are called as 'nidāna-pañcak,[74] (pathological pentad) which is necessary for the knowledge of the disorder.

Rogi-parīkṣa (examination of patient) is prerequisite for roga-parīkṣa[75] (investigation into disorder). Suśruta has prescribed physical examination and interrogation (pañcendriya-parīkṣā and praśna-parīkṣā) for the examination of patient.[76] Later on, Nāḍī-parīkṣā (pulse-examination) gained prominence and at a time physician's expertise was judged from his ability to diagnose disease by the examination of pulse alone. Still later, aṣṭasthāna-parīkṣā (examination of eight entities) was prescribed in which besides nāḍī, were included mūtra (urine), mala (stool), jihvā (tongue), śabda (voice), sparśa (touch), dṛk (eyes) and ākṛti[77] (physiognomy).

In Āyurvedic pathology, ariṣṭas find important place. They denote signs and symptoms which indicate the person's imminent death and incurability of disease.[78] As ariṣṭa gives information about the span of life the physicians are required to have good knowledge of them. It is also helpful in prognosis of the disease.

One complete section (indriyasthāna) in the Carakasaṃhitā is devoted to this topic.

The means of knowledge are pratyakṣa (perception), anumāna (inference), āptopadeśa (testimony) and yukti[79] (rational thinking). First, one has to acquire reliable informations from authoritative scriptures and teacher and then proceed for examination with pratyakṣa and anumāna.[30] The former is used for observation while the latter's *Jurisdiction* is the realm of non-observed facts which are beyond the reach of perception. Caraka has declared the limitations of pratyakṣa and how one has to launch into the regions beyond. Yukti works in cases where more than one factors combine to produce a result.[81] This may be applied in pathology as well as therapeutics. Yukti is an original contribution of Āyurveda in the area of pramāṇas which is not mentioned in any other system of philosophy.

## *Principles of Therapeutics*

The basic approach of Āyurveda towards treatment of diseases is to assist the nature which is already doing the best possible for it. Āyurveda believes in nature-cure, e.g. in the event of illness nature itself takes prompt action to alleviate disorder and to restore health, the role of physician is only to assist it so that the recovery takes place smoothly and shortly.[82] Āyurveda also holds that the body-entities perish at their own end without any external agent and secondly that they cannot be transformed. This is known as Svabhāvoparamavāda[33] (Theory of Natural Subsidence). According to this, vitiated doṣas and dūṣyas are destroyed in the same form being excreted as malas. The object of physician's interference is to expedite elimination of these impurities and to revive the fresh series of normal doṣas and tissues.[84] Because of recognising the importance of the role of Nature—Āyurvedic treatment emphasises on kāla[85] (time factor).

Conceptually Ayurvedic treatment consists of śodhana (purification of the body by eliminating malas) followed by śamana[86] (pacification of vitiated doṣas). For śodhana, five meaures are employed which are collectively known as pañcakarma (five measures). They are—vamana (emesis), virecana (purgation), āsthāpana (non-unctuous enema), anuvāsana (unctuous enema) and śirovirecana[87] (head-evacuation or snuffing). It has been modified further by including raktamokṣaṇa (blood-letting) and combining the two types of enema in one 'basti'.[81] For śamana of doṣas, the ṣaḍupakramas (six therapeutic measures) described earlier are applied.

But if āma doṣa is present it has to be tackled first with digestive measures before śodhana is administered otherwise it may do harm.[89]

In the whole process, the strength of the patient has to be maintained. The pathology should go down and the strength of the patient should go up—this should be the aim of the physician.[90]

Pathyāpathya plays important role in Āyurvedic treatment.[94] One should not concentrate on drug therapy only but should also take wholesome diet and observe good behaviour—and avoid unwholesome ones as directed by the physician.[92] Therapy has been said as of three types according to the measures applied:

1. Daivavyapāśraya (propitiatory to gods)
2. Yuktivyapāśraya (Rational medicine)
3. Sattvāvajaya[93] (psychiatric measures)

In Atharvavedic age the propitiatory measures were mostly adopted but in the age of the Ayurvedic saṃhitās the position is reversed with rational therapy gaining the upper hand. In the Carakasaṃhitā prayers to gods are resorted to when the human effort fails. The position is not different in the modern age when great physicians and surgeons pray to God when the patient is about to die on the bed or the operation table.

The other special feature of the Ayurvedic medicine is the holistic approach. Āyurveda considers man as a whole and not in parts for treatment. The reason is that the three doṣas are all-pervasive in the body and produce different disorders in different parts. If one runs after the different disorders it would not be possible to control and eradicate them until unless he finds the root cause of the doṣa involved. This is possible only if the patient is treated as a whole. Puruṣa is said as the substratum of treatment which signifies the man as a whole.[94] For instance, if vāta is aggravated it may produce symptoms in different adhiṣṭhānas (sites) such as constipation, pain in joints, dry cough, headache and sleeplessness. All these troubles can be controlled by pacifying vāta at the root.

*Preventive and Social Medicine*

Āyurveda emphasises on prevention of diseases, promotion of health and social well-being. For this two points are kept in mind one—to maintain and promote the strength and two—to maintain equilibrium of doṣas etc. and to avoid the factors which vitiate them. Āyurveda has prescribed dinacaryā (diurnal routine), rātricaryā[95] (nocturnal routine) and ṛtucaryā[96] (seasonal regimen) which, if followed properly maintain the health and prevent illnesses. Sadvṛtta[97] (code of noble conduct) is an important part of svasthavṛtta which lays guidelines for good behaviour and conduct which not only promotes mental calmness in the individual but also promotes social well-being.

Rasāyana[98] and vājīkaraṇa[99] are, in fact, parts of svasthavṛtta. Their use has been recommended for the healthy people for promotion of strength and virility. It has been advocated that the healthy person should invariably take aphrodisiacs before sexual intercourse to maintain vigour and prevent wasting of semen.

*Mānasa roga*

According to situation (adhiṣṭhāna), diseases are of two types —śārīra (somatic) and mānasa[100] (psychic). As vāta, pitta and kapha are śarīra doṣas, rajas and tamas are mānasa doṣas[101] which cause all sorts of mental disorders. Out of triguṇas of Indian philosophy Āyurveda recognizes sattva as pure while the other two—rajas and tamas—are regarded as doṣas (which vitiate the mind).

Sattvāvajaya, one of the types of therapies, is established to deal particularly with the psychatric disorders.

Psychic and somatic doṣas do not stay in isolation but interact with each other with the result that psychic doṣas cause somatic disorders and vice versa.

There is also a specific group of Rasāyana known as medhya rasāyana[102] which specifically promote mental faculties and prevent psychic disorders.

*Progressive Outlook*

Āyurveda has effected an ideal synthesis between eternality and progress and tradition and change. Though it is handed down from generation to generation from time immemorial it has never remained static and isolated. Even in prehistoric times

India had contacts with other countries exchanging arts and crafts including medicine. In ancient period, it consolidated the basic concepts and systematised all the specialities. During the medieval period there was great upheaval due to emergence of mercurials on one side and introduction of the Arabic medicine in this country along with the hakims attending the muslim emperors on the other. Āyurveda adopted the former even at the risk of damage to the basic concepts and also many new drugs and measures from the latter including use of opium. In the modern age too, there has been useful interaction between the two systems. However, it is remarkable that Ayurvedists never compromised on the issue of the basic concepts which are in the same form today as they were at the time of Caraka. This is a unique example of synthesis between tradition and change.

## Vitality

Āyurveda, the science of longevity, is itself long-lived. Caraka says it eternal as it is beginningless and established on universal laws. It is proved even by the present status of Āyurveda that when so many old systems of medicine in other countries perished Āyurveda is not only existing but flourishing day by day. At present it is patronised by the Government of India as one of the national systems of medicine and is actively participating in tackling the health problems with a network of hospital and dispensaries all over the country. Besides it has systematic pattern of education through the Ayurvedic colleges numbering more than one hundred. Research activities are also conducted through the Central Council of Research in Ayurveda and Siddha.

It is also one of the wonders that though there have been slight changes in drug formulations some of them are still continuing as such quite unaffected by the ravages of time. Cyavanaprāśa is the best example of this category. It was formulated at the time of Agniveśa (1000 B.C.) and has maintained its reputation through the ages. At the present times its demand has increased enormously and has become popular almost all over the world. All this seems to be due to its divine tradition and solidarity of the basic concepts.

## Aṅgas of Āyurveda

Traditionally the following eight aṅgas (parts or specialities) of Āyurveda are accepted:

1. Kāyacikitsā (general medicine)
2. Kaumārabhṛtya (pediatrics)
3. Agadatantra (toxicology)
4. Śalyatantra (surgery)
5. Śālākyatantra (medico-surgery dealing with supraclavicular diseases)
6. Rasāyana (promotive therapy)
7. Vājīkaraṇa (dealing with aphrodisiacs)
8. Bhūtavidyā[103] (dealing with invisible agents)

The Aṣṭāṅgahṛdaya of Vāgbhaṭa is the text upholding this notion of 'Aṣṭāṅga Āyurveda' which continued even to the modern age. But during the one and half millineums important events took place which added to the knowledge of Ayurvedists extending the horizon of literature. For instance, Rasaśāstra is not found in ancient texts but after it emerged during the medieval period, the Ayurvedists were obliged to accept its position in view of its efficacy. In 19th century, when network of medical colleges was established all over India there was a meaningful interaction between the modern medical education and the traditional Ayurvedic pattern. The latter developed a number of new subjects which are not included in aṣṭāṅga and are now being taught under the curriculum for the Ayurvedic colleges. Bhūtavidyā has become obsolete now thus deleting it and adding new nine subjects the total number comes to sixteen. Thus presently Āyurveda is ṣoḍaśāṅga instead of aṣṭāṅga. The nine subjects added are as follows:

1. Maulika siddhānta (Basic principles)
2. Śārīra (Anatomy-Physiology)
3. Dravyaguṇa (Pharmacology)
4. Bheṣajakalpanā (Pharmacy)
5. Rasaśāstra (Science of Mercurials)
6. Rogavijñāna (Pathology)
7. Svasthavṛtta (Preventive and Social Medicine)
8. Mānasa roga (Psychiatry)
9. Prasūtitantra and Strīroga (Obstetrics and Gynecology)

## Purpose of this Book

This book has been designed for two purposes—one, to focus the attention of the scholars to the present set up of ṣoḍaśāṅga

Āyurveda instead of the old pattern of the aṣṭāṅga one and two, to introduce Āyurveda in full form to the beginners who what to learn the medical heritage of India. I hope, it would succeed in its job.

I am thankful to Dr. S.D. Dube, Lecturer, Deptt. of Dravyaguṇa, I.M.S., B.H.U. for preparing appendix and index. I also extend my thanks to the publishers Motilal Banarsidass Publishers Private Limited, for having accepted the work for publication.

39, Gurudham Colony,                                        P.V. Sharma
Varanasi

## Notes and References

1. CS. SU. 1.4, 24.
2. SS. SU. 1.6.
3. Int., KS., pp. 3-4.
4. KS. VI.1.10.
5. CS. SU. 30.27.
6. Piggot: Prehistoric India, p. 139. History and Culture or the Indian People, I, p. 181.
7. AVI., pp. 13-17.
8. P. V. Sharma: Dr. P. M. Mehta Memorial Lecture, Jamnagar, 1989.
9. CS. SU. 30.26.
10. CS. SU. 1.46-47, 25.15, Sa. 1.16; SS. SU. 1.22, Sa. 1.16.
11. SS. SU. 41.3.
12. CS. Sa. 4.12.
13. P. V. Sharma: Doṣa kā lakṣaṇa, Sachitra Ayurveda, Nov. 1990.
14. CS. Ci. 28.5-11.
15. SS. SU. 21.10.
16. AH. SU. 12.15-18.
17. Ibid. SU. 1.7.
18. Ibid. SU. 1.8.
19. CS. SU. 17.114.
20. Harivaṃśapurāṇa, 1, 40.52—'kaphavarge bhavecchukraṃ pittavarge ca śoṇitam').
21. SS. Sa. 4.63.
22. CS. Ci.15.56-57.
23. Ibid. 15.7, 13, 15, 38.
24. Ibid. 15.36.
25. Ibid. 15.15-16 (with Cakrapāṇi's commentary).
26. CS. SU. 28.4, Ci. 15.18-19.
27. CS. Ci. 8.39.
28. Ibid. VI.5.9.

29. SS. SU. 15.19.
30. Cakrapāṇi's comm. on CS, SU, 30.6-7.
31. CS. SU. 17.74, 30.7-11; SS. SU. 15. 21-22.
32. SS. SU. 15.20.
33. CS. Ci. 23.24, 24.29-36.
34. Cakrapāṇi's comm. on CS. SU. 17.73-75, 30.6-7.
35. CS. VI.1.21 (4)
36. Ibid. SU. 5.12.
37. Ibid. SU. 27, SS. SU. 45-46.
38. CH. Up. 6.5.1.
39. Gītā 17.8-10.
40. CS. Vi. 1.21.
41. Ibid. SU. 9.4.
42. SS. SU. 15.41.
43. Sāṅkhyakārikā 4.
44. CS. Ci.1.1.3.
45. Ibid. Sa. 1.128-129; SU. 11.37-44.
46. AH. SU. 2.30.
47. CS. Sa. 1.130-131.
48. Gītā, 6.16-17.
49. CS. SU. 16.34.
50. Ibid. SU. 26.10.
51. Ibid. 26.12.
52. Ibid. SU. 1.51.
53. Rasavaiśeṣikasūtra, 44.
54. CS. SU. 1.64.
55. AH. SU. 1.14-15.
56. Ibid. 10.1, 6-21.
57. Surprisingly no commentator has marked this point.
58. CS. SU. 26.43.
59. Ibid. Sa. 6.10; SS. SU. 46.514-524; AH. SU. 1.18.
60. CS. SU. 26.13, 65.
61. AS. SU. 17.36.
62. CS. SU. 26.64; SS. SU. 40.5.
63. AS. SU. 17.10.
64. CS. SU. 22.4, Vi. 8.38.
65. SS. SU. 40.5.
66. CS. SU. 26.67; AH. SU. 9.26.
67. CS. SU. 26.66.
68. CS. SU. 26.58; SS. SU. 40.10.
69. CS. SU. 1.44.
70. SS. SU. 24.8.
71. Ibid. SU. 21.36.
72. CS. Vi. 2.12; AH.SU. 13.25-27.
73. CS. SU. 18.46.
74. AH. Ni. 1.2.
75. AH. SU. 1.22.
76. SS. SU. 10.4.

77. Yogaratnākara, p. 2.
78. CS. In. 11.29.
79. Ibid. SU. 11.17.
80. Ibid. Vi. 4.5.
81. CS. SU. 11.23-25.
82. CS. SU. 10.5.
83. Ibid. SU. 16.27.
84. Ibid. SU. 16.35-36.
85. Ibid. Ci. 3.142.
86. AH. SU. 1.25.
87. Śārṅgadharasaṃhitā, III.8.63.
88. AH. SU. 14.5.
89. Ibid. SU. 13.28-29.
90. CS. Ci. 5.58.
91. Vaidyajīvana, 1.10.
92. AH. Ni. 1.6-7.
93. CS. SU. 11.54.
94. SS. Sa. 1.16.
95. CS. SU. 5.
96. Ibid. SU. 6.
97. Ibid. SU. 8.17-34.
98. Ibid. Ci. 1.
99. Ibid. Ci. 2.
100. Ibid. SU. 1.55.
101. Ibid. SU. 1.57.
102. Ibid. Ci. 1.3.30-31.
103. CS. SU. 30.28; SS. SU. 1.6-7.

# ABBREVIATIONS

| | |
|---|---|
| AH | Aṣṭāṅgahṛdaya |
| AS | Aṣṭāṅgasaṅgraha |
| AVI | Āyurveda kā Vaijñānika Itihāsa by P.V. Sharma |
| BR | Bhaiṣajyaratnāvalī |
| CD | Cakradatta |
| CH. Up. | Chāndogya Upaniṣad |
| Ci | Cikitsāsthāna |
| CS | Caraka-saṃhitā |
| In | Indriyasthāna |
| KS | Kāśyapa-saṃhitā |
| Ni | Nidānasthāna |
| Sa | Śārīrasthāna |
| SS | Suśruta-saṃhitā |
| SU | Sūtrasthāna |
| Vi | Vimānasthāna |
| YR | Yogaratnākara |

# Section I

Essentials of Āyurveda
(*English Translation of the Ṣoḍaśāṅgahṛdayāṃ*)

CHAPTER I

# BASIC CONCEPTS

The preceptor excels who like the sun makes the bud of the heart-lotus blossom to its fullness and dispels, in no time, the dullness (of mind). (1)

I bow to the lotus-like feet of the preceptor who, like the sun, destroys entirely the darkness of ignorance thickly wrapped and gathered from the childhood in my dark inner recess. (2)

Having bowed to the feet of my preceptor and having meditated in heart on the great goddess of speech, I compose this new and simple treatise entitled 'Ṣoḍaśāṅgahṛdayāṃ' in Āryā metre containing the essence of ocean-like Āyurveda based on the extracts from the earlier treatises. (3-4)

*Definition of Āyurveda*

The Science which imparts knowledge of Āyus (life), provides longevity, contains relevant informations and discusses all allied topics is known as 'Āyurveda'. (5)

*Āyus and its types*

Āyus is the combination of body with Prāṇa (vitae) brought forth by adṛṣṭa (unseen). Prāṇa has twelve components—three doṣas, three guṇas (sattva, rajas and tamas), five senses and ātman. (6)

Āyus is of four types—wholesome-unwholesome and happy-unhappy. The former pair deals with the social aspect of life while the latter one with the individual aspect. (7)

*Objects of Āyurveda*

The healthy should remain full of health endowed with strength and vigour and well-protected from disorders and the sick should be treated for alleviation of diseases—these are the two objects of Āyurveda. (8)

*Purpose of the study of Āyurveda*

That man is fortunate who enjoys happy and wholesome life

of one hundred years; acquires virtues, pleasures and wealth by
his strong body and, in the end, being free from ego and attach-
ments follows the path of yoga and by concentrating on
Brahman attains blissful liberation. (9-10)

The body composed of five bhūtas and meant for human
efforts should always be protected from obstructing diseases. (11)

For the knowledge of all this, the Veda of Āyus (Science of
Life) should be studied, thought over and its ways followed. (12)

### Health and disease

Svāsthya (health) is normalcy and equilibrium while vikāra
(disease) is abnormality and disequilibrium. 'Ārogya' is the
negative aspect of health denoting 'absence of disorder' or
'alleviation of disease'. (13)

### Parts of Āyurveda

Initially Brahmā delivered eight parts of Āyurveda as 1. Kāya-
cikitsā (medicine), 2. Kaumārabhṛtya (pediatrics including
obstetrics and gynaecology), 3. Agadatantra (toxicology), 4.
Śalyatantra (surgery), 5. Śālākyatantra (medicine and surgery
pertaining to supraclavicular diseases), 6. Bhūtavidyā (dealing
with bhūtas—invisible agents), 7. Vājīkaraṇa (dealing with aphro-
disiacs) and 8. Rasāyana (dealing with promotion of health and
life). (14)

But gradually developed with advancement of knowledge now
it has been doubled and thus has sixteen parts—the additional
ones being as—Basic Principles, Śārīra (Anatomy-physiology)
Dravyaguṇa (Pharmacology), Bheṣajakalpanā (Pharmacy), Rasa-
śāstra (dealing with mercurials), Nidāna or Rogavijñāna
(Pathology), Svasthavṛtta (Preventive and Social Medicine),
Mānasa roga (Psychiatry), Prasūtitantra and Strīroga (Obstetrics
and gynaecology), while deleting bhūtavidyā which practically
has become obsolete. These sixteen parts of Āyurveda should be
learnt carefully by the disciples from the teachings of the
preceptor. (15-18)

### Qualities of teacher and disciple

One who is capable of churning the nectar-ocean of Āyurveda,
expert in techniques, having intellect enriched with numerous
scriptures, orator, well-behaved, good-looking, amicably dis-

posed, peaceful, having controlled his senses, with fatherly attitude, supreme in wisdom and knowledge and commanding respect in learned circle like Bṛhaspati, the preceptor of gods, is worthy of being teacher. (19-20)

The disciple should be inquisitive for knowledge, free from impurities, devoted, submissive, disciplined, acquainted with sanskrit, philosophy, grammar etc.; having well-built and strong body, perseverence, sharp intelligence, soft-speaking, simple and with perfect normal physique. (21-22)

## Importance of both theory and practice

Both theory and practice should be regarded equally by Vaidyas because in want of the former one becomes blind (ignorant) while the deprivation of the latter makes one lame (incapable of action). (23-24).

## Emergence of five bhūtas

The creation starts from Prakṛti (unmanifest nature) producing gradually through the phases of mahat (intellect), ahaṅkāra (ego) and five tanmātrās. From tanmātrās are produced, on one side, the eleven senses (including mind) and on the other hand, the five bhūtas—ether, air, fire, water and earth. (25-26)

## The five bhūtas and their specific qualities

Ether, air, fire, water and earth are the five bhūtas having lightness, roughness, hotness, coldness and heaviness as specific qualities respectively. (27)

## Puruṣa (person)

In Āyurveda, Puruṣa is known as having six components—five mahābhūtas and self—and it is he who is subjected to medical treatment. (28)

## Doṣa, dhātu and mala

Human body is basically composed of doṣa, dhātu and mala and as such a student of medicine must know about them. (29)

## Doṣa

When prāṇa (vitae) enters into the material body, the three doṣas—vāta, pitta and kapha—emerge to take up the physiological functions. Vāta consists of air (and ether), pitta of fire and kapha of water (in combination with earth). They are called dhātu, doṣa and mala because of their maintaining, pathogenic and excretory phases. (30-32)

The three doṣas (kapha, pitta pnd vāta) generally pervade the entire body and are particularly located in head, navel and below respectively. As the world is maintained by air, the sun and the moon by their functions of movements, receiving and releasing, the body is maintained by the three doṣas (vāta, pitta and kapha) with the respective functions. 'Doṣa' is so-called as it defines Prakṛti (human constitution) as well as produces abnormality thus playing vital role in physiology and pathology of living beings. (33-35)

The three doṣas, like three guṇas (sattva, rajas and tamas) have characters contrary to each other so as to maintain the equilibrium similar to the miraculous rope-actors. Vāta, pitta and kapha increase at the end, middle and beginning of age, day-night and eating respectively. (36-37)

### Qualities of doṣas

In qualities, vāta is non-unctuous, cold, light, subtle, moving (unstable), non-slimy and rough. Pitta is slightly unctuous, hot, sharp, liquid, sour, pungent and moving. Kapha is heavy, cold, sweet, unctuous, stable and slimy. Doṣas, when treated with drugs, having opposite qualities, get pacified. Thus the physician should keep these qualities of doṣas in mind and proceed accordingly in his duty. (38-41)

### Functions of doṣas

*Vāta*—The word 'vāta' is derived from the verb-root 'vā' meaning 'to move', 'to inform' and 'to impel' which are the natural actions of vāta. Enthusiasm, respiration, movement, normal transportation of dhātus (nutrients), proper elimination of excreta—these are the normal functions of vāta.

*Pitta*—The word 'pitta' is derived from the verb-root 'tapa' meaning 'to heat', thus pitta is concerned with various physiological functions relating to agni (heat). Digestion of food, body-heat, thirst and hunger, vision, lustre, cheerfulness and intellect—these are normal functions of pitta.

*Śleṣman (kapha)*—The word 'śleṣman' is derived from the

verb-root 'śliṣa' meaning 'to embrace' thus uniting, healing etc. are the basic functions of kapha. Unction, binding, to provide firmness, heaviness, virility and strength in the body, forbearance, patience and absence of greed are the normal functions of kapha. (42-47)

### Phases (gati) of doṣas

Doṣas pass through three phases—sthāna (normal status) vṛddhi (increase) and kṣaya (decrease). Increase is of two types—sañcaya (accumulation) and prakopa (aggravation), the former is slight increase of doṣa in its own site while the latter comprises of liquification combined with transgression. Sthāna is the phase of normal status and kṣaya is going below the normal level. Doṣas exhibit their normal functions in the phase of sthāna while in that of vṛddhi they are pronounced and in that of kṣaya weakened. Vṛddhi and kṣaya are abnormal states arising due to respective etiological factors which should be known in every respect. (48-51)

### Causes of aggravation of doṣas

*Vāta*—Vāta is aggravated by intake of rough, bitter, astringent and pungent substances, fasting, suppression of natural urges, physical exertion, excessive cold, wasting of dhātus, mental worry, keeping awake in night, in early rains, old age, last phase of day and night, and after the food is digested.

*Pitta*—Pitta is aggravated by excessive intake of pungent, sour, hot and irritant substances, anger, sun-heat, during digestion, midday, midnight, in youthful age and autumn season.

*Kapha*—Kapha is aggravated by intake of sweet, sour, salty, unctuous, slimy and heavy substances, day-sleep, lack of physical exercise, in spring season, first phase of day and night, and childhood. (52-57)

### Symptoms of aggravated doṣas

*Vāta*—Aggravation of vāta gives rise to pain in abdomen, pain, stiffness, contraction and heaviness in the body, blackish stool, emaciation, loss of sleep, roughness in skin, instability of mind, irregularity of digestion, abnormal taste and dryness in mouth.

*Pitta*—Aggravated pitta causes excessive perspiration, burning sensation, pyrexia, loss of consciousness, thirst, yellowishness in skin, eye, urine etc.

*Kapha*—Aggravated kapha gives rise to heaviness, diminution of digestive fire, nausea, salivation, lassitude, horripilation, sweetness in body and mouth, itching in throat, drowsiness, excessive sleep, depression of body and mind, pallor or whiteness and abnormal growth. (58-62)

### Treatment of aggravated doṣas

Vāta, pitta and kapha should be eliminated with enema, purgation and emesis respectively. The doṣas so treated with eliminative therapy do not recur. This therapy known as 'pañca-karma' consists of five measures—emesis, purgation, non-unctuous enema, unctuous enema and snuffing. Thereafter the aggravated doṣas should be pacified with prescribed measures relating to diet, drug and activity.

Vāta is pacified, like a friend, with sneha (soothing-unctuous substances), intake of sweet, sour and salty items, sudation, rest, sleep and exhilaration.

Pitta gets pacified with sweets, bitters and astringents, friendly consolation, intake and sprinkling of cold water.

Kapha is pacified with bitter, astringent and pungent substances; application of irritant, hot and rough items; keeping awake in night and physical activity. (63-68)

Doṣas when aggravated cause abnormal symptoms, in the state of diminution lose their normal characters and in that of equilibrium perform their normal functions. (69)

### Dhātu

Dhātus are those which maintain as well as nourish the body. They are seven—rasa (chyle), rakta (blood), māṃsa (muscle), medas (fatty tissue), asthi (bone), majjā (marrow) and śukra (semen). The final essence of all these dhātus is known as 'ojas' which has characters like those of kapha and provides the power of immunity against diseases. The Rasa dhātu seated in heart is pumped by vyāna vāyu in body-channels and thus nourishes the other dhātus and organs as water flowing in channels irrigates the field. One dhātu nourishes the other successive one and in this way they constantly undergo transformation and thus the last dhātu, śukra, is produced in a month. Śukra is unmanifest in childhood, is dried up in old age and is fully manifest and active like a blooming flower in youthful age. (70-74)

## Mala

Urine, faeces, sweat etc. are malas (excreta) formed from the ingested food. They are devoid of essence, are collected in their sites and thrown out by their respective passages. Malas are also formed from dhātus as the gross product while the finer portion of them leads to the formation successive dhātus. (75-76)

## Agni

Agni is the invariable agent in the process of *pāka* (digestion, transformation). They are thirteen in number—jāṭharāgni (gastric fire) one, bhūtāgni five and dhātvāgni seven. Of them the gastric fire known as Vaiśvānara (present in all living beings) is the most important one which digests the four types of food and transforms it into rasa and mala. The five bhūtāgnis act upon the respective bhautika portions of food and thereby nourish the bhūtas in the body. The seven dhātvāgnis act upon the respective dhātus by which each dhātu is broken in three parts—the gross part becomes as mala, the fine part stays as itself and the finer one goes on in formation of the successive dhātu. In this way, the entire process of transformation consists of two types of products—prasāda (essence) and kiṭṭa (excrete). The former is taken in for nourishment while the latter one is thrown out and defiles the body if stays longer. (77-83)

## Srotas

The channels in the form of tracts, veins, arteries etc. are known as srotas which are also called as 'kha' (ākāśa=empty space). They carry and transport four types of food, dhātus, doṣas and malas. Dhātu sustains the body and nourishes the successive dhātu only when digested fully by its agni and transported properly through its channel. Thus srotas play important role in dhātupāka (metabolism). (84-85)

In this way, the living body swinging in the duality of mala and prasāda grows like a grass on the earth and finally perishes therein. (86)

*Padārtha* (Basic Categories)

The Physician, in order to understand the science of life, should know the six padārthas—sāmānya (similarity), viśeṣa (dissimilarity), dravya (substance), guṇa (quality), karma (action) and samavāya (inherence). Of them dravya is the central pivot in which guṇa and karma reside with inherence and which acts by the law of sāmānya and viśeṣa.

Dravya is that which is the substratum of guṇa and karma and plays the role of samavāyī kāraṇa (material cause). Guṇa is dependent inherently on dravya and is asamavāyī kāraṇa (of an effect). It appears in dravya after a moment of the latter's emergence.

Karma is defined as the cause of conjunction and disjunction and residing in dravya. It begins with effort and appears in movements of living tissues and organs. Samavāya is the constant relation of inherence as exists between dravya and guṇa-karma. Dravya cannot remain without these after a moment of its emergence. Sāmānya denotes similarity and as such brings unity and causes increase whereas viśeṣa is opposite to that e.g. meaning dissimilarity causing discrimination and decrease. The physician looking to aggravation and diminution of doṣas etc., should administer dravya for their increase and decrease according to sāmānya and viśeṣa. (87-94)

*Deṣa* (Habitat)

Geographically the places of habitat can be divided into six zones—1. Jāṅgala (forest), 2. Sāmudra (oceanic), 3. Saikata (arid zone), 4. Pārvatya (hilly), 5. Ānupa (sub-aquatic) and 6. Madhya (central zone) according to predominance of bhūtas. The forest area is predominant in vāta, the oceanic zone has predominance of kapha and pitta, the arid zone causes vāta and pitta, the hilly one is predominant in vāta and kapha, the sub-aquatic is predominant in kapha and the central zone has average quality. One should keep in mind the nature of the particular habitat while prescribing the diet. (95-97)

*Bala* (Strength)

Bala is the power generated by development of the body. According to degree it is of three types—pravara (superior), madhya (average) and avara (inferior). It is again of three types according to source—sahaja (congenital), kālaja (derived from the time-factor) and yuktikṛta (produced from application of drugs etc.). (98-99)

*Kāla* (Time)

According to position of the sun e.g. summer solstice and winter solstice (uttarāyaṇa and dakṣiṇāyana) the year is divided into two—ādāna and visarga. In the former the sun is dominant and as such draws out the nutrient essence of the living being, while in the latter the moon is predominant releasing the same to them. According to features, time is divided into three—cold, hot and rainy which have variations in different geographical regions. Again there are six seasons in a year—1. varṣā (rainy), 2. śarad (autumn) and 3. hemanta (early winter) in visarga and 4. śiśira (late winter), 5. vasanta (spring) and 6. grīṣma (summer) in ādāna. (100-103)

The status of doṣas in different seasons is as follows—vāyu is accumulated and aggravated in summer and rainy season respectively. Pitta is accumulated and aggravated in rainy season and autumn respectively. Accumulation and aggravation of kapha take place in early winter and spring respectively. This should be kept in mind while deciding one's daily routine and activities. (104-105)

In another tradition, from the point of view of purification, a season named 'prāvṛt' (early rains) is introduced in between summer and rainy season and śiśira is not counted after hemanta (thus maintaining the number of seasons as six).

The seasons are enumerated generally on months beginning with āṣāḍha (āṣaḍha-śrāvaṇa=varṣā and so on) while there is another order, according to rāśi (zodiacal sign) of the sun, taking summer consisting of meṣa (and varṣa).

Among month, rāśi and characters in relation to seasons, they are predominant in successive order and as such one should decide one's wholesome course keeping these in view. (106-108)

*Sattva* (Psychic power)

Sattva is of three types according to degree—superior, average and inferior which is decided on the basis of perseverence of the person. (109)

*Sātmya* (Suitability)

Whatever is wholesome to oneself is known as sātmya (suitable). This also is classified into three—superior, average and inferior. It is superior when all the rasas are suitable and is inferior if only one of them is as such. The average follows the middle course. One should use the substances keeping in mind the suitability of the same. (110-111)

*Vayas* (Age)

Age of the person is divided into three—childhood, (up to 16 years) middle age (17-70 years) and old age thereafter. Kapha, pitta and vāta are predominant in those periods respectively. In diseased condition, children and old persons should be given medicines mild and in small doṣas and should never be subjected to drastic measures. (112-114)

*Prakṛti* (Constitution)

The constitution of a person is decided by the doṣa predominant at the combination of sperm and ovum (fertilization) which becomes almost fixed for the whole life.

The person of vātika constitution (vāta-prakṛti) is averse to cold, inclined to stealing, loves music, has hands and feet cracked, hairs, nails, etc. rough, is impatient and unstable, lean and thin, ungrateful, vociferous, with quick movements, loitering, unsteady in social relations and has quivering eyes.

The person of pittaka constitution is intelligent, powerful, debating and has quick emotions of anger and compassion. He eats much, dislikes heat and perspires heavily.

The person of kaphaja constitution is handsome, grateful, patient, non-greedy, firm, stable, strong, tolerant, faithful and charitable. (115-119)

Constitution is also decided on the basis of psychic qualities— sattva, rajas and tamas.

The person of sāttvika nature is pure and has positive outlook, is devoted to gods and teachers, happy, intelligent, critical, studious and adopts middle course.

The person of rājasa nature is brave, has attachment and aversion, anger, passion, intolerance, greed, selfishness and is involved in enjoyments and violence.

The person of tāmasa nature is foolish, dull, fearful, averse to cleanliness, quarrelsome, dislikes good people, sleeps too much and eats stale food. (120-122)

Similarly there are also bhūtaprakṛtis (constitution according to predominance of bhūtas) which can be known from their respective features. To know a person, one should examine his constitution properly. (123)

The man should fix his routine according to his constitution. Similarly, the physician should keep the constitution in mind while prescribing medicines (and diet) for a patient. (124)

CHAPTER II

# ŚARĪRA

## (ANATOMY AND PHYSIOLOGY)

The gross human body is composed of five mahābhūtas being product of the combination of Prakṛti and Puruṣa like the lame and the blind (Prakṛti is blind while puruṣa is lame).

The word 'śarīra' means that which decays. The word, 'deha' denotes the anabolic character of the living body, 'kāya' also means the same thing in addition to being the abode of jīva (soul). (1-2)

The body has got six parts—four extremities, trunk and head (with neck). Skull, umbilicus, forehead, pelvis, knee, thigh etc. are sub-parts. (3)

'Tvak' (skin) is so-called as it covers the whole body from tip to toe. It has got seven layers. Kalās (membranes) are also seven being intermediary septa between dhātu and āśaya. (4)

'Āśaya' (Viscera) are so-called as food, doṣas, malas etc. are located there. Srotas are the channels by which these are transported. (5)

Asthi (bones) like heart-wood for tree sustain (support) the human body. The bones have several joints and the human skeleton is bound by hundreds of ligaments. (6)

Peśī (muscles) are attached to bones with their cord-like ends known as tendons. All movements including blinking are performed by them. (7)

Nāḍī (nerves) are wiry structures attached to brain and spinal cord. They, spreading all over the body, carry sensation and control the movements. (8)

'Dhamanī' (arteries) are the channels which carry blood forcefully (pulsating) from heart to different organs. Sirā (veins) are those which bring blood back to heart slowly. Between these two are keśikā (capillaries) which spread like minute webs and through which, 'rasa' (nutrient material or serum) oozes to the tissues. (9-10)

The name 'hṛdaya' (for heart) is quite meaningful as it indicates the three phases—receiving, supplying and movement of the cardiac cycle. (11)

Heart is the source of life as none can live if it stops. That is why it has been said by earlier sages as the seat of consciousness. (12)

Heart is the receptacle of rasa and rakta (blood) which it distributes to the whole body for nourishment and also draws out impurities from the same. This goes on incessantly like a cycle. (13)

The lotus-like heart is situated in chest, flanked by lungs on both sides. Below on the right side is liver and on the left is spleen. (14)

The two lungs purify the impure blood constantly with the nectar of the sky (oxygen) drawn in by inspiration. (15)

Liver is the root of the channels carrying blood and also of pitta (bile). It is of gray colour and performs various functions. (16)

Similarly plīhā (spleen) is the seat of blood where red blood cells etc., are produced. It enlarges in the diseases causing loss of blood. (17)

Grahaṇī is the seat of fire where membrane containing pitta is attached. It is here that all types of food are digested by pitta. (18)

After the separation of rasa (essence) and mala (excretion), the former having been absorbed from the intestines goes to heart while the latter is expelled from the anal orifice. (19)

Basti (urinary bladder) is the receptacle of urine which contains urine formed in vṛkka (kidneys) through the two ureters and releases it through urethra. (20)

Śukra, minutely pervades the whole body but manifestly is situated in śukrāśaya (seminal vesicles) and during orgasm of the sexual intercourse is discharged through urethra. (21)

The yoni (female genital tract) consists of three folds. In its last fold is situated the uterus lying between urinary bladder and rectum. (22)

Head is the seat of brain, prāṇa, senses and is the best among all the organs. It is also called as the most important among marmas. (23)

'Marmas' are so-called as injury to them causes intense pain and even leads to death. They are one hundred and seven in number; heart, head and basti are known as 'trimarma' because of their importance. (24)

One intending to be a physician, in order to know the human anatomy, should see the organs and parts by dissecting the dead body. (25)

## CHAPTER III

# DRAVYAGUṆA

## (PHARMACOLOGY)

Dravya, the important tool in the physician's performance and one of the four limbs of treatment, should be known by name, form, properties and actions. (1)

The branch of science which deals dravya (food and drugs) with names, forms, properties, actions, various combinations and uses is known as Dravyaguṇa. (2)

*Basic concepts*

Dravya is the substratum of guṇa, rasa, vīrya, vipāka, prabhāva and karma. (3)

Dravya is defined as the substratum of guṇa and karma. Guṇa resides in dravya, rasa is the object of gustatory sense organ, vīrya (potency) is the factor responsible for action of dravya, vipāka is the final transformation effected by agni, prabhāva is the specific potency inherent, by nature, in dravya and karma is the causative factor in combination and disjunction and is dependent on dravya such as dīpana (appetising), effort etc. (4-6)

*Classification of dravya*

Dravya is of three types according to source—bhauma (inorganic), jāṅgama (animal products) and audbhida (plants). According to use it has been classified into two groups—āhāra (food) and auṣadha (drugs). Again, according to action, it is of three types—śamana (pacifying), kopana (aggravating) and svasthahita (which maintains the homeostasis). (7-8)

### SOME IMPORTANT ĀYURVEDIC DRUGS

1. *Harītakī*

The name is significant as it destroys (harati) all doṣas and eliminates malas (faeces etc). It also promotes dhātus. (9)

2. *Bibhītaka*

It is called 'bibhītaka' as the diseases fear of it. It mainly pacifies kapha and is useful in respiratory disorders such as cough, bronchial asthma etc. In early times its seeds were used as dice in gambling. (10)

### 3. *Āmalakī*

It is also known as 'dhātrī' because it nurses the people and protects them against diseases. The fruit of āmalakī destroys mainly pitta and is vṛṣya (semen-promoting) and balya (general tonic). (11)

### 4. *Triphalā*

Triphalā is the combination of three fruits (harītakī, bibhītaka and āmalakī) in equal quantity. It is well known as rasāyana (promoting dhātus), eliminating faeces and urine and pacifying (all the three doṣas). (12)

### 5. *Pippalī*

It was mostly obtained from magadha and videha (hence is called māgadhī and vaidehī) and has synonyms as kṛṣṇā and capalā. It pacifies vāta and kapha, promotes strength and is useful in cough and chronic fevers. (13)

### 6. *Śuṇṭhī*

Nāgara and viśvā are its popular synonyms. It is pungent, hot, destroys kapha and vāta, digests āma (immature factor) and is mainly useful in āmavāta (condition where vāta is associated with āma as in rheumatoid arthritis). (14)

### 7. *Marica*

It is black in colour, pungent in taste, irritant, hot and pramāthī (eliminating malas from srotas as by churning). It breaks the mass of kapha and is anti-lipid. (15)

### 8. *Trikaṭu*

Trikaṭu, like triphalā, is the combination of three pungents— śuṇṭhī, pippalī and marica. It destroys vāta and kapha and promotes digestive fire. (16)

### 9. *Bilva*

The bark of bilva alleviates vāta, leaves are useful in cardiac disorders, prameha and oedema and the immature fruits are astringent, bitter, improve digestive fire and check diarrhoea. (17)

### 10. *Gambhārī*

The bark of gambhārī is bitter, astringent, and is one of the components of daśamūla. The ripe fruit is yellow and sweet and acts as rasāyana. (18)

### 11. *Pāṭalā*

It has coarse leaves and fragrant rosy flowers blossoming in spring. Its root bark is astringent, bitter, hot and destroys vāta and kapha. (19)

### 12. *Śyonāka*

Śyonāka has fruits like swords, flowers like trumpets and leaves with long petioles. Its bark is astringent, bitter, hot and useful in diarrhoea, oedema and rheumatoid arthritis. (20)

### 13. *Agnimantha*

Tarkārī is of two types—one is tarkārī (smaller plant) and the other agnimantha, a big tree. Agnimantha is bitter-astringent, hot and destroys kapha, vāta and oedema. (21)

### 14. *Śālaparṇī*

Vidārigandhā and aṃśumatī are its synonyms. It has got leaves like those of śāla. Śālaparṇi is wholesome to heart, promotes strength and destroys (the disorders caused by) the three doṣas. (22)

### 15. *Pṛśniparṇī*

Pṛśniparṇī has inflorescence like jackal's tail having compact petals. It is hot, promotes strength, semen and destroys fever. (23)

### 16. *Bṛhatī*

It is also known as Vārttāka as it bears fruits like those of brinjal. It is bitter, pungent, hot and alleviates kapha, vāta and disorders of grahaṇī. (24)

### 17. *Kaṇṭakārī*

Vyāghrī and nidigdhikā are its synonyms. The plant is fully

covered with thorns. Kaṇṭakārī is pungent, bitter, useful for throat and alleviates cough, bronchial asthma and fever. (25)

### 18. *Gokṣura*

The gokṣura plant has sharp thorns and fruits similar to water chest-nut. The root is a component in daśamūla. The fruit is diuretic and promotes semen and strength. (26)

### 19. *Daśamūla*

Bilva, pāṭalā, gambhārī, śyonāka and agnimantha (Bṛhat pañcamūla) along with śālaparṇī, pṛśniparṇī, bṛhatī, kaṇṭakārī and gokṣura (Laghu pañcamūla) compose the well-known group daśamūla (the ten roots).

Daśamūla is generally useful in tridoṣa and particularly in vāta. It alleviates fever, oedema, vātika disorders and debility. (27-28)

### 20. *Āragvadha*

'Svarṇasuma' (having golden flowers), 'vyādhihṛt' (curing many ailments) and 'daṇḍaphala' (having stick-like long fruits) are synonyms of āragvadha. Its leaves are useful (as external application) in skin diseases while the fruit-pulp is taken as the best laxative. (29)

### 21. *Bhallātaka*

Bhallātaka is strongly irritant and vesicant. It is very hot and eliminates kuṣṭha (leprosy and other skin diseases), abnormal growths and piles. (30)

### 22. *Viḍaṅga*

Viḍaṅga is a good anthelmintic drug and eliminates intestinal worms. Besides it alleviates abdominal pain, flatulence, constipation and loss of appetite. (31)

### 23. *Kuṭaja*

It is also known as 'śakra (Indra) vṛkṣa' because of its abundance in the area of Mahendra hills in Orissa. The tree blossoms in early rains (as to welcome the monsoon) and its (barley-like) seeds are known as 'indrayava'. Kuṭaja is astringent, bitter, absorbent and anthelmintic and pacifies kapha and pitta. It is useful in grahaṇī disorders, bleeding piles and diarrhoea. (32-33)

### 24. *Madana*

The thorny trees of madana are found in the hills of Vindhya range etc. It is regarded as the best among the emetics. (34)

### 25. *Kampillaka*

The red powdery substance obtained from the fruits of kampillaka is used as anthelmintic, purgative and wound-healing. (35)

### 26. *Karpūra*

Karpūra (camphor) is also known as 'śaśī' or 'candra' (moon) because of its cold property. It is pungent, bitter, fragrant, and eliminates foul smell and burning sensation. Moreover, it is cardiac stimulant, bulk-reducing and beneficial for eyes. (36)

### 27. *Candana*

Candana is famous all over the world for its fragrance and coldness. It is a good pitta-pacifying drug. (37)

### 28. *Aguru*

The tree of aguru grows in the north-eastern region of India. The fragrant substance is produced by insects whereby the wood becomes heavy. It tops the list of uṣṇavīrya dravyas. (38)

### 29. *Devadāru*

It grows in Himālayan region as if nurtured by the breast-milk of the goddess Pārvatī. The wood of the plant is light, bitter, hot and alleviates vātika disorders and prameha. (39)

### 30. *Padmaka*

The wood of padmaka is bitter, astringent, cold and eliminates disorders of kapha, pitta and blood. It is useful in skin diseases, thirst, burning sensation and raktapitta. (40)

### 31. *Guggulu*

The plant grows in arid zone. The useful part is the gum-resin exuded from the stem and branches. It is used in vātika disorders, obesity and wound etc. (41)

32. *Jātīphala*

The plant grows in other countries from which seeds are obtained for use. The aril of the seeds is known as 'jātīpatrī'. Jātīphala is astringent and promotes digestive fire. (42)

33. *Lavaṅga*

The flower-buds are used. It is fragrant, bitter, pungent, cold, pacifies pitta and kapha and restores vāyu to its normal course. (43)

34. *Tvakpatra*

Bark (tvak) and leaves (patra) of the plant are used. They are light, hot and alleviate cough, piles and loss of digestive fire. (44)

35. *Elā*

Elā plant grows in South India. It is fragrant and cold and is used in consumption and dysuria and for purifying mouth. (45)

36. *Nāgakeśara*

The plant bears golden and fragrant flowers. It is useful in bleeding piles, thirst, burning sensation, fever and toxic conditions. (46)

37. *Trijāta-Caturjāta*

Elā, tvak and patra together make trijāta and the same mixed with nāgakeśara is called caturjāta. (47)

38. *Tālīśa*

The plant grows in Himālayan region. It is irritant, hot, pacifies kapha and vāta, and is used in cough, bronchial asthma, anorexia, consumption and loss of appetite. (48)

39. *Udumbara*

Udumbara is regarded as the best one among the milky trees. It is astringent, cold, pacifies kapha and pitta and checks diarrhoea. (49)

40. *Kṣīrivṛkṣapañcaka* (five milky trees), *Pañcavalkala* (five barks)

Udumbara, aśvattha, vaṭa, plakṣa and pārīṣa are the five milky trees. Their barks are collectively known as 'Pañcavalkala' (group of five barks). (50)

41. *Kākodumbara*

It is also known as 'malapū'. It is astringent, bitter and is useful in vitiligo, leprosy and wounds. (51)

42. *Śirīṣa*

The plant bears flowers in spring. Apart from its use in other diseases, it is regarded as the best among the anti-poison drugs. (52)

43. *Arjuna*

The plant having straight bole and white bark is found commonly. It is astringent, pacifies kapha and pitta, checks diarrhoea and is the best as cardiac tonic. (53)

44. *Asana*

It is also known as bījaka having prominent heart-wood which is used as drug. It is rough, cold, astringent and useful in prameha and kuṣṭha. (54)

45. *Khadira*

Khadira is a specific drug for kuṣṭha. It is astringent, cold, pacifies kapha and pitta, purifies blood, strengthens teeth and alleviates prameha and obesity. (55)

46. *Rohitaka*

It is a tree having reddish bark and flowers like those of pomegranate. It is effective in enlargement of liver and spleen. (56)

47. *Babbūla*

The plant grows mostly in arid zone. It is astringent, rough, pacifies kapha and pitta and is useful in cough and diarrhoea. (57)

48. *Lodhra*

Lodhra is astringent, cold, rough and grāhī (checking). It is useful in diarrhoea, menorrhagia, conjunctivitis and raktapitta (innate haemorrhage). (58)

49. *Aralu*

It is also known as kaṭvaṅga. It is bitter, astringent, promotes digestic fire and is grāhī. It is useful in dysentery, diarrhoea, intestinal worms and kuṣṭha. (59)

50. *Karkaṭaśṛṅgī*

It is horn-like gall produced by insects infesting the plant mostly on leaves. It is bitter, astringent, hot, pacifies kapha and vāta and eliminates fever. (60)

51. *Kaṭphala*

Kaṭphala is astringent, bitter, pungent, hot and pacifies kapha and vāta. The use of the bark as snuff is prescribed in disease of head and nose. (61)

52. *Hiṅgu*

Hiṅgu is pungent and hot. It increases pitta and pacifies kapha and vāta and promotes digestive fire. It is useful in the disorders of kapha and vāta, abdominal pain, flatulence and loss of appetite. (62)

53. *Rudrākṣa*

Rudrākṣa beads are commonly worn by the devotees of Śiva. It is cold, soothing and useful in hypertension, insanity, burning sensation and fever. (63)

54. *Palāśa*

The tree blossoms in spring with blood-red flowers, the flower is astringent and checks diarrhoea. The seed is flat and anthelmintic. (64)

55. *Śālmali*

The root of śālmali is aphrodisiac, flower is haemostatic and is useful in menorrhagia, the exudation known as mocarasa checks diarrhoea. (65)

### 56. *Varuṇa*

The plant bears bitter leaves, and reddish flowers. It is hot and is useful in dysuria, urinary calculi, obesity, abscess and gulma. (66)

### 57. *Saptaparṇa*

Saptaparṇa is bitter, hot and pacifies kapha and vāta. It alleviates intermittant fevers, kuṣṭha and worms. (67)

### 58. *Bakula*

The plant bears flowers having alcoholic flavour. It is useful in the diseases of mouth and teeth. (68)

### 59. *Aśoka*

Aśoka is bitter, astringent and cold and is useful in menor-rhagia, poisons and improves complexion. (69)

### 60. *Karavīra*

It is also known as hayamāra (or aśvamāra) because of its fatal effect on animals. It is useful in cardiac inefficiency and consequent dropsy, skin diseases and dyspnoea. (70)

### 61. *Nimba*

It is the best among bitters and pacifies kapha and pitta. It alleviates fever, kuṣṭha, prameha, worms, blood disorders and wounds. (71)

### 62. *Pañcatikta*

Guḍūcī, vāsā, kaṭukā, kirātatikta and nimba—these are known as five bitters. This group (Pañcatikta) is beneficial in the dis-orders caused by kapha and pitta. (72)

### 63. *Mahānimba*

It is also called as 'Parvatanimba' because it grows commonly in hilly area. It is bitter and astringent. The seeds are used in liver disorders, piles, kuṣṭha and prameha. (73)

### 64. *Pārijāta*

It is also known as śephālī. Its beautiful flowers blossom in autumn season particularly navarātra (the nine days of the bright fortnight of Āśvina month when the worship of the goddess Durgā is celebrated). The juice of leaves is bitter and is specifically effective in sciatica and also in chronic fevers and intestinal worms. (74)

### 65. *Kāñcanāra*

The plant bears in spring white flowers with one of the petals variegated. It is specifically effective in gaṇḍamālā (the chain of enlarged glands in neck). (75)

### 66. *Śigru*

Śigru is pungent, bitter, irritant and hot, pacifies kapha and vāta, promotes digestion, alleviates abdominal pain and oedema. The seeds are beneficial for eyes. (76)

### 67. *Nirguṇḍī*

Nirguṇḍī is pungent, bitter, hot, pacifies kapha and vāta and destroys worms. Its leaf-juice is useful in kuṣṭha, oedema and āmavāta (rheumatoid arthritis). (77)

### 68. *Karañja*

Karañja is commonly found as avenue tree. It bears bluish flowers. It is used in kuṣṭha, wounds and worms. (78)

### 69. *Kaṇṭakī Karañja*

The plant is a thorny climber and as such is also called as vallī (or latā) karañja. The seeds are useful in intermittent fever and dysentery. (79)

### 70. *Nārikela*

The fruit of nārikela is cold, sweet and unctuous and pacifies vāta and pitta. It is general tonic and used as drug in amlapitta (acid gastritis) and abdominal pain. (80)

### 71. *Jambū*

Jambū is rough, astringent, cold and checks discharges. The seeds are anti-diuretic and useful in prameha. (81)

### 72. *Cāṅgerī*

Cāṅgerī is sour, it improves digestive fire and pacifies vāta. It is useful in grahaṇī disorder, piles, kuṣṭha and diarrhoea. (82)

### 73. *Citraka*

Citraka is fire-like irritant and promotes digestive fire. Like leopard, it also tears off abdominal pain and accumulation of wind. (83)

### 74. *Pañcakola* (Five pungents)

Pippalī, pippalīmūla, cavya, citraka and śuṇṭhī are the five pungents. This group (pañcakola) is pungent, irritant, hot, improves digestion and pacifies kapha and vāta. (84)

### 75. *Guḍūcī*

It is also commonly known as 'amṛtā'. It is bitter and rasāyana and is prescribed in chronic fever, prameha, vātarakta and jaundice. (85)

### 76. *Pāṭhā*

Pāṭhā is a climber having round leaves and yellow flowers. It is bitter, hot and possesses checking action and is useful in kuṣṭha, abdominal pain and diarrhoea. (86)

### 77. *Tāmbūla*

It is generally used as mouth-refresher. It is bitter-pungent, hot, cardiac stimulant, aphrodisiac, antiseptic and useful in disorders of vāta and kapha. (87)

### 78. *Sārivā*

Sārivā is also known as 'gopavallī' (cowherds' twinner) as it is used by them for various purposes. It is of two types—white and black. It promotes digestive fire, improves strength and pacifies blood. (88)

### 79. *Śatāvarī*

Śatāvarī is cold, rasāyana, galactogogue, aphrodisiac and is useful in disorders of vāta and pitta. It is a drug of choice for amlapitta (acid gastritis). (89)

### 80. *Vidārī*

Vidārī has big tuber (kanda) which is used as drug. It is general tonic, rasāyana and galactogogue. (90)

### 81. *Kapikacchū*

The hairs on its fruits produce itching in animals and as such is called 'kapikacchū '(itcher of monkeys). The seeds are sweet, vāta pacifying and excellent aphrodisiac. (91)

### 82. *Kulattha*

The seeds of kulattha are hot, irritant, slightly sour and aggravate pitta. They break calculi and windy tumours and destroy semen. (92)

### 83. *Kāravella*

Kāravella is bitter, hot, laxative, anthelmintic and pacifies kapha and pitta. It is useful in fever, diabetes and blood-disorders. (93)

### 84. *Jyotiṣmatī*

It is bitter-pungent, hot, irritant, emetic, promotes intelligence and digestion, pacifies kapha and vāta and aggravates pitta. (94)

### 85. *Mañjiṣṭhā*

Mañjiṣṭhā is internally reddish climber and is a good blood-purifier. It is useful in leprosy, skin diseases, diabetes, oedema and poisons. (95)

### 86. *Śatapuṣpā*

It is also known as 'Śatāhvā' (having hundreds of flowers in umbels). It is pungent, hot, increases pitta and digestive fire, normalises wind and is useful in abdominal pain, flatulence and loss of digestive power. (96)

### 87. *Araṇyajīraka*

It is bitter, hot, irritant, anthelmintic, antipyretic, pacifies kapha and is useful in kuṣṭha, intestinal parasites, poisons and itchings. (97)

### 88. *Yavānī*

Yavānī is pungent-bitter, rough, hot, promotes digestion, increases pitta, normalise wind and is useful in abdominal pain, flatulence and worms. (98)

### 89. *Pārasīka Yavānī*

It was introduced from Persia and as such is. called 'pārasīka yavānī'. It is bitter, hot, narcotic, antispasmodic and anthelmintic and is useful in colics and worms. (99)

### 90. *Dhānyaka*

It is also known as 'kustmburu'. It is pleasant, checking and useful in burning sensation, vomiting, diarrhoea and dysuria. (100)

### 91. *Rasona*

'Rasona' is so named as it possesses all the rasas being deficient (ūna) only by one rasa (sour). It is hot, irritant, rasāyana and a good remedy for vātika disorders. (101)

### 92. *Kuṣṭha*

It is aromatic, pungent, bitter, hot, aphrodisiac and pacifies kapha and vāta. It is useful in disorders of kapha, vāta and blood. (102)

### 93. *Puṣkara*

Puṣkaramūla (the root of puṣkara) is pungent, bitter, hot, slightly narcotic and is useful in cardiac disorders, bronchial asthma, cough and chest-pain. (103)

### 94. *Māṃsī*

The drug has bunch of hairs and grows in Himālayas. It is hypnotic, tranquilliser, promotes intellect and is useful in hypertension and skin diseases. (104)

### 95. *Uśīra*

Uśīra is bitter, cold, digests āma and pacifies pitta.. It is effective in burning sensation, fever, innate haemorrhage, dysuria and thirst. (105)

### 96. *Musta*

It is pungent, bitter, appetiser, digestive, checking and is useful in grahaṇī, āmadoṣa, fever and anorexia. (106)

### 97. *Vacā*

Vacā is hot, irritant, emetic, promotes intellect and pacifies kapha and vāta. It is useful in epilepsy, worms, intestinal wind and abdominal pain. (107)

### 98. *Jayapāla*

It is a drastic hydrogogue purgative and as such is used in small doses. It is generally used in hard bowels and to eliminate fluid in ascites and dropsy. (108)

### 99. *Ativiṣā*

It is said as of two types—white and reddish. It is pungent, bitter, hot, pacifies all doṣas and is useful in diseases of children such as cough, fever, diarrhoea and vomiting. (109)

### 100. *Dāruharidrā*

It is bitter, hot, pacifies kapha and pitta and is useful in hepatic disorders, prameha, blood-disorders and wounds. (110)

### 101. *Haridrā*

The regular use of the juice of fresh haridrā alleviates prameha. It is an effective anti-allergic drug and its powder used with honey destroys kuṣṭha, bronchial asthma and urticaria. (111)

### 102. *Apāmārga*

It cleans the body by eliminating urine, faeces etc. Its seeds are used in head-evacution and root in leprosy. (112)

### 103. *Bākucī*

This plant grows commonly everywhere. The seeds of bākucī destroy vitiligo by external and internal application. (113)

### 104. *Rāsnā*

Rāsnā is stated by Caraka as the best drug for vātika disorders. It is useful in vātika disorders, particularly āmavatā (rheumatoid arthritis) and oedema. (114)

### 105. *Sarpagandhā*

Its root is used. It is intensely bitter, hot, laxative and hypnotic and is useful in violent insanity, colic and hypertension. (115)

### 106. *Kaṭukā*

It grows on high altitude in Himālayas. It is bitter and pacifies kapha and pitta. It is purgative, antipyretic and useful in hepatic disorders. (116)

### 107. *Kumārī*

Kumārī is bitter, purgative, emmenagogue and effective in disorders of liver and spleen. (117)

### 108. *Punarnavā*

It increases blood and makes the weak body youthful. It is useful in anaemia, oedema, dysuria, cardiac disorders and ascites. (118)

### 109. *Tulasī*

The plant is worshipped almost in every house. It pacifies kapha and vāta and alleviates fever, cough, bronchial asthma etc. (119)

### 110. *Bhṛṅgarāja*

Bhṛṅgarāja is pungent, bitter, hot and alleviates kapha and vāta. It is useful in greying of hairs, skin, diseases, oedema, anaemia, and general debility. (120)

### 111. *Vāsā*

Vāsā is hopeful refuge for the patients of cough, bronchial asthma and innate haemorrhage. It is bitter and pacifies kapha and pitta and is also used in oedema, fever and kuṣṭha. (121)

### 112. *Kirātatikta*

Kirātatikta is one of the best among the bitters and pacifies kapha and pitta. It is an effective drug for fevers, kuṣṭha and wounds. (122)

### 113. *Śaṭī*

It is also called as gandhapalāsā (having aromatic leaves). It is useful in cough, bronchial asthma, vomiting, abdominal pain and as mouth-refresher. (123)

### 114. *Bhār(ṅ)gī*

It is rough, pungent, bitter, hot and appetiser and useful in cough, bronchial asthma, chronic coryza and raktagulma (accumulation of blood in uterus). (124)

### 115. *Brāhmī*

Brāhmī promotes intellect and is rasāyana, cardiac tonic and laxative. It alleviates kuṣṭha, prameha and oedema. (125)

### 116. *Śaṅkhapuṣpī*

The plant bears beautiful conch-like white flowers. It is the best among the medhya (intellect-promoting) rasāyana drugs. Moreover, it is unctuous, general tonic and allays mental disorders. (126)

### 117. *Aśvagandhā*

It makes the man potent like horse and is general tonic and rasāyana. It is useful in vātika disorders. (127)

### 118. *Balā*

There are five types of balā—balā, atibalā, mahābalā, nāgabalā and rājabalā. All are general tonic, aphrodisiac and useful in vātika disorders. (128)

### 119. *Jīvantī*

The plant is a climber known also as 'śākaśreṣṭhā' (best among pot-herbs). It bears green horn-like fruits. Jīvantī is sweet, galactogogue and promotes vitality. (129)

### 120. *Madhuka*

It is commonly known as 'madhuyaṣṭī' (sweet stick). It is the best drug beneficial for eye, virility and throat and is also useful in cough, bronchial asthma, headache and eye-diseases. (130)

### 121. *Tṛṇapañcamūla* (Five grass-roots)

The roots of kuśa, kāśa, darbha, ikṣu and śara are collectively known as Tṛṇapañcamūla. It is galactogogue and diuretic. (131)

### 122. *Arka*

Arka is known of two types—one having white and the other with reddish flowers. The plant is commonly found. It is irritant and breaking and pacifies kapha and vāta. It is useful in kuṣṭha and gulma. (132)

### 123. *Eraṇḍa*

Vātāri (destroyer of vāta), pañcāṅgulapatraka (having palmate leaves) and citrāsthi (with variegated seeds) are synonyms of eraṇḍa. It is efficacious in vātika disorders. Castor oil is purgative and eliminates āma. (133)

### 124. *Dūrvā*

The plant has roots emerging from the joints in stem. It heals wound and is useful in haemorrhage, burning sensation and skin diseases. (134)

### 125. *Pāṣāṇabheda*

It is found growing on stone-slabs. It is cold and lithontriptic. (135)

The details concerning name, morphological characters, properties, actions and uses of drugs should be consulted in author's book 'Priyanighaṇṭu' and 'Dravyaguṇa-Vijñāna'. (136)

Rāsnā, gokṣura, guḍūcī, nāgabalā, śatāvarī, eraṇḍa, balā, aśvagandhā, kapikacchū and punarnavā—These constitute the vāta-pacifying group. (137)

Kākolī, kṣīrakākolī, āmalaka, madhuka, vaṃśalocana, padmaka, kamala, jīvantī and uśīra—This is pitta-pacifying group. (138)

Pippalī, pippalīmūla, citraka, śuṇṭhī, marica, hiṅgu, sarṣapa, kuṭaja, bhārgi, mūrvā and pāṭhā—This is kapha-pacifying group. (139)

Similarly in Caraka-saṃhitā (SU. ch. 4) fifty groups (each group having ten ingredients) of drugs named as 'mahākaṣāyas' are stated. Suśruta also has described such thirty seven groups. (140)

## CHAPTER IV

# BHEṢAJAKALPANĀ

## (PHARMACY)

For pharmaceutical preparations, drug unaffected by insects e c. grown in good soil, mature and fresh should be collected in proper time. (1)

The drug so collected should be washed and cleaned and then dried in shade as the potency may be lost by keeping in scorching heat of the sun. (2)

Thereafter it may be preserved in firm and clean containers impervious to insects and animals and taken out for use from time-to-time. (3)

### BASIC PHARMACEUTICAL FORMS

Svarasa (juice), kalka (paste), kvātha (decoction), hima (cold infusion) and phāṇṭa (hot infusion)—these five are the pharmaceutical forms basic to all sorts of preparations. (4)

Juice expressed from the pounded or closedly heated drug is known as 'svarasa'. Kalka is the paste made of the drug pounded with water. Kvātha is prepared by cooking the drug in some liquid. Extract prepared by keeping the drug in hot water for some time is 'phāṇṭa' while the same prepared by keeping it in cold water overnight is 'hima'. (5-6)

Decoction is generally prepared by taking drug 40 gm. and boiling in water 16 times (640 ml.) till it remains one-fourth (160 ml.). It may be administered alone or mixed with honey etc. (7)

Hot infusion is prepared like tea by putting drug 40 gm. in boiling water 160 ml. for some time. (8)

For cold infusion coarsely pounded drug is taken 40 gm. and put in cold water 240 ml. for the whole night. It is taken in the morning. (9)

*Puṭapāka* (Closed heating)

Drug is pounded and kept in a closed space made of jambu leaves etc. It is tied firmly with threads or ropes and covered with mud-paste two fingers thick. Then it is heated on fire keeping it in between the cow-dungs till it becomes red-hot. Thereafter it is taken out and allowed to become cold. Then it is pounded and juice is expressed out of it. (10-11)

### *Taṇḍulodaka* (Rice-water)

Rice-grains 40 gm. are pounded coarsely and kept in a bowl having water four times (160 ml.). After some time the water is taken out. This is known as taṇḍulodaka (rice-water). (12)

### *Pramathyā*

The pounded drug 40 gm. is boiled in eight times (320 ml.) water remaining to one-fourth (80 ml.). This is known as 'pramathyā'. (13)

### *Pānīya* (Medicated water)

Water 2 litre 560 ml. is boiled with coarsely pounded drug 40 gm. remaining to one-half (1 litre 280 ml.). This is pānīya such as ṣaḍaṅga pānīya etc. (14)

### *Uṣṇodaka* (Boiled water)

Water alone is boiled till it remains 1/8, 1/4, or 1/2 This is uṣṇodaka used in disorders caused by kapha, pitta and vāta respectively. (15)

### *Kṣīrapāka* (Medicated milk)

Pounded drug should be put in eight times milk which should be boiled with four times water till only milk remains. This is kṣīrapāka. (16)

### *Cūrṇa* (Powder)

The dried drug is pounded finely without adding any liquid and strained through cloth. This is known as cūrṇa. Kṣoda and rajas are its synonyms. (17)

### *Pānaka* (Syrup)

Decoction (of drug) added with sugar is again cooked on mild fire for some time till it thinly sticks to ladle but is in liquid form. This is pānaka. (18)

### *Rasakriyā or avaleha* (Linctus)

When some decoction is again boiled till it becomes semi-solid, it is termed as rasakriyā or avaleha.

When it becomes completely solid, it is known as 'modaka'.

'Guḍaka' is similar to modaka and is prepared by adding sugar or jaggery, 'vaṭaka' is of the shape of black gram-cake (baḍā) and is different from 'modaka'. The same of smaller size and even without sugar is known as 'guḍikā', 'vaṭikā' or 'vaṭī'. Jaggery is to be added to powder in equal quantity while in modaka it is given in double quantity. Vaṭikā is prepared in both ways—by cooking or without cooking. (19-22)

### *Fatty preparations*

In preparation of taila and ghṛta liquid (water etc.) should be given four times the fatty material while the paste (of drugs) should be one-fourth. In this way, these should be prepared according to the prescribed method. In this connection, the decoction (of drugs) should be prepared in four, eight or sixteen times water (according to the consistency of drugs) reduced to one-fourth. The fatty material should be processed with the same. (23-24)

Sometimes the fatty material is cooked in liquid only without adding paste. Thus, from this point of view, the processing of fatty material is of two types—one sakalka (with paste) and the other akalka (without it). (25)

When the paste rolled in fingers becomes like a stick (or wick) and it does not make sound when put to fire, it indicates the completion of the processing of the fatty material. When taila and ghṛta are prepared completely there is appearance of froth in the former while the froth gets gradually subsided in the latter. Moreover, in both there is emergence of desired colour, smell and taste. (26-27)

The cooking (of fatty material) is of three types (according to degree)—soft, medium and rough. In the first one the paste in the product is soft and with some remnant liquid, in the second one it is soft but without liquid while the third degree is regarded as inferior when it is somewhat hardened. Beyond this, it becomes 'burnt', devoid of potency and causing burning sensation. The soft product should be used for snuffing, the rough one for anointment and the medium one generally for all purposes. The physician should not use the fatty material uncooked or roughly cooked as they are devoid of potency and cause loss of appetite and burning sensation respectively. The fatty materials (ghee, oil etc.) should not be cooked hastily in a day but ample time should be devoted to it so that it acquires the particular properties of the drugs fully. (28-32)

## Fermented preparations

The product prepared by fermenting uncooked drugs in water is known as 'āsava' while that prepared by fermenting decoction (of drugs) is known as 'ariṣṭa'. These (contain a certain percentage of alcohol and as such) are intoxicating. The intoxicating product prepared similarly with cooked cereals is 'surā' and the same with the juice of date palm etc. is known as 'vāruṇī'.
(33-34)

Drug is kept in surā for a week as prescribed by Caraka for jimūta-surā and thus the product is known as 'surā-kalpa' (tincture). (35)

Drug is properly immersed with water and after putting in distilling apparatus is extracted through the tube shaped like elephant-tusk. This product is known as 'arka'. (36)

When Radish root, fruit etc. mixed with fat or not, are kept for fermentation the product is known as 'śukta' (vinegar). The same prepared with scum of black gram etc. is known as 'kāñjika' (sour gruel) and it is 'śaṇḍākī' when prepared with substances like radish, mustard etc. (37-38)

## Dietary preparations

Rice 40 gm is cooked in fourteen times pure water and supernatant liquid devoid of solid stuff is taken out. This is known as 'maṇḍa' (scum) which is wholesome. The same having a little solid material is known as 'peyā' (liquid gruel) while that having more solid is 'yavāgū'. That which attains the consistency of paste is known as 'vilepī' (Paste-gruel). Yavāgū should be prepared in six times water, vilepī in four times water, food in five times water and kṛśarā like yavāgū. Kṛśarā prepared with rice and pulse of green gram and fried with cumin seeds, asafoetida and ghee is quite wholesome for the diseased. (39-42)

*Units of weight*

The following are the units of weight:

Guñjā (Raktikā)   =   1 seed of guñjā
   8 Raktikā      =   1 Māṣa (gram)
  10 Māṣa         =   1 Karṣa (10 gm.)
   2 Karṣa        =   1 Śukti (20 gm.)
   2 Śukti        =   1 Pala (40 gm.)
   2 Pala         =   1 Prasṛta (80 gm.)
   2 Prasṛta      =   1 Kuḍava (Añjali) (160 gm.)
   2 Kuḍava       =   1 Śarāva (320 gm.)
   2 Śarāva       =   1 Prastha (640 gm.)
   4 Prastha      =   1 Āḍhaka (Pātra) (2.56 kg.)
   4 Āḍhaka       =   1 Droṇa (10.24 kg.)
   4 Droṇa        =   1 Droṇī (40.96 kg.)
   4 Droṇī        =   1 Khārī (163.84 kg.)
 100 Pala         =   1 Tulā (4 kg.)
                          (43-47)

*Specific injunctions*

Everywhere the fresh drugs should be used except jaggery and honey which become more efficacious when old. Ghee also should be used new having normal taste, smell etc. The old one is efficacious in mental disorders. Generally oil of sesamum should be used in all formulations while in the context of skin disease mustard oil is taken. (48-50)

Specific parts of plants having activity are to be used such as heartwood of khadira etc., bark of nimba etc. Of big plants bark of the root should be taken while in case of small herbs the whole root should be extracted. (51-52)

By 'pātra' (container) earthen jar should be taken. Similarly by 'utpala' nila (blue) variety of utpala and by 'faeces' cow-dung is taken. 'candana' (sandal) indicates the red one, 'sarṣapa' (mustard) the yellow one, 'lavaṇa' (salt) the rock-salt and 'mūtra' (urine) the cow's urine. When there is no mention of particular time, 'morning' is understood, while if there is no mention of part, root should be taken. In non-mention of proportion, equal is taken and in that of liquid, water is used.
                                                              (53-55)

## Shelf-life

Generally the drug stored loses its potency after a year. The powder becomes inefficacious after two months while in case of pills and linctus the date of expiry is beyond a year. Ghṛta and oils etc. lose their potency only after four months. Generally all the drugs lose their potency after a year except āsavas, bhasmas and rasas which become more potent by the advent of time. (56-58)

## Dosage

The fresh juice is heavy and as such it should be used in the dose of one karṣa (10 ml.) only. The paste is also to be used in the same dose. The decoction should be taken warm on empty stomach in the dose of two palas (80 ml.) adding thereto sugar in case of (the disorder of) pitta and vāta while honey in that of kapha. Modaka, vaṭikā and avaleha should be used in the dose of 10 gm. The above dosage is average which may be modified according to digestive power and other conditions. (59-61)

Guggulu is given in the dose of 1/4 karṣa (2.5 gm.) but it exceeds in case of obesity. The excessive use of guggulu causes impotency, hence it should be avoided. (62)

The well prepared bhasma of gold etc. is given in the dose of one raktikā (125 mg.) but the dose of lauha and maṇḍūra is up to one gm. and three gm. respectively. (63)

Generally dose of sneha (fatty material) is 10 gm. but it may be more for unction. Physician should decide it according to digestive power of the patient. (64)

In children, in the first month the dose is generally one raktikā (125 mg.) which is increased as the age advances. (65)

The dose if excessive becomes harsh and harmful while the lower dose does not exert effect that is why the wise physician should prescribe the proper dose—neither higher nor lower.

For individuals, the dose should be decided according to doṣa, digestive power, strength, age, bowels, constitution, disorder and location. (66-67)

The formulation even if slightly potent may be changed into the more efficacious one and vice-versa by the process of addition, subtraction, processing, time and mode of administration. (68)

Saṃskāra (processing) creates additional qualities. Processing may consist of keeping in shade, water, sun, cutting, rubbing, pressing, purification, infusing, churning, etc. (69)

In formulation, always the (genuine) drug mentioned should be used and no substitute as it creates confusion. (70)

While using a formulation the physician should act with reason. He may delete some item which is not desirable in the present case and may add some item which he thinks fit. (71)

*Important drug formulations*

### KVĀTHA (DECOCTIONS)

*Amṛtādi kvātha*

　　Composition—guḍūcī, dhānyaka, nimba, rakta candana and padmaka—all in equal parts.

　　Indications—fever, disorders of kapha and pitta and loss of appetite. (72)

*Paṭolādi kvātha*

　　Composition—paṭola, mūrvā, candana, kirātatikta, kaṭukā, guḍūcī and pāṭhā.

　　Indications—diseases of kapha and pitta, fever and vomiting. (73)

*Pañcabhadra kvātha*

　　Composition—Parpaṭa, musta, guḍūcī, śuṇṭhī and kirātatikta.

　　Indications—fever caused jointly by pitta and vāta. (74)

*Puṣkarādi kvātha*

　　Composition—puṣkaramūla, śuṇṭhī, guḍūcī and kaṇṭakārī.

　　Indications—disorders caused by vāta and kapha particularly cough, bronchial asthma and chest-pain. (75)

*Daśamūla kvātha*

　　Composition—daśamūla (bilva, pāṭalā, śyonāka, gambhārī, agnimantha, śālaparṇī, pṛśniparṇī, bṛhatī, kaṇṭakārī and gokṣura).

　　The powder of pippalī is added to the decoction before intake.

　　Indications—pain, oedema, puerperal disorders, syndromes caused by tridoṣa. (76)

*Dhānyapañcaka kvātha*

　　Composition—dhānyaka, bālaka, bilva, śuṇṭhī and musta.

　　Actions and uses—astringent, appetiser, digestive, alleviates āma and pain. (77)

*Vatsakādi kvātha*

Composition—kuṭaja, bālaka, bilva, musta, ativiṣā and indrayava.

Indication—dysentery. (78)

*Phalatrikādi kvātha*

Composition—triphalā, nimba, guḍūcī, kaṭukā, kirātatikta and vāsā.

Indications—jaundice and anaemia. Honey is added to the decoction before use. (79)

*Punarnavāṣṭaka kvātha*

Composition—punarnavā, paṭola, nimba, kaṭukā, guḍūcī, dāruharidrā, śuṇṭhī and harītakī.

Indications—anaemia, oedema and abdominal enlargement. Honey may be added to the decoction before use. (80-81)

*Rāsnāsaptaka kvātha*

Composition—rāsnā, āragvadha, devadāru, gokṣura, eraṇḍa, guḍūcī and punarnavā. Śuṇṭhī powder is added to the decoction before use.

Indications—vātic disorders. (82)

*Dārvyādi kvātha*

Composition—dāruharidrā, rasañjana, bhallātaka, vāsā, bilva, musta and kirātatikta. Honey is added to the decoction before use.

Indications—menorrhagia, dysmenorrhoea. (83)

*Mañjiṣṭhādi kvātha*

Composition—mañjiṣṭhā, vacā, triphalā, kaṭukā, guḍūcī, dāruharidrā and nimba.

Indications—blood disorders, skin diseases. (84)

*Pathyāṣaḍaṅga kvātha*

Composition—triphalā (harītakī, bibhītaka, āmalakī) kirātatikta, haridrā, guḍūcī and nimba. Jaggery is added to the decoction before use.

Indications—diseases of head. (85)

*Ṣaḍaṅgapānīya*

Composition—candana, uśīra, bālaka, parpaṭa, śuṇṭhī and musta.

Actions and uses—Water processed with the above is used to alleviate fever, burning sensation and thirst. (86)
Similar water processed with lavaṅga is given in āmajvara and that with lotus seeds in fever, burning sensation and thirst. (87)

### Phāṇṭa (Hot Infusions)

*Pañcakola phāṇṭa*

Hot infusion of pañcakola is efficacious in the disorders of vāta-kapha particularly in coryza. (88)

Hot infusion of jaṭāmāṃsī, drākṣā and rudrākṣa exert tranquillising and hypnotic effect and is useful in hypertension. (89)

*Sudarśana phāṇṭa*

Composition—triphalā, haridrā, dāruharidrā, kaṇṭakārī, śaṭī, guḍūcī, kaṭukā, parpaṭa, musta, nimba, vāsā, madhuyaṣṭī, Indrayava, ativiṣā, lavaṅga, tvak, paṭola (leaves), tālīśa, śobhāñjana (seeds), bhārgī, vacā, devadāru—all in equal parts, kirātatikta half of this total. Honey may be added to the infusion before use.

Indications—All types of fever. (90-92)

### Hima (Cold Infusion)

*Dhānyaka-hima*

The cold infusion of dhānyaka taken with sugar in the morning alleviates burning sensation, thirst and all sorts of the disorders of pitta. (93)

### Cūrṇa (Powder)

*Bālacaturbhadrā*

Composition—karkaṭaśṛṅgī, pippalī, ativiṣā and musta.

Indications—Pediatric disorders such as cough, fever, diarrhoea and vomiting. (94)

*Sitopalādi Cūrṇa*

Composition—sugarcandy 16 parts, vaṃśalocana 8 parts, pippalī 4 parts, big variety of elā 2 parts and tvak 1 part. This should be taken with honey and ghee.

Indications—cough caused by vāta and pitta, bronchial asthma, fever, debility and loss of appetite. (95-96)

*Tālīśādya cūrṇa*

Composition—tālīśa 1 part, marica 2 parts, śuṇṭhī 3 parts, pippalī 4 parts, vaṃśalocana 5 parts, elā ½ parts, tvak ½ part, sugar equal to the total of the above.

Indications—cough caused by vāta and kapha, bronchial asthma, vomiting and grahaṇī disorders. (97-98)

*Hiṅgvaṣṭaka cūrṇa*

Composition—pippalī, marica, śuṇṭhī, ajamodā, rocksalt, cumin, black cumin and asafoetida.

Indications—loss of appetite and vātic disorders. (99)

*Bhāskara lavaṇa*

Composition—sea salt 80 gm., sauvarcala 50 gm., rocksalt, bida salt, dhānyaka, pippalīmūla, pippalī, amlavetasa, tālīśa, nāgakeśara, tvakpatra, kṛṣṇa jīraka, each 20 gm., jīraka, śuṇṭhī, marica each 10 gm., pomegranate 40 gm., elā and tvak each 5 gm.

Indications—loss of appetite, indigestion, āmadoṣa, constipation, gulma and splenomegaly. (100-103)

*Jātīphalādi cūrṇa*

Composition—jātīphala, lavaṅga, tvak, elā, patra, nāgakeśara, camphor, candana, vaṃśalocana, tagara, pippalī, śuṇṭhī, marica, harītakī, bibhītaka, āmalakī, tālīśa, citraka, jiraka and viḍāṅga—all equal parts, bhaṅgā (Indian hemp) equal to the above total. Sugar equal to the above total.

Actions and uses—It improves appetite and digestion, checks diarrhoea and is useful in grahaṇīroga, cough and bronchial asthma. (104-106)

*Pañcasama cūrṇa*

Composition—śuṇṭhī, harītakī, pippalī, trivṛt and sauvarcala.

Indications—abdominal pain, flatulence, āmadoṣa and vātic disorders. (107)

*Dhātuvallabha cūrṇa*

Composition—aśvagandhā, muśalī, gokṣura, ikṣuraka seeds, makhānna and śatāvarī—equal parts, sugar equal to the above total.

It is taken with honey followed by milk.

Actions and uses—Improves semen and is aprodisiac. (108-109)

*Elādi cūrṇa*

Composition—elā, lavaṅga, pippalī, candana, lājā (parched paddy), priyaṅgu, musta, seed-marrow of jujube fruit and nāgakeśara.

It is taken with honey and sugar.

Indications—vomiting, anorexia and restlessness. (110-111)

*Ākārakarabhādi cūrṇa*

Composition—ākārakarabha, śuṇṭhī, kuṅkuma, kaṅkola, pippalī, jātīphala, lavaṅga and candana—each 10 gm. and opium 40 gm. It should be taken with milk.

Action and use—used as aphrodisiac particularly to retain semen. (112-113)

*Lavaṅgacatuḥsama*

Composition—lavaṅga, jātīphala, taṅkaṇa, (borax) and jīraka. It is taken with honey and sugar.

Indications—griping and diarrhoea. (114)

*Dāḍimacatuḥsama*

The combination of the above four drugs (of lavaṅga-catuḥṣama) when cooked after putting them in the interior cavity of the pomegranate fruit and pounded with goat's milk is known as dāḍimacatuḥsama. It is more astringent. (115)

*Lavaṅgādi cūrṇa*

Composition—lavaṅga, taṅkaṇa, musta, dhātakī flowers, bilva fruit, jātīphala, dhānyaka, sarjarasa, śatapuṣpā, dāḍima, jīraka, rocksalt, mocarasa, rasāñjana, nilotpala, raktacandana, lajjālu, cavya, karkaṭaśṛṅgī, ativiṣā, khadira, bālaka, abhraka-bhasma and vaṅgabhasma. This is treated with the juice of bhṛṅgarāja for three days.

Indications—cough, bronchial asthma, grahaṇīroga, diminished digestion and diarrhoea. (116-119)

*Samaśarkara cūrṇa*

Composition—elā, dārusitā, patra, nāgakeśara, pippalī, marica and śuṇṭhī gradually in increasing parts (such as elā 1, dārusitā 2 and so on). Sugar equal to the above total.

Actions and uses—It stimulates digestive fire, restores wind in its normal course and is useful in piles. (120-121)

*Baḍavānala cūrṇa*

Composition—five salts, yavakṣāra, svarjikṣāra, amlavetasa, dhānyaka, pippalī, pippalīmūla, kṛṣṇajīraka, citraka, nāgakeśara, and tālīśa—each 20 gm., jīraka fried 100 gm.—all powdered and treated with nimbu juice.

Action and uses—It stimulates digestive fire, helps digestion and alleviates vātika gulma. (122-124)

*Avipattikara cūrṇa*

Composition—trikaṭu, triphalā, musta, viḍa salt, Patraka, viḍaṅga, elā—each equal part, lavaṅga equal to the above total. Trivṛt equal to the above total and sugar equal to the above total.

Action and uses—It is purgative and useful in amlapitta. (125-126)

*Puṣyānuga cūrṇa*

Composition—pāṭhā, seed-kernel of jambū and āmra, arjuna, pāṣāṇabheda, rasañjana, mocarasa, lajjālu, lotus stamens, musta, kuṅkuma, kaṭphala, marica, ativiṣā, bilva (fruit-pulp) gairika, śuṇṭhī, mṛdvīkā, raktacandana, dhātaki, kuṭaja, aralu, sārivā and madhuka—all collected in puṣya constellation. The powder is mixed with honey and taken with rice water.

Indications—menorrhagia and other uterine disorders. (127-130)

*Śatapuṣpādi cūrṇa*

Composition—śatapuṣpā unfried 10 gm. and fried 10 gm., harītakī, śuṇṭhī, sauvarcala each 10 gm.

Indications—āmadoṣa in bowels, griping and loss of appetite. (131-132)

*Palāśabījādi cūrṇa*

Composition—palāśa seeds, Indrayava, pārasīka yavānī, viḍaṅga, kirātatikta and nimba bark.

Indications—Intestinal parasites. (133-134)

*Śṛṅgyādi cūrṇa*

Composition—karkaṭaśṛṅgī, trikaṭu, triphalā, puṣkaramūla, kantakārī, bhārgī and five salts.

Indications—cough and bronchial asthma. (135)

*Śaṭyādi cūrṇa*

Composition—śaṭī, coraka, jīvantī, tvak, musta, puṣkaramūla, tulasī, elā, bhūmyāmalakī, aguru, bālaka, śuṇṭhī—each one part, sugarcandy eight parts.

Indications—bronchial asthma and cough. (136-137)

*Kṛṣṇabījādi cūrṇa*

Composition—kṛṣṇabījā (fried) 8 parts, svarṇapatri 4 parts, śuṇṭhī 2 parts, śatapuṣpā 1 part, sugar 7 parts.

Action and use—It is purgative. (138-139)

*Yaṣṭyādi cūrṇa*

Composition—madhuka 2 parts, svarṇapatrī 2 parts, śatapuṣpā one part, sulphur 1 part, sugar 6 parts.

Action and use—It is mild purgative. (140-141)

*Ṣaṭsakāra cūrṇa*

Composition—svarnapatrī, śivā (harītakī), saindhava (rock salt) sauvarcala, śuṇṭhī and śātapuṣpā (all beginning with 'Sa'.

Action and use—It is mild purgative. (142-143)

*Daśanasaṃskāra cūrṇa*

Composition—śuṇṭhī, harītakī, musta, catechu, camphor, betel nut (cooked by closed heating), marica, tvak and lavaṅga—all equal parts, chalk powder equal to the above total.

Action and use—It cleanses teeth and used as dentifrice. (144-145)

*Vajradanta mañjana*

Composition—śuṇṭhī, pippalī, marica, bibhītaka, āmalaka, harītakī, tuttha, rocksalt, pattaṅga, madaphala, sauvarcala, tumburu, camphor—all in equal parts, gairika equal to the above total.

Action and use—It cleanses teeth, strengthens gums and is used as dentifrice in diseases of teeth and gums. (146-147)

## VATIKĀ (PILLS)

*Saṃjivanī vaṭi*

Composition—pippalī, viḍaṅga, śuṇṭhī, harītakī, bibhītaka,

āmalaka, vacā, guḍūcī, bhallātaka and vatsanābha—all in equal parts, pounded with cow's urine and made into pills each weighing 125 mg.

Indications—gulma, indigestion, viṣūcikā, poisoning, other disorders caused by vāta-kapha. (148-149)

*Vyoṣādi guḍikā*

Composition—trikaṭu, amlavetasa, cavya, tālīśa, jīraka, citraka, dāḍima fruit—each 10 gm., tvak, elā, patraka—each 2.5 gm., jaggery 200 gm.

Indications—chronic sinusitis, coryza and cough. (150-151)

*Candraprabhā vaṭī*

Composition—guḍūcī, vacā, musta, haridrā, dāruharidrā, kirātatikta, ativiṣā, devadāru, citraka, triphalā, pippalī, dhānyaka, viḍaṅga, gajapippalī, cavya, trikaṭu, mākṣika-bhasma, yavakṣāra, svarjikṣāra, three salts (saindhava, sauvarcala and biḍa)—each 2-5 gm.; dantī, trivṛt, vaṃśalocana, trijāta—each 10 gm.; lauha-bhasma 20 gm., sugar 40 gm., śilājatu 80 gm., guggulu 80 gm.—all pounded well and made into pills.

Actions and uses—It promotes semen and strength and is useful in diseases of genito-urinary system. (152-155)

*Kāṅkāyana guḍikā*

Composition—jīraka, dhānyaka, yavānī, ajamodā, upakuñcikā, aparājitā and marica—each 10 gm., asafoetida 15 gm.; yavakṣāra, sarjikṣāra, five salts, trivṛt—each 2.5 gm., dantī, viḍaṅga, puṣkaramūla, dāḍima (fruit), harītakī, śaṭī, śuṇṭhī, citraka, amlavetasa—each 40 gm.—all powdered and treated with nimbu juice and made into pills.

Indications—gulma and abdominal pain. (156-158)

*Citrakādi guḍikā*

Composition—pippalīmūla, yavakṣāra, svarjikṣāra, citraka, five salts, trikaṭu, asafoetida, ajamodā and cavya—all powdered and pounded with the juice of nimbu and pomegranate (sour) and made into pills of the size equal to that of bengal gram.

Actions and uses—It normalises the course of wind and is useful in grahaṇī-roga, loss of appetite, abdominal pain, gulma and excess of wind in bowels. (159-161)

*Lavaṅgādi vaṭī*

Composition—lavaṅga, marica, bibhītaka—each 1 part, catechu 3 parts—all powdered and pounded with the decoction of babbūla bark is made into pills.

Indications—It is kept in mouth.

Cough, bronchial asthma and hoarseness of voice. (162-163)

*Apatantrahara vaṭī*

Composition—pārasīka yavānī 80 gm., camphor 20 gm., asafoetida 20 gm., gañjā 20 gm.—All powdered with water and made into pills of the size of black pepper.

Indications—hysteria. (164-165)

*Rajaḥpravartanī vaṭī*

Composition—aloe, kāsīsa (ferrous sulphate), asafoetida and purified borax—all together macrated with the juice of ghrtakumari and made into pills.

Indications—amenorrhoea, dysmenorrhoea and raktagulma.
(166-167)

*Arśoghnī vaṭī*

Composition—seed-kernels of nimba and mahānimba—2 and 1 part respectively, rasāñjana 2 parts, tṛṇakanta-piṣṭi 1 part, bola 1 part—All pounded together and made into pills.

Indication—piles. (168-169)

*Guggulu vaṭī*

Composition—purified guggulu, nimba (seed-kernel), asafoetida, śuṇṭhī powder, decorticated garlic—all pounded with ghee and made into pills.

Indications—all disorders of vāta. (170-171)

*Yogarāja guggulu*

Composition—citraka, pippalīmūla, jīraka, kṛṣṇa jīraka, devadāru, cavya, ajamodā, yavānī, Viḍaṅga, rocksalt, kuṣṭha, elā, rāsnā, gokṣura, dhānyaka, musta, tvak, uśīra, triphalā, trikaṭu, yavakṣāra, patra, tālīśapatra—all in equal parts, (purified) guggulu equal to the above total. Guggulu should be mixed with the above powder and pounded well with ghee and then made into pills.

Indication—vātavyādhi (disease of vāta). (172-175)

## Kaiśora guggulu

Composition—triphalā 1.92 kg. and guḍūcī 640 gm. are pounded together in an iron mortar and then boiled in water 15.36 litre reduced to one-half. In this decoction purified guggulu 640 gm. is dipped in an iron vessel and stirred with laddle till it becomes thick. Now the powders of dantī 10 gm.; trivrt 10 gm.; Viḍaṅga 20 gm.; trikaṭu (each) 20 gm.; guḍūcī 40 gm. and triphalā 80 gm. are added and mixed well. It is kept in vessel and pills each weighing 2.5 gm. are made.

Actions and uses—It is administered with mañjiṣṭhādi kvātha, khadira-kvātha or warm water and is useful in kuṣṭha, diabetes and vātarakta. It is known as 'kaiśora' because it provides softness and lustre to the body as in that of a 'kiśora' (youngster). (176-182)

## Gokṣurādi guggulu

Composition—gokṣura 1.12 kg. is boiled in six times water reduced to one-half. Now guggulu 280 gm. is added thereto and cooked like jaggery and added with trikaṭu, triphalā and musta total 280 gm. (each 40 gm.) and made into pills.

Indications—efficacious in urinary disorders particularly dysuria and suppression of urine. (183-185)

## Kāñcanāra-guggulu

Composition—fresh bark of kāñcanāra 400 gm., triphalā 240 gm., trikaṭu 120 gm., varuṇa 40 gm., trijāta 30 gm. are powdered finely and mixed with equal quantity of guggulu. It is pounded well and made into pills weighing 2.5 gm. each.

Actions and uses—kāñcanāra-guggulu is efficacious in enlarged glands, goitre, cervical adenitis and scrofula. It should be taken with decoction of muṇḍī or simple water.

(186-188)

## Candrodayā varti

Composition—harītakī, vacā, kuṣṭha, bibhītaka (seed-kernel) pippalī, marica, śaṅkhanābhi, realgar—each in equal quantity should be pounded with goat's milk and made into smooth sticks.

Actions and uses—candrodayā varti destroys eye-diseases and gives pleasure as on seeing the full moon. (189-190)

## AVALEHA (LINCTUS)

### Cyavanaprāśa

Composition—daśamūla, aṣṭavarga, karkaṭaśṛṅgī, parṇicatu-ṣṭaya, (śālaparṇī, pṛśniparṇī, mudgaparṇī and māṣaparṇī), pippalī, bhūmyāmalakī, drākṣā, jīvantī, puṣkaramūla, musta, aguru, balā, guḍūcī, elā, candana, harītakī, kamala, vāsā, punarnavā, kākanāsā, śaṭī, vidārī—each 40 gm., āma-laka fruits 500 (in number)—all should be boiled together in water 10.24 litres remaining to one-fourth. Now the āmalaka fruits are taken out, their seeds removed and pounded well so as to make a fine paste. This is fried with 480 gm. oil and ghee (half and half). On the other side, the above decoction should be added with sugarcandy 5 kg. and put on fire. The āmalaka paste should also be mixed with it. It is cooked on mild fire, stirring with laddle till it becomes linctus. Then it is brought down and when it has become cold honey 240 gm., vaṃśalocana 160 gm., pippalī 80 gm. and caturjāta 40 gm. should be added to it.

Actions and uses—It is a popular rasāyana, tones up heart, promotes strength and semen and is useful in diseases of chest. (191-198)

### Vāsāvyāghrīharītakī

Composition—Vāsā (leaves), kaṇṭakārī (whole plant) and harītakī—each 2 kg. are boiled in water 10.24 litre reduced to one-fourth. Now jaggery 4 kg. is added thereto and again cooked till it becomes linctus. When cooled trikaṭu 80 gm., caturjāta 160 gm. and honey 240 gm. are added.

Indications—It is efficacious in cough caused by vāta and kapha, bronchial asthma and chronic coryza. (199-201)

### Vāsāvaleha

Composition—juice of vāsā leaves 640 ml. Pippalī, ativiṣā, lavaṅga, marica, karkaṭaśṛṅgī—each 120 gm. The powder of drugs should be mixed with the juice of vāsā and cooked till it becomes linctus. When it is cold, ghee 160 gm. and honey 80 gm. should be added.

Indications—Cough caused by kapha and pitta, bronchial asthma and consumption. (202-204)

## Kalyāṇaleha

Composition—haridrā, vacā, kuṣṭha, pippalī, śuṇṭhī, kṛṣṇa-jīraka, madhuka, saindhava and yavānī—each in equal quantity are powdered and mixed together. It is added with sufficient ghee and made into linctus.

Actions and uses—It alleviates all disorders of voice, speech and promotes intellect. (205-206)

### Pāka-Modaka (Solid Sweet Preparations)

## Bhallātaka-pāka

Composition—purified bhallātaka 5 kg., ghee 480 gm., sugar 5 kg., śuṇṭhī, guḍūcī, nimba (bark), bākucī, Cakramarda (seeds), harītakī, āmalakī, haridrā, marica, mañjiṣṭhā, yavānī, pippalī, musta, parpaṭa, bālaka, uśīra, candana, camphor, and gokṣura—each 80 gm. The paste of pounded bhallātaka fruits is fried in ghee and cooked in water adding sugar to it. The powder of drugs is also mixed with it. When the pāka is prepared and cooled honey 240 gm. and caturjāta 320 gm. are added.

Indications—leprosy, piles, scrofula, glandular enlargement and ulcers. (207-211)

## Nārikela-khaṇḍa

Composition—coconut (with water) 640 gm., ghee 160 gm., sugar 160 gm., coconut water 2.56 litre, dhānyaka, pippalī, musta, vaṃśalocana, jīraka, kṛṣṇa jīraka and caturjāta—each 2.5 gm. The pounded coconut should be fried in ghee and then cooked in water added with sugar. When it is completed the powder of drugs is mixed with it.

Indications—acid gastritis and peptic ulcer. (212-214)

## Haridrā-khaṇḍa

Composition—haridrā 320 gm., ghee 240 gm., milk 2.56 litre, sugar 2.5 kg. Haridrā powder is fried with ghee and then cooked in milk added with sugar. Afterwards the powder of trijāta, trikaṭu, triphalā, trivṛt, nāgakeśara, viḍaṅga, musta and lauha bhasma—each 40 gm. is added to it.

Indications—allergic dermatitis, urticaria, itching and other skin diseases. (215-217)

### Abhayādi modaka

Composition—abhayā (harītakī), marica, śuṇṭhī, viḍaṅga, pippalīmūla, āmalaka, tvakpatra, pippalī and musta—all in equal parts, dantī 3 parts, trivṛt 8 parts and sugar 6 parts— All these are mixed together with honey and made into modaka (bolus) weighing 10 gm. each. One bolus is taken in night at bed time.

Action and use—This acts as purgative and is recommended in chronic constipation. (218-220)

## GHṚTA-TAILA (GHEE AND OIL)

### Triphalā-ghṛta

Composition—triphalā decoction, vāsā juice, bhṛṅgarāja juice and goat's milk—each 640 ml., ghee 640 gm. is cooked with the above liquids along with the paste of the following drugs—triphalā, pippalī, drākṣā, candana, saindhava, balā, medā, kākolī, kṣīrakākolī, marica, śuṇṭhī, kamala, punar- navā, aparājitā, haridrā, dāruharidrā and madhuka— each 10 gm.

Indications—supraclavicular diseases. (221-223)

### Pānīya-kalyānaghṛta

Composition—ghee 640 gm. should be cooked with four times water along with the paste of the following drugs—triphalā, haridrā, dāruharidrā, hareṇukā, sārivā, kṛṣṇa sārivā, priyaṅgu, devadāru, śālaparṇī, pṛśniparṇī, elavāluka, tagara, viśālā, dantī, dāḍima, nāgakeśara, nilotpala, kuṣṭha, elā, bṛhadelā, mañjiṣṭha, viḍaṅga, jātīpuṣpa, tālīśa, bṛhatī and candana—each 10 gm.

Indications—It is known as pāniya-kalyāṇaghṛta because of its processing with pānīya (water) and the same is called kṣīra-kalyāṅaghṛta when cooked with milk. It is efficacious in mental disorders. (224-227)

## Phalaghṛta

Composition—fresh ghee 640 gm. of grey coloured cow having live calf is cooked with four times milk along with the paste of the following drugs—triphalā, madhuka, kuṣṭha, kaṭukā, haridrā, dāruharidrā, viḍaṅga, pippalī, musta, viśālā, kaṭphala, vacā, kākolī, kṣirakākolī, medā, mahāmedā, sārivā, kṛṣṇa sārivā, śatapuṣpā, hiṅgu, rāsnā, candana, rakta candana, priyaṅgu, jātipuṣpa, vaṃśalocana, lotus (flower) śarkarā, ajamodā and dantī root—each 10 gm.

Actions and uses—phalaghṛta (ghṛta providing phala= progeny) destroys all types of uterine disorders and thus prepares ground for normal conception. (228-231)

## Pañcatiktaghṛtaguggulu

Composition—nimba, guḍūcī, vāsā, paṭola (leaves) and kaṇṭakārī—each 400 gm. are boiled in water 10.24 litre reduced to one-eighth. With this decoction ghee 640 gm. should be cooked along with the paste of the following drugs—pāṭhā, viḍaṅga, śuṇṭhī, gajapippalī, devadāru, marica, yavakṣāra, svarjikṣāra, śatapuṣpā, haridrā, cavya, tejohvā, kuṭaja, kuṣṭha, yavānī, citraka, pippalīmūla, mañjiṣṭhā, ativiṣā, triphalā, ajamodā, vacā, bhallātaka—each 10 gm. and purified guggulu 200 gm.

Actions and uses—this ghṛta destroys all types of leprosy, skin disease, enlarged glands, cervical adenities, vātarakta and sinuses. (232-236)

## Nārāyaṇa taila

Composition—bilva, balā, aśvagandhā, bṛhatī, kaṇṭakārī, nimba, gokṣura, śyonāka, atibalā, pāṭalā, agnimantha, punarnavā and prasāraṇī—each 400 gm. are boiled in water 40.96 litre reduced to one-fourth. Tila oil 2.56 litre is mixed with this decoction as well as equal śatāvarī juice and four times cow milk along with the paste of the following drugs—candana, mūrvā, kuṣṭha, elā, āśvagandhā, balā, vacā, māṃsī, saindhava, śatāhvā, rāsnā, bālaka, the four leaved herbs (śālaparṇi, pṛśniparṇi, mudgparṇi and māṣaparṇī and devādaru (each 80 gm.).

Actions and uses—this nārāyaṇataila destroys all disorders

of vāta, consumption, emaciation and wasting as Lord Viṣṇu kills the demon. (237-241)

### Mahāmāṣa taila

Composition—daśamūla is decocted in water 10.24 litre reduced to one-fourth. Now oil 640 ml. is cooked with this decoction as well as the decoction of black gram 640 ml. and the same quantity of cow milk along with the paste of the following drugs—devadāru, balā, śaṭī, rāsnā, prasāraṇī, aśvagandhā, balā, citraka, kuṣṭha, paruṣaka, bhārgī, vidārī, hiṅgu, śatāvarī, jīraka, punarnavā, śatapuṣpā, mātuluṅga (fruit), gokṣura, pippalīmūla, saindhava and (drugs of) jīvanīya gaṇa.

Actions and uses—this oil alleviates consumption and vātika disorders and promotes strength. (242-245)

### Candanādi taila

Composition—candana, bālaka, nakha, yaṣṭī, śaileya, padmaka, sarala, mañjiṣṭhā, jaṭāmāṃsī, elā, uśīra, tvak, devadāru, kakkola, nāgakeśara, pūti, priyaṅgu, musta, murā, patra, haridrā, sārivā, kaṭukā, lavaṅga, kuṅkuma and aguru—with the paste of these drugs oil 640 ml. is cooked along with four times curd-water and equal lac-juice.

Action and uses—this oil promotes strength and alleviates wasting. (246-248)

### Prasāraṇī taila

Composition—prasāraṇī 4 kg. is decocted in water 10.24 litre reduced to one-fourth. This decoction is added to oil with equal quantity of curd and sour gruel and four times milk. The paste consists of the following drugs weighing one-eighth of the oil—madhuka, pippalīmūla, gajapippalī, citraka, vacā, saindhava, rāsnā, devadāru, prasāraṇī, jaṭāmāṃsī, śatapuṣpā, and mature nuts of bhallātaka.

Actions and uses—this oil alleviates vātika disorders quickly. (249-252)

### Viṣṇu taila

Composition—tila oil 640 ml. is cooked with four times milk along with the paste of the following drugs each 40 gm.—

śālaparṇī, pṛśniparṇī, balā, bṛhatī, kaṇṭakārī, eraṇḍa (root) śatāvarī, atibalā, karañja and saireyaka.

Actions and uses—Viṣṇutaila destroys all disorders of vāta and alleviates headache and fainting by massage in head.

(253-255)

## Pañcaguṇa taila

Composition—tila oil 640 ml. is cooked in water 2.56 litre with the paste of guggulu, sarjarasa, śrīveṣṭaka, bee-wax and śilārasa each 20 gm., triphalā, nimba leaves and nirguṇḍī leaves each 60 gm. After the cooking is completed camphor 20 gm. is added thereto.

Actions and uses—pañcaguṇa taila removes roughness and oedema, pain caused by vāta, promotes would-healing and union of fractures. (256-259)

## Himāṃśutaila

Composition—tila oil 320 ml. is added with lavaṅga, muca-kunda, bālaka, uśīra, candana, kulañjana, elā, bṛhadelā, ratanjot each 10 gm. and camphor 5 gm. and is kept in the sun for heating for a week.

Actions and uses—himāṃśutaila is efficacious in headache, provides freeling of well-being, induces sleep and is sedative. (260-262)

## Piṇḍa taila

Composition—castor oil should be cooked along with sarja-rasa, mañjiṣṭhā, madhuka, sārivā and bee-wax.

Indications—psoriasis and other skin diseases. (263-264)

## Maricadi taila

Composition—marica, haritāla, trivṛt, karavīra, raktacandana, musta, jaṭāmāṃsī, manaḥśilā, haridrā, dāruharidrā, deva-dāru, viśālā, kuṣṭha arka, (latex) cowdung-juice—each 10 gm., vatsanābha 20 gm.—with the paste of these mustard oil 640 ml. should be cooked along with cow-urine and water each double the oil.

actions and uses—maricādi taila destroys all the skin diseases. (265-267)

### Bhṛṅgarāja-taila

Composition—Oil is cooked with bhṛṅgarāja juice, lauhakitta (iron slag) (120 gm.) and paste of sāriva.

Actions and uses—it destroys baldness and greying of hairs.

(268)

### Jātyādi taila

Composition—leaves of jātī, nimba, paṭola and karañja, bee-wax, madhuka, kuṣṭha, haridrā, dāruharidrā, kaṭukā, mañjiṣṭhā, lodhra, padmaka, harītakī, tuttha, nīlotpala, sārivā, karañja (seed)—each in equal quantity—with the paste of these drugs oil is cooked.

Actions and uses—jātyādi taila is efficacious in burns, fractures, accidental wounds, chronic ulcer, pain, sinuses and skin diseases. (269-271)

### Bilvataila

Composition—unripe fruit of bilva is pounded and added to oil along with cow-urine, goat's milk and water and is cooked.

Action and use—this oil is useful in diseases of ear particularly deafness. (272)

### Vyāghrītaila

Composition—Oil is processed with the paste of vyāghrī (kaṇṭakārī), dantī, vacā, trikaṭu, saindhava and śigru.

Action and use—it alleviates nasal disorders. (273)

### Ṣaḍbindu taila

Composition—sesamum oil 640 ml. should be cooked in goat's milk 640 ml. and bhṛṅgarāja juice 2.56 litre along with the paste of the following drugs—eraṇḍa, tagara, śatapuṣpā, jīvantī, rāsnā, rock salt, viḍaṅga, tvak, śuṇṭhī, and madhuka each 40 gm.

Uses—sinusitis and chronic coryza. Three drops are given in each nostril and as such the name 'ṣaḍbindu' (six drops at a time). (274-276)

## Āsava-ariṣṭa (Fermented Preparations)

*Kumāryāsava*

Composition—kumārī juice 10.24 litre, jaggery 4 kg., honey 2 kg., lauhabhasma 2 kg. should be mixed together. Then the following drugs are added thereto—trikaṭu, lavaṅga, citraka, caturjāta, viḍaṅga, pippalīmūla, gajapippalī, cavya, hapuṣā, triphalā, haridrā, dāruharidrā, dhānyaka, lodhra, kaṭukā, musta, rāsnā, devadāru, kapikachū, mūrvā, guḍūcī, dantī, puṣkaramūla, balā, atibalā, gokṣura, śatapuṣpā, pūga, ākārakarabha, swarṇamākṣika, both types of punarnavā—each 20 gm., dhātakī flowers 320 gm.

Actions and uses—It is efficacious in hepatic disorders and loss of appetite. (277-281)

*Lohāsava*

Composition—lauha bhasma, trikaṭu, yavānī, triphalā, musta, citraka and viḍaṅga—each 160 gm., dhātaki flowers 800 gm., honey 2.56 kg., jaggery 4 kg. and water 20.48 litre—all mixed together should be kept in a vessel for the prescribed fermentative process.

Indications—lohāsava is a popular remedy for anaemia, oedema, grahaṇīroga, udararoga and liver disorders. (282-285)

*Śārivādyāsava*

Composition—both types of sārivā, musta, lodhra, nyagrodha, aśvattha, āmalaka, bālaka, śaṭī, padmaka, pāṭhā, guḍūcī, uśīra, candana, raktacandana, yavānī, kaṭukā, elā, bṛhadelā, kuṣṭha, patra, harītakī and suvarṇapatrī—each 160 gm. These should be mixed with water 20.48 litre. Then jaggery 12 kg., draksa 2.4 kg. and dhātakī flowers 400 gm. are added thereto.

Indications—this āsava is useful in blood disorders, wounds, rectal disorders, venereal diseases, vātarakta, skin disease and diabetic boils. (286-289)

*anakāsava*

Composition—dhattūra (whole plant) 160 gm., vāsā root 160 gm., madhuka, pippalī, kaṇṭakārī, śuṇṭhī, bhārgī, nāgakeśara and tālīśa each 80 gm., dhātakī flowers 640 gm., drākṣā 800 gm., sugar 4 kg. and honey 2 kg.—all are mixed with water 20.48 litre in a vessel and kept for fermentation.

Indications—kankāsava is efficacious in bronchial asthma, cough, chest-wound and wasting. (290-292)

### Candanāsava

Composition—candana, musta, bālaka, utpala, gambhārī, Lodhra, priyaṅgu, padmaka, mañjiṣṭhā, rakta candana, pāṭhā, nyagrodha, kirātatikta, pippalī, parpaṭa, śaṭī, rāsnā, madhuka, paṭola, āmra (bark), kāñcanāra (bark) and mocarasa—each 40 gm., dhātakī flowers 640 gm., drākṣā 800 gm. and sugar 5 kg. All are mixed in water 20.48 litre and kept in a closed container for a month. Thereafter, when fermentation is completed it is filtered and filled in bottles.

Indications—dysuria, urethral infections, gonorrhoea, disorders of semen. (293-296)

### Tāmbūlāsava

Composition—juice of betel leaves 10.24 litre, jaggery 5.12 kg., dhātakī flowers 1.28 kg. and caturjāta 40 gm.—all this mixed together is kept in a closed container for about a month, then it is filtered and put in bottles well-corked.

Indications—cardiac inefficiency, oedema in lower parts.
(297-298)

### Kuṭajāriṣṭa

Composition—kuṭaja bark 1 kg., drākṣā 500 gm., madhuka flowers and gambhārī fruits each 400 gm.—these are decocted in water 40.96 litre reduced to one-fourth. Thereto are added jaggery 4 kg. and dhātakī flowers 800 gm. and kept in a vessel for a month.

Indications—kuṭajāriṣṭa is a popular remedy for diarrhoea and dysentery. (299-301)

### Khadirāriṣṭa

Composition—khadira (heartwood) 2 kg., devadāru 2 kg., bākucī 480 gm., dāruharidrā 800 gm. and triphalā 800 gm. are decocted in water 81.92 litre reduced to one-eighth.

Now honey 8 kg., sugar 4 kg., dhātakī flowers 800 gm., kakkola, nāgakeśara, jātīphala, lavaṅga, elā, tvak and patra each 40 gm. and pippalī 160 gm. are added thereto and kept in an uncted vessel for a month.

Actions and uses—khadirāriṣṭa is a popular remedy for leprosy and enlarged glands. Caraka has mentioned khadira as the best drug for leprosy. (302-306)

*Drākṣāriṣṭa*

Composition—drākṣā 2.5 kg. is boiled in water 20.48 litre reduced to one-fourth. When it is cooled jaggery 10 kg. and the powder of the following drugs should be added—marica, priyaṅgu, pippalī, tvak, patra, elā, nāgakeśara—each 40 gm. and dhātakī flowers 800 gm. and kept in a closed container for a month.

Actions and uses—It is laxative, general tonic and useful in consumption, cough and other respiratory disorders.

(307-309)

*Rohitakāriṣṭa*

Composition—rohitaka bark 4 kg. is decocted in water 40.96 litre reduced to one-fourth. Thereto are added jaggery 8 kg., dhātakī flowers 640 gm., trijāta, triphalā and pañcakola each 40 gm. and kept in a vessel (for a month).

Indications—this ariṣṭa is efficacious in hepatic disorders, splenomegaly and piles. (310-311)

*Aśvagandhāriṣṭa*

Composition—aśvagandhā 2 kg., muśalī 800 gm., mañjiṣṭhā, haridrā, dāruharidrā, harītakī, madhuka, arjuna, trivṛt, rāsnā, vidārī, musta—each 400 gm., citraka, vacā, candana, rakta candana, sārivā, kṛṣṇa sārivā each 320 gm.—These should be pounded and decocted in water 81.92 litre reduced to one-fourth. Now honey 12 kg., trikaṭu 80 gm., dhātakī flowers 640 gm., trijāta 160 gm., priyaṅgu 160 gm. and nāgakeśara 80 gm. should be added thereto and kept in a vessel for a month in a windless place.

Indications—aśvagandhāriṣṭa is a popular remedy for fainting, epilepsy, consumption, various vātika disorders, giddiness and mental disorders. (312-317)

*Daśamūlāriṣṭa*

Composition—daśamūla each 200 gm., citraka 1 kg., puṣkaramūla 1 kg., gudūcī 800 gm., lodhra 800 gm., āmalaka 640 gm., durālabhā 480 gm., khadira, bījaka and harītakī each 320 gm. and each of the following drugs 80 gm.—mañjiṣṭhā, sārivā, devadāru, madhuka, viḍaṅga, bhārgī, kapittha, punarnavā, cavya, bibhītaka, jaṭāmāṃsī, priyaṅgu, kṛṣṇa jīraka, pippalī, śaṭī, rāsnā, trivṛt, pūga, haridrā, śatapuṣpā, padmaka, musta, nāgakeśara, karkaṭaśṛṅgī, indrayava, jīvaka, ṛṣabhaka, medā, mahāmedā, kākolī, kṣīrakākolī, ṛddhi and vṛddhi—all these are decocted in eight times water reduced to one-fourth and kept in an uncted earthen vessel. Then drākṣā 2.56 kg. decocted in four times water and reduced to three quarters is added thereto. When it is cooled, honey 1.28 kg., jaggery 16 kg., dhātakī flowers 1.2 kg., candana, kakkola, pippalī, jātiphala, lavaṅga, bālaka, tvak, patra, nāgakesara, elā each 80 gm. and kastūrī 2.5 gm. are also added and kept in a vessel for a month.

Actions and uses—daśamūlāriṣṭa promotes strength, alleviates vāta and is useful in vātavyādhi, oedema, consumption, grahaṇiroga and in women after delivery. (318-328)

*Abhayāriṣṭa*

Composition—abhayā (harītakī) 4 kg., drākṣā 2 kg., viḍaṅga and madhūka flowers each 400 gm. These are boiled in water 40.96 litre reduced to one-fourth. When cooled jaggery 4 kg. and gokṣura, trivṛt, dhānyaka, śuṇṭhī, cavya, indravāruṇī, madhurikā, dantī and mocarasa each 80 gm. are added thereto and kept in a vessel for a month.

Actions and uses—It is a good carminative and is efficacious for piles. (329-332)

*Aśokāriṣṭa*

Composition—aśoka bark 4 kg. is boiled in water 40.96 litre reduced to one-fourth. Thereto are added jaggery 8 kg., dhataki flowers 640 gm. and the following drugs each 40 gm.—musta, śuṇṭhī, jīraka, dāruharidrā, nīlotpala, triphalā, āmra (seed-kernel) kṛṣṇa jīraka, vāsā and candana—and kept in an earthen vessel.

Indications—aśokāriṣṭa is a popular remedy for gynaecological disorders. (333-335)

*Arjunāriṣṭa*

Composition—arjuna bark 5 kg., drākṣā 2.5 kg., and madhūka flowers 800 gm.—all together are boiled in water 40.96 litre reduced to one-fourth. Then jaggery 5 kg., dhātakī flowers 800 gm. and caturjāta each 40 gm. are mixed with it and kept for one month.

Indications—cardiac disorders. (336-338)

*Amṛtāriṣṭa*

Composition—amṛtā (guḍūcī) and daśamūla each 4 kg. are boiled in water 40.96 litre reduced to one-fourth. When cooled, jaggery 12 kg., jiraka 640 gm., parpaṭa 80 gm., indrayava, kaṭukā, ativiṣā, trikaṭu, saptaparṇa, nāgakeśara and musta each 40 gm. are added thereto and kept in an earthen vessel for a month.

Indications—amṛtāriṣṭa is a well-known remedy for chronic fevers, blood disorders, hepatic diseases and diabetes including other urinary disorders. (339-342)

*Sārasvatāriṣṭa*

Composition—brāhmī (whole plant) 800 gm., śatāvarī, śatapuṣpā, vidārī, uśīra and harītakī each 200 gm. are boiled in water 10.24 litre reduced to one-fourth. This is added with honey 400 gm., sugar 1 kg., dhātakī flowers 200 gm. and the following drugs—trivṛt, pippalī, lavaṅga, vacā, tvak, kuṣṭha, aśvagandhā, guḍūcī, viḍaṅga and bibhītaka 10 gm. each. This is kept in an earthern vessel and added with gold leaves.

Actions and uses—sārasvatāriṣṭa promotes intellect and is useful in mental disorders. (343-346)

*Kirātādyariṣṭa*

Composition—kirātatikta, mañjiṣṭhā, ativiṣā and rakta candana each 640 gm. are boiled in water 40.96 litre reduced to one-fourth. Now jaggery 8 kg. is added along with the following drugs each 40 gm.—haridrā, devadāru, musta, karkaṭaśṛṅgī, vacā, harītakī, śuṇṭhī, dhanvayāsa, parpaṭa, kaṇṭakārī, pippalīmūla, kuṭaja bark, pippalī, madhuka, dāruharidrā, śigru seeds and indrayava and kept for a month.

Indications—It alleviates chronic fevers, disorders of liver and blood. (347-350)

CHAPTER V

# RASAŚĀSTRA
### (SCIENCE OF MERCURY AND MINERALS)

### Rasa (Mercury)

Mercury is called 'Rasa' as it is the physical essence of Lord Śiva and also as it swallows other metals. 'Pārada' and 'Rasendra' are its synonyms. It is rightly called 'Pārada' as it helps man to cross the ocean of worldly and physical miseries and thus provides him both liberation and enjoyment. (1-2)

### Rasaśāstra

Rasaśāstra is the subject which deals with the processing of mercury and allied substances including the details of appliances and laboratory. (3)

### Rasaśālā (Pharmaceutical laboratory)

Laboratory should be located in good environment, peaceful place and extensive area and should be constructed by experts with the advice of an architect. It should be equipped with necessary appliances for grinding, sifting, heating etc. and should have a qualified Rasa-Vaidya (Physician expert in Rasaśāstra) and other efficient, honest and sincere assistants and attendants under him. (4-6)

### SOME TECHNICAL TERMS

### Kṣārapañcaka

Alkali of muṣkaka, yavakṣāra, palāśakṣāra, svarjikṣāra and tilakṣāra—These five come under kṣārapañcaka. (7)

### Kṣārāṣṭaka

Alkali of snuhī, palāśa, apāmārga, amlikā, tila, arka, yava and svarjikṣāra—These make kṣārāṣṭaka. (8)

### Amlapañcaka-Amlavarga

The sour fruits of nāraṅga, amlavetasa, nimbū, mātuluṅga,

and jambīra—This is known as 'amlapañcaka' or 'phala-
pañcāmla'.

Generally the group of sours consists of cāṅgerī, caṇakāmla,
nimbuka, Vṛkṣāmla, bījapūra, dāḍima, nāraṅga, amlavetasa,
karkandhu, karamarda, cukra, tintiḍī and jambīra. (9-11)

### Pañcatikta

Guḍūcī, nimba, vāsā, kaṇṭakārī and paṭola (leaves)—compose
the pañcatikta. (12)

### Pañcagavya

Pañcagavya consists of five products of cow e.g. milk, curd,
ghee, urine and dung. (13)

### Pañcāmṛta

Cow's milk, curd and ghee, honey and sugar in equal quantity
mixed together is known as Pañcāmṛta. (14)

### Pañcamṛttikā

Brick-powder, red ochre, soil of ant-hill, ash and salt—this is
pañcamṛttikā. (15)

### Madhuratrika

Ghee, jaggery and honey—This combination is known as
'madhuratrika', 'madhuratraya' or 'trimadhura'. (16)

### Kṣīratraya

Kṣiratraya is the group of the latex from three plants—arka,
snuhī and nyagrodha. (17)

### Dugdhavarga

This group contains, besides plant latex, milk of animals.
Thus milk of elephant, horse, cow, sheep, goat, camel, buffalo,
ass and woman as well as latex of kākodumbara, arka, snuhī,
dugdhikā, aśvattha, tilvaka and vaṭa are included in it. (18-19)

### Tailavarga

Kaṅguṇi (jyotiṣmatī), kośātaki, alābū, bilva, karīra, nimba,
sarṣapa, bākucī, atasī, bibhītaka, apāmārga, devadālī, tila,
dantī, tumburu, kaṅkola, bhallātaka, Palāśa, dhattūra—(oil ex-
tracted from) the seeds of these plants make this group. (20-21)

*Viḍvarga* (Group of excreta)

The excreta of pigeon, peacock, cock, dove and vulture come under this group. (22)

*Śvetavarga* (White group)

It consists of tagara, kuṭaja, kunda, guñjā, jīvantī and kamala (23)

*Raktavarga* (Red group)

Khadira, kusumbha, lākṣā, mañjiṣṭhā, raktacandana, ākṣikī, bandhūka and honey are included in this group. (24)

*Pīta-varga* (Yellow group)

Āragvadha, palāśa, haridra and dāruharidrā make this group. (25)

*Kṛṣṇa-varga* (Black group)

Triphalā, nīlī, mud and kāsīsa compose this group. (26)

*Kakārādi gaṇa—Kakārāṣṭaka* (The group of substances beginning with 'Ka')

Kūṣmāṇḍa, kaliṅga, kaṅgu, kola, kusumbha, kadalī, karkoṭī, karkaṭī, kataka, kākamācī, kāñjī, kapittha, kulattha, kāravella—This 'kakārādi' group particularly the 'Kakārāṣṭaka' (kūṣmāṇḍa, karkoṭī, kāliṅga, kāravella, kusumbha, karkaṭī, kālambī and kākamācī) should be avoided while taking the mercurial preparations. (27-30)

*Pittapañcaka* (Five biles)

Bile of fish, horse, cow, peacock and man is known as 'Pittapañcaka'. (31)

*Mūtrapañcaka—Mūtrāṣṭaka* (Five and eight urines)

The urine of elephant, horse, goat, woman and cow is 'mūtra-pañcaka'. The above except woman added with four others—buffalo, sheep, ass and camel—make 'mūtrāṣṭaka'. In elephant, ass, camel and horse the urine of male while in others that of female is taken. Cow's urine is the most auspicious one. (32-33)

*Drāvaka-pañcaka* (The pentad for smelting)
 Guñjā, borax, honey, ghee and jaggery is the pentad used for smelting of metals. (34)

*Mitrapañcaka* (Five allies)
 Ghee, guñjā, guggulu, borax and honey are the five allies. (35)

*Lavaṇapañcaka—Lavaṇatraya—Lavaṇadvaya* (Five, three or two salts)
 Saindhava (rock-salt), sāmudra (sea-salt), sauvarcala (black salt), romaka (earthen salt) and viḍa (a type of black salt) are the five salts. Saindhava, viḍa and sauvarcala are taken as 'three salts' while by 'two salts' saindhava and sauvarcala are taken. (36-37)

*Kṣāratraya—Kṣāradvaya* (Three or two alkalis)
 Yavakṣāra, svarjikṣāra and borax make the group of three alkalis while the former two make that of two ones. (38)

*Niyāmaka-gaṇa* (Group of controlling agents)
 This group contains sarpākṣī śarapuṅkhā, punarnavā, balā, nāgabalā, mūrvā, Karañja, pāṭhā, maṇḍūkaparṇī, matsyākṣī, dūrvā, sahadevī, bhumyāmalakī, gojihvā, taṇḍulīyaka, śatāvarī, girikarṇikā and mūṣikakārṇī. (39-40)

*Māraka-varga* (Group of killing agents)
 Citraka, gokṣura, jātī, dantī, musta, śarapuṅkhā, kaṭutumbī, devadālī, ghṛtakumārī, viṣamuṣṭi, lajjālu, vacā, sarpākṣī, vajravallī, lākṣā, sahadevī, jalapippalī, nirguṇḍī, lāṅgalī, māṇaka, arka, bākucī, kākamācī, viṣṇukrāntā, balā, jayantī, śuṇṭhī, kośātakī, kadalī, hastiśuṇḍī, vārāhī, haridrā, matsyākṣī, dāruharidrā, punarnavā, vandhyākarkoṭī, dhattūra, tilaparṇī, maṇḍūkaparṇī, karkoṭī, guḍūcī, tulasī, harītakī, śigru, muśālī, girikarṇikā, bhṛṅgarāja, bhallātaka, palāśa, sarṣapa, bījaka, gavākṣi, hiṅgu, saindhava, prasāraṇī, and somavallī—These are included in māraka-varga which is used for killing murcury. (41-46)

*Rasapaṅka* (Mercurial mud)
 When Mercury combined with sulphur etc. after rubbing with a liquid attains the consistency like that of shining mud, it is known as 'rasapaṅka'. (47)

*Sattva* (Essence)

When the metals are subjected to heating, their essence comes out. It is known as 'Sattva'. This is obtained from plants as well. (48)

*Ḍhālana* (Pouring)

Pouring of smelted metals into some liquid like oil etc. is known as 'ḍhālana'. (49)

*Āvāpa* (Addition)

The addition of other substances like pippalī powder etc. to the smelted metals such as tin etc. is known as 'āvāpa' or 'pratīvāpa'. (50)

*Nirvāpa* (Immersion)

When the heated metals are immersed in some liquid in order to remove their heat it is known as 'nirvāpa'. (51)

*Tāḍana* (Blowing)

The act of blowing with a pipe of a metal to purify it by separating its impurity is known as 'tāḍana'. (52)

*Bhāvanā* (Impregnation)

When metal etc. in powdered form are macerated with some liquid, rubbed and dried, it is known as 'bhāvanā'. Often it is repeated several times. (53)

*Śodhana* (Purification)

The act of recovery of a substance to the normal condition by removing impurities with rubbing, dipping etc. is known as 'śodhana'. (54)

*Amṛtīkaraṇa* (Nectarization)

Amṛtīkaraṇa is the process by which the defects remaining even after killing of iron etc. are removed. (55)

## YANTRAS (APPARATUSES)

*Dolāyantra* (Swinging apparatus)

An earthern vessel is filled half with some juice or decoction, two holes are made in both sides of the neck of vessel in which a rod is put. The substance (to be processed) kept in cloth pouch is bound with strings to the rod so that the pouch may stay swinging in the liquid. (56-57)

*Bālukāyantra* (Sandy apparatus)

The mercurial is put into a bottle which is wrapped with rag and mud and dried. This is kept in a vessel which is filled with sand up to the neck of the bottle. Then it is heated. (58-59)

*Ḍamarukayantra* (Hour-glass apparatus)

A vessel is put upside down on another vessel in upright position having the substance and the joint at their mouth is closed tightly. (60)

*Pātālayantra* (Underground apparatus)

In the underground cavity measuring one cubit a vessel is kept. Another vessel containing the substance and covered with a lid having hole in the centre is put upside down on the above and the joint of their mouth is sealed tightly. The cavity is filled up with earth and is heated from above. (61-63)

*Ūrdhvapātanayantra* (Sublimating apparatus)

It is like ḍamaruka yantra and has arrangement of flowing cold water which enables the sublimated vapour to solidify. (64)

## PĀKA-SĀDHANA (HEATING DEVICES)

*Puṭapāka* (Closed heating)

The substance is kept in the interspace between the two saucers, one put upside down on the other, and joint is tightly sealed with rags and mud and dried. Then it is put on fire. (65)

(a) *Gajapuṭa*

This is one of the methods of puṭapāka. A quadrangular cavity measuring 1¼ cubit in depth, length and width is dug in the ground and filled half with cow-dung. The substance closed in saucers **(Puṭa)** as mentioned above is put on it and the remaining space of the cavity is filled again with cow-dung and heated till it extinguishes by itself. This is the most popular one among the various puṭas described in texts. (66-67)

## (b) *Other puṭas*

There are other puṭas designed according to their measurement and causing intensity of heat and are named on animals and birds on the similarity of their shape such as vārāhapuṭa, kapotapuṭa, kukkuṭapuṭa etc. (68)

## *Mūṣā* (Crucible)

Crucible (with lid) is made of earth etc. so as to resist heat. It is of various kinds according to composition and shape such as vajramūṣā etc. The substance is put in the crucible and heated. (69-70)

## *Agnyādhānī* (Heating devices)

They are made in several forms such as bellow, fire-vessel and furnaces which may be used according to necessity. (71)

### PĀRADA (MERCURY)

Mercury having bluish tinge internally and brilliant whiteness externally should be taken as pure. Only pure mercury should be used for all purposes as the impure one causes numerous severe diseases.

## *Natural impurities of mercury*

Lead, tin, fire, stone, instability, excreta, intolerance to heat and poison—These are eight natural impurities of mercury. They cause ulcer, leprosy, burning sensation, eruptions, loss of reproductive power, dullness, loss of consciousness and death respectively and as such mercury purified and devoid of these defects should be used.

## *Kañcuka* (Coverings of mercury)

The coverings of mercury by other metals in powdered form are known as 'kañcuka'. They are seven-bhedī (tearing), drāvī (liquefying), malakṛd (causing impurities), dhvāṅkṣī (causing darkness of skin), pāṭanakarī (rupturing), parpaṭikā (producing scales on skin) and andhakarī (causing blindness).

In order to eliminate the defects and impurities, mercury is subjected to purification. Thereafter, eighteen saṃskāras (processings) are to be performed by experts.

### Śodhana (Purification)

(a) Mercury is rubbed with the lime powder for three days and straining through tough cloth is put in a mortar. There it is rubbed with equal quantity of the paste of decorticated garlic and half rock-salt till it becomes black. Now mercury is separated and washed well. Thus it gets purified.

(b) Cinnabar rubbed with decoction of pāribhadra or juice of cāṅgerī or jambīra is subjected to sublimation through prescribed apparatus. Mercury so obtained is rubbed with haridrā powder 1/16 part or some sour substance and salt for two days and then strained through cloth. This pure mercury should be used.

### Eighteen processings of mercury

Svedana (steaming), mardana (rubbing), mūrcchana (swooning), utthāpana (elevating), pātana (sublimation), bodhana (awakening), niyāmana (restraining), dīpana (stimulation), grāsa (swallowing), garbhadruti (internal liquefication), bahirdruti (external liquefication), cāraṇa (movement), jāraṇa (amalgamation), rañjana (dyeing), sāraṇa (pushing), krāmaṇa (leaping), vedha (transmentation) and sevana (application)—These are eighteen processings of mercury out of which the former eight are used for deha-vedha (transformation of body) in Rasāyana therapy while the latter ten are used for loha-vedha e.g. transmutation of base metals into gold.

### Svedana (Steaming)

Citraka, pippalī, marica, fresh ginger, saindhava and triphalā— These are taken in 1/16 quantity and made into paste. Mercury is mixed with this paste and steamed in dolāyantra full of sour gruel for three days. The paste as well as the sour gruel should be changed daily. This process of steaming loosens the impurities.

### Mardana (Rubbing)

In order to eliminate the external impurities mercury is rubbed with triphalā, rājikā, haridrā, laśuna, fresh ginger, salt and soot for three days.

### Mūrcchana (Swooning)

Mercury is rubbed with decoction of citraka, kumārī and triphalā for a week. Thus it gets rid of impurities and attains pulverised form.

## *Utthāpana* (Elevating)

Mereury is steamed well with sour gruel and washed. By this it regains its normal form after eliminating the abnormalities.

## *Pātana* (Sublimation)

Mercury after undergoing the three types of sublimation (upward, downward and oblique) becomes pure getting rid of the impurities caused by tin and lead.

## *Bodhana* (Awakening)

The process of awakening removes the impotency of mercury caused by rubbing etc. For this mercury is tied in bhūrja bark and steamed in saline water.

## *Niyāmana* (Restraining)

Mercury is steamed with bhṛṅgarāja, laśuna, narasāra, (ammonium chloride), ciñcā and musta. It is known as 'niyāmana' which removes the defect of instability.

## *Dīpana* (Stimulation)

Mercury is steamed in sour gruel for three hours by which it becomes capable of swallowing and amalgamation.

## *Jāraṇa* (Amalgamation)

Sulphur etc. are added to mercury and processed according to prescribed method. It enhances the quality and action of mercury.

## *Mūrcchanā* (Adjunction)

Mūrcchanā is done by various methods to potentiate and bring about the curative property in mercury. Generally it is of two types—with sulphur and without sulphur. The former is again of two types—by closed heating and by open heating. Closed heating consists of the process in which mouth of the glass jar is closed from the very beginning whereas in the open heating it is closed after the sulphur is digested. Mercury adjuncted with sulphur does not produce any toxic effect even on taking for a long time whereas the other one does. Rasapuṣpa, mugdharasa and rasakarpūra (see Rasataraṅgiṇī 6.9-11, 21-28, 65-70) are the formulations without sulphur while rasaparpaṭī, rasasindūra etc. are with sulphur.

*Kajjalī* (Black mercurial)

Mercury rubbed with half, equal or double quantity of sulphur becomes black like collyrium. This is known as kajjalī and is used as base of a number of mercurial formulations.

*Rasaparpaṭī* (Scaly mercurial)

Kajjalī is smelted and poured over a plantain leaf and pushed from above with another one so as to make it a scale-like preparation. It is mostly used in grahaṇī-roga and other disorders.

*Rasasindūra* (Red mercurial)

Kajjalī having been heated in a filled closed bottle (in bālukā-yantra) gets transformed into a vermillion-like red chemical known as rasasindūra (rasa = mercurial, sindūra = vermillion). It is used in various disorders varying with anupāna (vehicle).

*Makaradhvaja* (Cupid mercurial)

Gold 10 gm., mercury 80 gm. and sulphur 160 gm. are rubbed together to make kajjalī. This is macerated with the juices of prescribed herbs and then heated in a bottle in bālukā-yantra (like rasasindūra). As by its use man becomes strong and handsome like cupid, it is named as 'makaradhvaja' (Cupid). If gold is added four times it is known as 'Śrīsiddha makaradhvaja'.

*Pāradamāraṇa* (Killing of mercury)

The act by which mercury etc. are transformed into ash is called māraṇa (killing).

Mercury is rubbed with betel-leaf juice and being kept within the paste of (vandhyā) karkoṭakī is heated in gajapuṭa. Thus mercury is killed and 'Pāradabhasma' is obtained which is an efficacious rasāyana and is also used in various disorders.

Before using the mercurials one should purify the body properly with pañcakarma and make it a good field (Kṣetrīkaraṇa) to receive the therapy well. He should also take the wholesome diet.

## GANDHAKA (SULPHUR)

Sulphur soft and having turmeric-like shining yellow colour should be accepted for use.

## Purification

Cow's ghee is heated in an iron vessel in which equal quantity of sulphur is put. When sulphur is smelted it is poured through a straining cloth in another vessel full of milk. After some time, the solidified sulphur is taken out of milk and washed with water. Thus repeating the process thrice sulphur gets purified. Pure sulphur is useful in skin disorders, stimulates digestive fire and counteracts the defects of mercury.

## Gandhakavaṭī

Composition—sulphur 20 gm., citraka, marica and pippalī 10 gm., suṇṭhī 20 gm., yavakṣāra and three salts 5 gm. each—all are rubbed together with nimbū juice and made into pills each weighing 5 gm.

Indications—abdominal pain, grahaṇī roga and loss of digestive power.

## Gandhaka-rasāyana

Composition—triphalā powder 40 gm., purified sulphur 20 gm., lauha bhasma 10 gm.—all are combined together. It is taken with honey and ghee.

Actions and uses—it is rasāyana and is useful in almost all diseases.

## HIṄGULA (CINNABAR)

Hiṅgula, having shining red colour like that of japā flower (China Rose), heaviness and no foreign substance is acceptable.

## Purification

The powdered cinnabar should be impregnated with nimbū juice seven times and then washed well with water and dried in the sun. Thus purified cinnabar should be used in various formulations.

## Hiṅguleśvara

Composition—cinnabar, pippalī and vatsanābha (aconite)—each in equal quantity. They are rubbed with some liquid, preferably fresh ginger juice, and made into small pills (weighing 125 mg. each).

Indication—It is mostly used in vātika fever.

## Abhraka (Mica)

Abhraka is the chief among the 'mahārasas' (major substances for mercurials). It is of four colours—white, yellow, red and black among which the last one is regarded as the best one. The black variety is also of four sub-types such as maṇḍūka (frog-like), nāga (serpent-like), pināka (arch-like) and vajra (bolt-like). Here also the last one is taken for further processing. That which is soft, shining, heavy, clean and having collyrium-like and separable scaly parts is regarded as the best and acceptable one.

### *Purification*

Mica having been heated well is dipped into the decoction of badarī. The process is repeated seven times. Then it is rubbed well. Thus mica is purified.

### *Dhānyābhraka* (Paddy Mica)

Mica mixed with 1/4 paddy is put in a blanket-rag and tied firmly. Then it is kept in water for a day and thereafter, when it is moistened, pressed with hand so that mica entirely gets out into the water. This is taken out and dried in the sun. It is 'dhānyābhraka' which is used in killing of mica.

### *Killing*

The dhānyābhraka is rubbed with betel-leaf juice and made into small discs which are dried in the sun and then heated in gajapuṭa. The process is repeated till mica is killed. The killed mica is characterized by its lustrelessness, reddishness, fineness, softness and lightness so that it floats on water (vāritara).

Mica is subjected to heating from twenty to hundred times for curative purpose while for promotive uses it is heated up to thousand times.

### *Amṛtīkaraṇa* (Nectarization)

The killed mica mixed with equal quantity of ghee is heated on mild fire by which it excels in properties like nectar.

### *Properties of killed mica*

Killed mica (Abhraka-bhasma) alleviates respiratory disorders like cough, bronchial asthma etc. and fever as well as promotes physical and mental vigour, sexual power and immunity.

## Śṛṅgārābhra

Composition—abhrakabhasma 80 gm., camphor, jātīpatrī, bālaka, gajapippalī, patra, lavaṅga, jaṭāmāṃsī, tvak, tālīśa, nāgakeśara, kuṣṭha, dhātakī flower, triphalā and trikaṭu (both separately) each 1.25 gm. jātīphala and elā each 5 gm., sulphur 5 gm., mercury 2.5 gm.—all are rubbed together and made into pills each of the size of a Bengal gram.

Actions and uses—it promotes strength and sexual potency.

## Nāgārjunābhra

Composition—abhraka-bhasma processed thousand times is impregnated with the decoction of arjuna for seven days, then dried in shade and made into pills.

Indications—cardiac disorders particularly pain, fever and oedema.

## Sattvapātana (Extraction of essence)

Mica combined with 1/4 borax powder is rubbed with muśalī juice and then heated in furnace. Thus the pure extract comes out.

## TĀLAKA (ORPIMENT)

Orpiment is of two types—patratāla (scaly) and piṇḍatāla (solid) of which the former is preferred. Patratāla is clean, smooth, heavy, of golden colour and composed of fine scaly layers while Piṇḍatāla is like a solid mass.

## Purification

Patratāla is powdered and impregnated with lime water seven times. Thus it gets purified.

## Killing

Purified orpiment is rubbed for a day with Punarnavā juice and then made into small discs which are dried in the sun. These are again heated in bhasmayantra. Half of the vessel is filled with the ash of Punarnavā on which orpiment is put. The other half is again filled by the same ash and heated. Thus orpiment is killed.

*Properties*

The killed orpiment (tālaka or haritāla bhasma) alleviates syphilis, skin diseases, leprosy, vātarakta, erysipelas and blood disorders.

*Rasamāṇikya* (Ruby-like chemical)

Patratāla 20 gm. is impregnated with kūṣmāṇḍa juice seven or three times and again with sour curd. Then it is washed well with hot water several times. This is placed between the layers of mica and kept within a saucer covered with another one mouth to mouth. The joint is sealed with the paste of badarī leaves and dried in the sun. This is heated in bālukā yantra for three hours in mild fire. Thus 'rasamāṇikya' having the colour of māṇikya (ruby) is obtained.

(It has got properties of the killed orpiment mentioned above.)

*Treatment of the toxic effects of orpiment*

In case of the toxic effects caused by intake of orpiment, one should take jīraka powder with sugar or the juice of kūṣmāṇḍa.
(150-161)

## MANAḤŚILĀ (REALGAR)

Realgar which is devoid of foreign materials, heavy, shining and red like lotus is acceptable.

*Purification*

The powdered realgar is kept in lime water for three days and thus it is purified.

*Properties and uses*

Realgar is bitter and pungent, promotes digestive power and alleviates cough, bronchial asthma, micro-organisms, poisoning, itching and fever.

*Treatment of the toxic effects of realgar*

To treat the toxic effects such as vomiting etc. caused by realgar, one should take water mixed with honey for three days keeping on wholesome diet. (162-165)

## ŚAṄKHAVIṢA (WHITE ARSENIC)

*Purification*

Śaṅkhaviṣa should be powdered and tied within a cloth and then steamed in fresh taṇḍulīya juice in dolāyantra on mild fire for a day. Thus it is purified and is able to alleviate various disorders.

*Properties*

Śaṅkhaviṣa is useful in bronchial asthma, kuṣṭha, irregular fevers, filaria, syphilis and other poisonings. (166-168)

## SPHAṬIKA (ALUM)

*Purification*

Alum parched on a heated iron pan gets purified. It is powdered and used.

*Properties and uses*

Alum is astringent and bitter, haemostatic, anti-inflammatory, antiseptic and contracting and is useful in diseases of skin, eyes, female genital tract, mouth and malarial fever. (169-171)

## KHAṬIKĀ (CHALK)

*Purification*

Khaṭikā is put in a clean vessel and washed with pure water. Thus it becomes purified.

*Properties*

Khaṭikā is similar to sphaṭikā in properties though a bit inferior. It is useful in oedema, pitta, burning sensation, excessive perspination and wounds. (172-173)

## GODANTĪ

*Purification*

Godantī steamed with juice of nimba or droṇapuṣpī for 1½ hours gets purified.

*Killing*

The white godantī bhasma is obtained by heating the purified godantī in a puṭa.

*Properties*

Godantī bhasma is analgesic and antipyretic and is used in headaches, irregular fevers, cough and bronchial asthma. (174-176)

### Śaṅkha (Conch-shell or Conch)

*Purification*

Small pieces of conch are put in a cloth-pouch and steamed with nimbū juice in dolāyantra for twelve hours and then washed well with hot water. Thus it gets purified.

*Killing*

Śaṅkha-bhasma is prepared by subjecting the purified conch to heating in gajapuṭa twice.

*Properties and uses*

Śaṅkha-bhasma is a good antacid and as such is used in acid gastritis and pariṇāmaśūla (peptic ulcer etc.). (177-180)

### Śaṃbūka (Snail-shell)

*Purification*

Śaṃbūka on boiling with sours in a vessel for 1½ hours gets purified.

*Killing*

Śaṃbūka should be processed like śaṅkha or it is mixed with kumārī juice and subjected to puṭapaka. Thus it is transformed into fine bhasma.

*Properties*

It is very efficacious in peptic and duodenal colics and hyperacidity. (181-183)

## ŚUKTI (OYSTER-SHELL)

*Purification*

Śukti is purified by steaming it with the juice of jayantī leaves in dolāyantra for three hours.

*Killing and properties*

Śukti-bhasma is prepared like Śaṅkha-bhasma. It is used in abdominal pain and cardiac disorders. (184-185)

## VARĀṬIKĀ (COWRIE)

Varāṭikā is similar to śaṅkha in properties and its purification etc. are also the same. (186)

## ŚṚṄGA (STAG-HORN)

Horn which is not infested with insects, is heavy, firm, large and has many branchings should be accepted for use.

*Śṛṅgabhasma*

The horn is cut into small pieces which are heated on fire. Then it is powdered in a mortar and rubbed with latex of arka. Of this small discs are made which, after having been dried in the sun, are subjected to puṭapāka (closed heating) thrice. Thus śṛṅgabhasma is obtained. It is a good remedy for pain in eardiac region and chest. (187-190)

## ṬAṄKAṆA (BORAX)

*Purification*

The powdered borax is put on heated iron pan and parched well; when it is dehydrated, it is powdered and used. It is useful in cough, loss of appetite and amenorrhoea. (191-192)

## NARASĀRA (AMMONIUM CHLORIDE)

*Purification and properties*

Narasāra should be dissolved in pure water three times in quantity and after straining through a cloth piece should be heated on fire till water is evaporated. Thus pure narasāra should be collected from the bottom of the vessel.

Narasāra is useful in gulma, is appetiser, digestive and laxative. (193-194)

## DHĀTU (METALS)

Svarṇa (gold), rajata, (silver), tāmra (copper), lauha (iron), vaṅga (tin), nāga (lead) and yaśada (zinc)—These are seven dhātus. (195)

### General method of purification

Metal heated on fire is dipped into vinegar, buttermilk, decoction of horse gram, oil and cow's urine consecutively three time each. Thus metals gets purified generally. (196-197)

## SVARṆA (GOLD)

Gold which becomes reddish like the rising sun on heating and acquires saffron-like colour while rubbing on the tonch-stone is regarded as acceptable.

### Purification

The thin leaves of gold are pasted with mṛtpañcaka and again with sours and are subjected to heating in kapota-puṭo seven times.

### Svarṇabhasma

The leaves of gold 10 gm. are mixed with the equal quantity of mercury and rubbed along with nimbū juice.

After washing cinnabar, sulphur, realgar and ammonium chloride each 10 gm. are added to it and rubbed with sours. Then after drying it is heated in puṭapāka till it becomes lustre-less.

### Properties of Svarṇabhasma

Svarṇabhasma is sweet, rasāyana, aphrodisiac, cardiac tonic and anti-toxic and promotes intellect, vision and immunity.
(198-204)

## RAJATA (SILVER)

Silver having heaviness and brilliant whiteness like that of the moon on cutting, heating and rubbing on touch-stone is acceptable.

### *Purification*

Thin-leaved silver is heated on fire and dipped into the juice of agastya leaves three times consecutively.

### *Rajatabhasma*

Powder of pure silver, mercury and sulphur in equal quantity are rubbed with the juice of ghṛtakumārī and then subjected to Puṭapāka. Thus rajatabhasma is prepared.

### *Properties of rajatabhasma*

Rajatabhasma is cold, rasāyana, aphrodisiac, promotes strength and intellect and cleans the female genital tract.

(205-209)

## TĀMRA (COPPER)

Copper smooth, soft, tolerating hard strokes and having colour like that of china rose is commendable.

### *Types*

Nepāla and mleccha are the two types of copper of which the former is better.

### *Eight defects of copper*

Loss of consciousness, giddiness, burning sensation, sweating, nausea, vomiting, anorexia and restlessness—these are the eight defects of copper.

### *Purification*

Leaved copper is heated on fire and then dipped into the juice of cāṅgerī.

### *Tāmrabhasma*

Copper leaves are pasted with kajjalī rubbed with nimbū

juice and after drying are heated in puṭapāka three times
consecutively.

### Nectarization

Killed copper mixed with 1/2 sulphur is rubbed with pañcāmṛta
and then made into small discs. These are dried and heated
in puṭapāka three times.
By this process, copper bhasma becomes free from the eight
defects and acquires good qualities.

### Properties of tāmrabhasma

Tāmrabhasma is hot, stimulates digestive fire and is useful in
chronic anaemia, abdominal pain, acid gustritis, liver dis-
orders, vitiligo and poisoning.

### Hṛdayārṇava

Composition—nectarized copper mixed with double kajjalī is
rubbed with triphalā decoction and kākamācī juice conse-
cutively and then made into pills each weighing 30 mg.
Indication—It is useful in cardiac disorders.

### Ārogyavardhinī

Composition—mercury, sulphur, lauhabhasma, abhraka-
bhasma—each 1 part, triphalā 2 parts, śilājatu 3 parts, puri-
fied guggulu and citraka root 4 parts and kaṭukā equal to the
above total (17 parts). All are ground and pounded together
with the juice of nimba leaves for two days and then made
into pills each of the size of a small jujube fruit (5 gm.).
This is formulated by Nāgārjuna.
Actions and uses—It promotes health (ārogya = health,
vardhinī = promoter), eliminates impurities and alleviates all
disorders particularly fever and skin diseases. (210-223)

## LAUHA (IRON)

### Types

Iron is of three types—kānta, tīkṣṇa and muṇḍa of which the
last one is inferior and should not be used.

*Purification*

Powdered iron is heated on fire and then dipped into the decoction of triphalā seven times consecutively.

*Bhānupāka* (Solar heating)

The purified iron is washed well and then kept in a mortar along with triphalā decoction and dried in the sun. This is repeated seven times.

*Sthālīpāka* (Vessel-heating)

The above iron is washed and then put in earthen vessel containing decoction of triphalā and heated till it is dehydrated.

*Puṭapāka* (Closed heating)

The iron undergone the vessel-heating is rubbed with the juice of certain herbs and then heated in gajapuṭa hundred or thousand times consecutively. It becomes gradually more potent.

*Nirutthīkaraṇa* (De-reviving)

Lauhabhasma, cow's ghee and sulphur are rubbed together with the juice of ghṛtakumārī and then subjected to heating in gajapuṭa. Thus the iron bhasma becomes niruttha (unable to revive).

*Properties of lauhabhasma*

Lauhabhasma is a good haematinic and is used in anaemia, oedema, parasitic infestation, abdominal pain, piles, obesity, prameha and poisoning.

*Navāyasa* (Iron formulation of nine drugs)

Composition—Triphalā, trikaṭu and trimāda—all in equal parts, lauhabhasma 9 parts. All mixed together make the Navāyasa. It is taken with honey and ghee.
Indication—anaemia.

*Saptāmṛta Lauha* (Iron formulation of seven ingrediants)

Triphalā and yaṣṭīmadhu—each 40 gm., lauhabhasma 20 gm. —all rubbed together for a day.

This is mixed with honey and ghee before use. It is taken with cow's milk.

Indications—eye diseases and headache. (224-236)

## MAṆḌŪRA (IRON SLAG)

*Purification*

Maṇḍūra heated on fire is dipped into cow's urine seven times consecutively.

*Maṇḍūrabhasma*

The powdered maṇḍūra is rubbed with decoction of triphalā and then subjected to puṭapaka thirty times consecutively. Thus maṇḍūrabhasma is prepared.

*Properties of maṇḍūrabhasma*

Maṇḍūrabhasma is rough, haematinic and tonic and is used in anaemia, oedema, jaundice and splenomegaly.

*Punarnavāmaṇḍūra*

Composition—punarnavā, śuṇṭhī, trivṛt, marīca, citraka, pippalī, puṣkaramūla, viḍaṅga, devadāru, triphalā, haridrā, dāruharidrā, dantī, cavya, indrayava, kaṭukā, musta, pippali mūla—all in equal parts, maṇḍūrabhasma double the above total—all this should be boiled with cow's urine and then kept in a clean container.

Indication—anaemia. (237-242)

## VAṄGA (TIN)

*Types*

Khuraka and miśraka are the two types of vaṅga of which the former is superior. Khuraka is white, soft and liquifies easily whereas miśraka is greyish, hard and smelts with difficulty.

*Purification*

Tin is smelted in a laddle on fire and then dipped into lime water filled in an earthen vessel. This is done seven times.

*Vaṅgabhasma*

Purified tin is smelted in an iron pan and then apāmārga

powder is mixed with it and stirred with iron rod. When it becomes ash-like, it is covered with a saucer and heated for a day. Thus white vaṅgabhasma is obtained. This should be washed with water so as to eliminate the alkali (of apāmārga).

*Properties and uses of Vaṅgabhasma*

It is rasāyana, promotes semen, strength, immunity, intellect and is used in prameha and leucorrhoea.

*Svarṇavaṅga*

Composition—tin 30 gm. is heated in a laddle and liquefied and then mixed with equal mercury. Then the amalgam is put in a mortar and rubbed with sours and salts and finally washed. Thereafter sulphur and ammonium chloride equal to mercury are mixed and rubbed till it is transformed into fine powder. Lastly this substance is put into a glass jar and heated in bālukāyantra for 12 hours. When it becomes smokeless the jar is put down and the product, svarṇavaṅga (vaṅga attaining golden colour) is taken out from the bottom.

Indications—It destroys all types of prameha. (243-255)

## Nāga (Lead)

Lead smooth, heavy, soft, externally dark but internally white and smelting easily is acceptable.

*Purification*

Nāga is purified like vaṅga. By purification it is freed from the defects such as causing paralysis, blood disorders, oedema, consumption etc.

*Nāgabhasma*

The process of preparing vaṅgabhasma is followed here except that the powder of dried aśvattha bark is given in place of apāmārga. Thus red bhasma of nāga is obtained. This bhasma is washed with water and mixing with realgar is rubbed with nimbū juice and then subjected to puṭapāka three times. By this black bhasma is obtained.

*Properties and uses of Nāgabhasma*

Nāgabhasma is useful in grahaṇiroga, vātavyādhi, antraśoṣa bleeding piles, menorrhagia and prameha. (256-264)

## Yaśada (Zinc)

Yaśada white, smooth, soft, heavy and smelting quickly i acceptable.

*Purification*

Yaśada is purified like vaṅga.

*Yaśadabhasma*

This process is also the same as in case of vaṅga. Thus re bhasma of yaśada is obtained.

*Properties and uses of Yaśadabhasma*

Yaśadabhasma is astringent, tonic, useful for eyes an alleviates anaemia, prameha, cough, bronchial asthma, con sumption and various disorders. (265-269)

## *Upa-dhātus etc.*

## Svarṇamākṣika (Copper Pyrite)

Svarṇamākṣika smooth, heavy, shining, externally with dark tinge but on rubbing on touch-stone with golden lustre acceptable.

*Purification*

Svarṇamākṣika is heated on intense fire and then dipped in nimbū juice. This is done twenty-one times consecutively.

*Svarṇamākṣikabhasma*

The purified svarṇamākṣika mixed with equal quantity sulphur is rubbed with nimbū juice and then subjected puṭapāka five times.

*Properties of Svarṇamākṣikabhasma*

Svarṇamākṣikabhasma is rasāyana, aphrodisiac, antitoxic, us ful for eyes and alleviates anaemia, oedema, consumptic prameha and chronic fever. (270-275)

## TUTTHA (COPPER SULPHATE)

Tuttha smooth, heavy and having lustre like that of peacock's neck is acceptable.

### *Nirmalīkaraṇa* (Cleansing)

Powdered tuttha 100 gm. is dissolved in hot water 50 ml. and after some time strained through fine cloth piece or filter paper and put in a glass bottle till it is crystallized. This kaṇatuttha (crystallized copper sulphate) should be made use of.

### *Purification*

Powdered tuttha is impregnated with nimbū juice for six hours. Thus it gets purified.

### *Tutthabhasma*

For preparation of bhasma, the purified tuttha is subjected to heating in laghu puṭa. The bhasma so obtained is impregnated with curd-water for three days by which it becomes free from the defects such as causing emesis etc.

### *Properties and uses of Tutthabhasma*

Tutthabhasma is used in skin diseases, vitiligo, diabetes, acid gastritis, abdominal pain and worms. (276-282)

## KHARPARA (ZINC ORE)

### *Types*

Kharpara is of two types—layery and non-layery. The former is known as dardura and the latter as kāravella.

### *Purification*

First it should be eliminated of foreign materials like stony gravels etc. and then after heating should be dipped into nimbū juice. It is done seven times consecutively.

### *Kharparabhasma*

Purified kharpara is rubbed with the equal quantity of haritāla and subjected to puṭapāka three times.

### Properties and uses of Kharparabhasma

Kharparabhasma is used in prameha, pradara, eye diseases, raktapitta, chronic fever, consumption, bronchial asthma and diarrhoea. (283-286)

## KĀSĪSA (FERROUS SULPHATE)

### Types

Kāsīsa is available in two types—cūrṇakāsīsa (powdery) and puṣpakāsīsa (flowery). The former is yellowish white while the latter is green. The latter should be taken for use.

### Purification

Puṣpakāsīsa is steamed in the juice of Bhṛṅgarāja for three hours and thus it is purified.

### Properties and uses

It is astringent and useful in anaemia, vitiligo, eye-diseases, fever, amenorrhoea, greying of hairs, spleen enlargement and intestinal worms. (287-289)

## AÑJANA (GALENA)

### Purification

Añjana rubbed with decoction of triphalā or bhṛṅgarāja juice for a week gets purified.

### Properties and uses

Sauvīrāñjana is cold and useful in internal haemorrhage, poisoning, eye diseases and wounds. (290-291)

## ŚILĀJATU

Śilājatu is named as it comes out of the stones heated by the sun in summer in the form of thick exudation having many shades.

### Purification

The powdered śilājatu is kept in an iron vessel with double hot water and half triphalā decoction in the intense sun for three hours. Then it is strained through cloth and again put in the vessel under the sun. The blackish thick material emerged on the surface of water is collected and put in another vessel for the same process. This is repeated till the clean śilājatu is obtained on the supernatant layer.

*Properties and uses*

Śilājatu is rasāyana, promotes strength and immunity, is efficacious in urinary diseases, obesity, anaemia and oedema. (292-297)

### Gairika (Red Ochre)

*Purification*

Powdered svarṇagaīrika impregnated with cow's milk gets purified.

*Properties and uses*

Svarṇagairika is kaṣāya, slightly cold and useful in burning sensation, poisoning, eye-diseases, menorrhagia, innate haemorrhage and wounds. (298-299)

### Ratna (Gems)

Māṇikya (ruby), puṣparāga (topaz), marakata (emerald), muktā (pearl), hīraka (diamond), nīla (sapphire), vaidūrya (cat's eye), gomeda (sardonyx) and pravāla (coral)—these are the nine gems (navaratna). (300)

### Muktā (Pearl)

*Purification*

Muktā steamed with the juice of jayantī leaves in dolāyantra for three hours gets purified.

*Muktāpiṣṭi*

The powdered muktā is rubbed with rose water till it becomes fine. This is known as muktāpiṣṭi.

*Muktābhasma*

Muktā rubbed with cow's milk is subjected to laghu puṭa three times. Thus muktābhasma is obtained.

*Properties and uses*

Muktā is cold, cardiac tonic, promotes strength, semen, and intellect and alleviates burning sensation, eye diseases, fever, consumption, bronchial asthma and cough. (301-304)

### PRAVĀLA (CORAL)

*Purification*

Pravāla is purified by the same way as muktā.

*Pravālapiṣṭi*

It is also prepared like muktāpiṣṭi.

*Pravālabhasma*

Bhasma of pravāla is also prepared like that of muktā.

*Properties and uses*

Pravāla is alkaline, pacifies kapha and vāta, promotes strength and alleviates consumption, innate haemorrhage, cough, bronchial asthma and fever. (305-308)

### *Viṣa-Upaviṣa* (*Poisons*)
### VATSANĀBHA (Acomite)

*Purification*

At first vatsanābha root is cut into small pieces and immersed in a container filled with cow's urine which is kept in the sun for three days. The cow's urine is changed daily with fresh one. Then the pieces are decorticated and dried in the sun. Thus vatsanābha gets purified and fit for use. (309-311)

### KĀRASKARA (NUX VOMICA)

*Purification*

The seeds of kāraskara are kept within cow-dung for three days. Then they are decorticated and washed with water. Now they are fried with ghee and as soon as they become crisp they are powdered and kept in a container. It is pure fried kāraskara which is taken for use. (312-313)

## AHIPHENA (OPIUM)

### Purification

Opium rubbed with fresh ginger juice seven times gets purified. (314)

## JAYAPĀLA (CROTON)

### Purification

The seeds of Jayapāla are bifurcated and the green tongue— like structure is removed. Then they are put in a cloth-pouch and steamed with cow's milk in dolāyantra for three hours. This is done three times. Thus jayapāla gets purified. (315-316)

## DHATTŪRA

### Purification

Dhattūra seeds are steamed with cow's milk in dolāyantra for three hours. Then they are washed with hot water and dried in the sun. (317-318)

## BHAṄGĀ

### Purification

The dried leaves of bhaṅgā, at first, are immersed and kept in water for some time. Then they are taken out and water is pressed out. Now they are fried with ghee on mild fire. This is purified bhaṅgā. (319-320)

## GUÑJĀ

### Purification

The powdered guñjā seeds are kept in a cloth pouch and steamed with cow's milk in dolāyantra for six hours. (321-322)

## BHALLĀTAKA

### Purification

The bhallātaka fruits are rubbed with brick powder within a rag and then washed with hot water. Then it is purified.

(323-324)

## SNUHĪKṢĪRA (LATEX OF SNUHĪ)

*Purification*

Snuhīkṣīra 80 gm. is mixed with the juice of tamarind leaves
20 ml. and kept in the sun till the juice is dried up. Thus the
purified snuhīkṣīra is obtained for use. (325-326)

CHAPTER VI

# SVASTHAVṚTTA

## (PREVENTIVE AND SOCIAL MEDICINE)

The routine in terms of diet, behaviour and movements followed by the healthy people for their well-being is known as 'Svasthavṛtta'.

The medical science has two objects—one, prevention of diseases (including promotion of health) and the other, cure of them if arisen of which the former is always better and preferable as it is wise to stay apart from mud rather than washing it off. (1-3)

So men should observe diet, behaviour and movements in such a way as do not cause imbalance of doṣa etc. resulting in emergence of diseases. (4)

For this, one should follow the prescribed routine for day (dinacaryā), night (rātricaryā) and different seasons (ṛtucaryā). (5)

*Dinacaryā* (Diurnal routine)

One should get up in early morning and after meditating on God should observe cleaning measures such as excretion of urine and faeces, mouth-wash and tooth-brushing. (6-7)

One who, soon after getting up, drinks water kept over-night remains healthy and attains longevity. (8)

After finishing routine wash, one should go out for morning walk in a clean environment and open space or take other physical exercise or yogāsana according to his choice and capability. (9)

Thereafter he should take some rest and then undergo oily massage followed by bath in room or a dip in some river which eliminates all the heat (of body and mind). (10)

After bath one should worship and meditate on God according to his faith and also observe 'Prāṇāyāma' (breath-control) which promotes both physical and mental well-being. (11)

After taking breakfast, one should devote himself to his professional work sincerely without causing injury to others. (12)

Before six hours (of the breakfast) one should take lunch

according to his taste and suitability. The diet should be sāttvika, nourishing, light, warm and unctuous. (13)

One should take his meal with happy mind, accompanied by family members and friends, after feeding the dependents; in a place peaceful, clean, ventilated and free from mosquitos etc. (14)

Then taking some mouth-refreshing substance like betel etc. one should relax on couche entertaining with friends. (15)

One should not sleep in day to avoid heaviness. However, this is in exception to summer season and conditions like consumption, wound etc. (16)

In afternoon, he should resume his work. Everybody should do his work with devotion. (17)

In evening, according to age and interest, one should take part in games, walking, other physical exercise or recreation. Those who want solitude and peace should go to temples, parks or the bank of river. (18-19)

### Rātricaryā (Nocturnal routine)

During night, after finishing some work, one should take meal and then sleep on a bed not too hard with clean beddings and mosquito-curtain. (20)

One should take sexual intercourse with his wife during ṛtukāla for good progeny. Too many offsprings should be avoided so as to make the family small and contented. (21)

Celibacy should be observed carefully for longevity and happiness as semen is the final dhātu and root of life. (22)

Sleep removes the entire fatigue of body and mind acquired during day and restores freshness. That is why it is called bhūta-dhātrī (sustainer of creatures). (23)

### Ṛtucaryā (Seasonal regimen)

There are six seasons—varṣā (rainy season), śarad (autumn), hemanta (early winter), śiśira (late winter), vasanta (spring) and grīṣma (summer) of which the former three come under 'visarga-kāla' (releasing period) while the latter three belong to 'ādāna-kāla' (receiving period). The reason behind visarga and ādāna is that in the former soma (moon) is predominant which promotes creation and strength while in the latter sūrya (sun) becomes more intense which takes away the sap (strength) of living beings. (24-25)

## Varṣā-ṛtucaryā (Regimen for rainy season)

In rainy season, due to humidity, the digestive fire becomes deficient and also due to faulty elimination of excreta doṣas, particularly vāyu, get aggravated. (26)

Hence one should carefully protect the digestive fire and should take light diet such as old rice and intake of ariṣṭas mixed with honey. The diet should consist of mainly salts, fatty substances and sours to pacify vāta and drinking water clean and cold after being boiled or warm if environment is cold. One should keep his body clean by removing sweat etc. by rubbing, massage, bath and application of perfumed powders. The clothes should be clean, white, dry and absorbent. The house should be free from wind and moisture. One should always move with shoes on and avoid contact of contaminated water. Besides, one should avoid sleeping in day and under open sky, cold drinks, excess of water, river-water, exertion, exposure to the sun and sexual intercourse. (27-32)

## Śarad-ṛtucaryā (Regimen during autumn)

Pitta accumulated in rainy season gets aggravated in autumn under effect of intense sun-rays and thus causes burning sensation etc. (disorders of pitta). Hence then the diet should consist of sweets, bitters, cold and light items which pacify pitta. From time to time one should also take purgative to eliminate pitta and also ghee processed with bitters. In autumn, one should avoid sun-heat, vasā (muscle-fat), oil, heavy meat, sleeping in day and under open sky, alkali, curd and easternly wind. (33-36)

## Hemanta-ṛtucaryā (Regimen during early winter)

In winter, due to cold environment, fire is directed inwardly and as such the digestive fire becomes strong and able to digest even the heavy items. Hence then one should take diet consisting of sweet, unctuous, sour and salty items, milk and its products, sweet-meats and new cereals. One is not affected by cold if he avails of oil, cotton, sun-rays, betel, fire and young woman. In hemanta, one should always take bath with warm water after taking physical exercise and undergoing oily massage regularly.

Hot water, warm clothing, heated rooms and bed covered with warm blankets and gaddas—these are to be used in winter. One should avoid in hemanta light diet, rough items and others which aggravate vāta, deficient meal, cold and watery drinks and cold wind. (37-42)

### Śiśira-ṛtucaryā (Regimen during late winter)

Śiśira is the beginning of ādāna and as such roughness starts therefrom. Moreover, there is also increase in cold due to clouds, winds and rain. Hence the regimen for hemanta is continued in śiśira with more attention to protection from cold and vāta. (43-44)

### Vasanta-ṛtucaryā (Regimen during spring)

Kapha accumulated in winter gets aggravated due to increased heat of sun-rays in spring and as such disorders caused by kapha are prevalent then. For elimination of kapha, one should use emesis by the prescribed method. At the same time, he should avoid diet consisting of heavy, sour etc. items and day-sleep (which vitiate kapha). On the other hand, he should take measures to pacify kapha such as diet consisting of wheat, barley and bengal gram, physical exercise and hot water bath. Moreover, walking in morning and evening and use of honey and ariṣṭa (fermented liquors) are wholesome. (45-48)

### Grīṣma-ṛtucaryā (Regimen for the summer)

In summer, the sun, by its intense rays, draws out the sap of the creatures and as such they get emaciated and debilitated. Hence, to counteract this, the wholesome diet consisting of unctuous, cold, liquid and sweet items such as mantha (churned preparation) of parched gram-flour, lassi (or curd) etc. should be used. One should take rice with ghee and cold sweetened milk and should sleep during day in cooled room and during night, under open sky on the house-roof. Bath should be taken with cold water preferably in river in early morning and thereafter cold paste of sandal should be applied on body. To protect from heat, fans should be used to provide cold air while one should be rested on comfortable bed or chair. In summer, one should abstain from sours, pungents, hots, salty, dry and rough items in diet, physical exertion and movement in the sun. (49-54)

*Diet*

There are three pillars of health—diet, sleep and celibacy and as such one should be careful in observing them. Food is the source of life and one can't live without it, hence one should take food properly which may provide strength, nutrition and contentment. The body is decaying constantly by its self-destroying nature and to replenish it with nourishing diet is essential.
(55-57)

While taking food, the following eight points should be kept in mind—prakṛti (nature), karaṇa (processing), saṃyoga (combination), rāśi (quantity), deśa (place), kāla (time), bhoktā (eater) and bhojana-niyama (prescribed rules for taking food).
(58)

Food which is suitable should be taken after considering the above facts and also after assessing his own self so as to prevent the disorders. (59)

The wise should eat only when the previous meal is digested and appetite has arisen. He should avoid always adhyaśana, viṣamāśana and samaśana. (60)

Adhyaśana (over-eating) is that when one eats even if the previous meal is not digested. Viṣamāśana is eating irregularly in respect of quantity, time etc. Samaśana is the eating when wholesome and unwholesome items are mixed together. These three are perversions of eating which should be avoided altogether. (61-62)

Ordinarily one should take another meal after three hours of the previous one. Eating earlier causes indigestion and weakness, arises in case of later eating. (62)

As a rule, two parts of diet should be of solids and one part of liquids. The remaining one part (quarter) of the stomach should be kept vacant for easy movement of doṣas. (63)

Lunch ending with butter-milk, milk after dinner and intake of water in early morning—these preserve the health of man. (64)

Black gram, curd, fish and brinjal—these four items aggravate kapha and pitta. (65)

Curd is abhiṣyandī (channel-blocking) and as such should not be taken in night. It also should not be taken hot, sour, in times and conditions of pitta and by persons having paittic constitution. In conditions of kapha, curd should be mixed with honey or the juice of green gram, in those of pitta mixed with āmalaka and in those of vāta mixed with ghee and sugar by which it becomes harmless. (66-67)

One should take regularly the diet consisting of śāli and ṣaṣṭika rice, green gram, fresh fruits, rock-salt, barley, milk, rain-water (distilled water), ghee and honey. (This is a dish of balanced diet containing all the essential items.) (68)

One should not eat excessively flattened rice, parched grain-flour, black gram, curd and fish as they produce severe diseases by excessive use. (69)

*Sadvṛtta* (Code of ethical conduct)

The code of ethical conduct should be followed in order to preserve physical health, mental poise and social well-being. (70)

One, who is devoid of passions, anger and greed, not addicted to malpractices, is philanthropic, peaceful and devoted to elders never suffers. (71)

For purification of mind, one should have faith and trust, devotion to god and should study good books. (72)

For one who has deceitless heart, soft speech and expertise in work is nothing inaccessible in the world. (73)

The ethical conduct is like celestial tree which bears the fruits of Rasāyana and provides man with healthy, happy and long life free from diseases and old age. (74)

Effort should be made so that both individual and society stay healthy as they are inter-dependent (and one affects the other). (75)

*Janapadodhvaṃsa* (Epidemics)

Food, water and air—these three are supporters of life. Hence constant care should be taken for their purification. (76)

When due to negligence of state or other administrative authorities, air, water, earth and time get polluted thereby epidemics spread in the community. (77)

On taking proper measures by the sincere works of the state for purification of air etc. and proper knowledge the epidemics should be controlled. (78)

Air should be purified by fumigation with mustard, nimba leaves, sarjarasa etc. and also by performing yajña (sacrifices) (from time to time particularly) during confluence of seasons. (79)

Water should be purified by putting kataka powder, straining, sun-heating, boiling, filtration and perfuming. (80)

The floor of the house should be cleaned daily with broom followed by washing with water mixed with some germicidal substance. (81)

In villages where the houses are built of earth, cleaning should be done with broom and thereafter floor should be pasted with cowdung. (82)

The cereals, before cooking, should be properly cleaned by winnowing and washing with water. Similarly, fruits and vegetables also should be washed properly before use. (83)

The idol of goddess Śītalā (small-pox) carrying broom and winnow in her hand instructs the people to use them for their well-being. (84)

The clothes to be worn should be clean washed. Similarly, beddings should also be exposed to the sun from time to time. (85)

Diseases like enemies always look for the weak point of men and as such one should not be careless in observing the rules of health. (86)

One who wishes health, wealth and happy long life should always observe good conduct. (87)

He stays healthy who eats wholesome items in proper quantity, moves properly, is philanthropic, free from addictions, forbearing and impartial. (88)

The man having purity of body, speech and mind as well as proper balance in regard to food and behaviour achieves good health. (89)

One who has got equilibrium of body and mind and free from diseases and passions is really liberated while living. (90)

The man is defined as healthy who has got equilibrium in doṣas, digestion, metabolism and purity of mind and senses. (91)

## Chapter VII

# RASĀYANA

## (Promotive Therapy)

Rasāyana is defined as the means for attainment of excellent dhātus (Rasa=Rasa etc. dhātus, ayana=means for attainment). It promotes strength and energy in the healthy. (1)

By providing excellent rasa etc. Rasāyana maintains the youthful age of man, gives longevity and promotes physical strength as well as mental ability. (2)

Rasāyana is of three types according to result—(1) ājasrika (nutritional), (2) kāmya (desirable), and (3) naimittika (conditional) and of two types according to method of application—(1) kuṭīprāveśika (indoor), and (2) vātātapika (outdoor). (3)

Now cyavanaprāśa is a very popular Rasāyana formulation by the use of which Cyavana, the pretty old sage, got transformed into a handsome youth in ancient times. (4)

There are numerous rasāyana drugs among which the important ones are—āmalaka, bhallātaka, nāgabalā, pippalī, aśvagandhā, śilājatu and svarṇabhasma. (5)

Brāhmī, śaṅkhapuṣpī and yaṣṭīmadhu (powder) are particularly intellect-promoting (medhya) rasāyana though they also promote physical strength. (6)

For the success of the use of rasāyana, purity of body and mind is necessary and as such prior to such use one should undergo evacuative therapy for the body and also observe good moral conduct (ācāra-rasāyana) which include abstinence from anger, emotions, violence, mental peace, devotion to teacher and elders and self-control. (7-8)

# Chapter VIII

# VĀJĪKARAṆA

## (Aphrodisiac Therapy)

Vājīkaraṇa is defined as that by which man becomes exhilarated and potent like horse with increase in semen. It also comes under promotive therapy and provides energy to the healthy. (1)

Vājīkaraṇa provides sexual pleasure as well as virility and as such it should be used by men for happyness in life. (2)

The foremost aphrodisiac is the beautiful, stimulating young woman and then come the aphrodisiac drugs such as gokṣura, black gram, kapikacchū etc. (3)

One who eats ṣaṣṭika rice with the juice of black gram added with plenty of ghee followed by intake of cow's milk discharges copious semen like a bull. (4)

The kapikacchū seeds, the main ingredient of vānarī guṭikā, (BR. Vājīkaraṇa, 170-174) act as aphrodisiac not only for the youth but also for the aged ones. (5)

The formulations of bhaṅgā (Indian hemp) are also good aphrodisiac, Madanānanda (BR., Vājīkaraṇa, 142-165) being one of the popular ones among them. (6)

Chapter IX

# ROGAVIJÑĀNA

## (Pathology and Diagnosis of Diseases)

The disequilibrium of dhātus which cause distress is called 'roga', 'ruk' or 'vikāra'. Its thorough knowledge is essential for proper treatment of diseases. (1)

According to etiology, disease is of two types—(1) nija (endogenous) caused by doṣas and (2) āgantu (exogenous) caused by external injury. (2)

The physician should first take up examination of the patient, then the diagnosis of disease, thereafter selection of drugs followed by proper treatment. (3)

The means of investigation are three by which the correct knowledge is arrived at. The first is pratyakṣa (perception) and then anumāna (inference) and āptopadeśa (authoritative instructions). (4)

The knowledge acquired by direct contact of sense organs with their objects is known as pratyakṣa (preception) which is the basis of all investigations. (5)

Anumāna (inference) comes after perception as the knowledge of liṅgī (object) through liṅga (characteristic sign) on the basis of vyāpti (invariable concomittance). It is concerned with three times (past, present and future) and is of three types (pūrvavat, śeṣavat and sāmānyato dṛṣṭa). (6)

Āptas (authorities) are devoid of imperfections, have full knowledge without any doubt and are devoted to truth. Their instruction (āptopadeśa) is the source of knowledge. (7)

The scripture is in the form of āptopadeśa by which one derives knowledge of the characters of diseases, thereafter follows investigation through perception and inference. (8)

The examination of patient is conducted by six means—by interrogation and then (physical examination) with five sense organs. (9)

Doṣa, dūṣya, time, strength, digestive fire, constitution, age, mental status, suitability and place should be examined carefully along with taking family history and the previous history so that the disease is known fully in all aspects as the treatment depends thereon. (10-11)

Doṣas and dūṣyas (dhātus and malas) are already described earlier. The family history is also important particularly in hereditary diseases like diabetes etc. (12)

During physical examination of the patient the following eight items should be investigated carefully—pulse, urine, faeces, tongue, voice, eyes, face and touch. (13)

The disease should be examined with the following five (known as nidāna-pañcaka)—nidāna (etiology), pūrvarūpa (prodrome), rūpa (symptoms), samprāpti (pathogenesis) and upaśaya or sātmya (suitability). (14)

The causative agent producing disorder is known as nidāna. It is of two types—sannikṛṣṭa (proximal) and viprakṛṣṭa (distant). Again it is of two types—bāhya (extrinsic) such as micro-organisms etc. and ābhyantara (intrinsic) such as doṣas etc. (15-16)

The symptom slightly manifested which indicates the future disorder is known as 'Pūrvarūpa'. It is also of two types— sāmānya (general) and viśiṣṭa (specific). (17)

The symptom quite manifested which characterise the produced disorder is known as 'rūpa', saṃsthāna, cihna, lakṣaṇa, liṅga, and ākṛti are its synonyms. (18)

The wholesome use of diet, drug and activities which are contrary to cause and disease in form and effect is known as 'upaśaya'. (19)

The origin of disease by doṣas advanced through the stages of aggravation, extension and localisation is known as 'samprāpti'. 'Āgati' and 'jāti' are its synonyms. (20)

This nidāna-pañcaka (pentad for examination of disease) is the best means for the knowledge of the disorder. The physician should arrive at the knowledge of the disorder after examining it by nidāna-pañcaka. (21)

In pathogenesis, there are six consecutive stages of doṣa-sañcaya (accumulation), prakopa (aggravation), prasara (extension), sthāna-saṃśraya (localisation), vyakti (manifestation) and bheda (explosion). (22)

Doṣa is accumulated in its site, aggravation is the state of transgression. Extension is its spread all over the body. It is known as localised when it gets sticked to a place. This stage manifests the disorder slightly with Pūrvarūpa. Thereafter the disease is fully manifested with definite symptoms. This is the stage of manifestation. The last stage is bheda when abscess bursts or other disorders reach chronicity (or fatal end) due to pāka (katabolism) of dhātus. The wise physician should acquire knowledge of these consecutive stages from the very initial phase so that the disease may not take adverse turn. (23-27)

Diseases are of two types—sāmānyaja (general) and nānātmaja (specific). The specific diseases caused by vāta, pitta and kapha are eighty, forty and twenty respectively. (28)

The physician should start the proper treatment after diagnosing the disease by nidāna-pañcaka. (29)

That physician is successful who possesses knowledge about the disease and remedies in reference to the particular place and time. (30)

## JVARA (FEVER)

Doṣas aggravated due to faulty diet and movements and situated in āmāśaya cause rise of temperature in body along with mental distress. This is known as jvara.

The premonitary symptoms of jvara are restlessness, abnormal lustre in face, tastelessness (in mouth), yawning, body-ache, anorexia, heaviness and burning sensation in eyes.

Out of these yawning, burning sensation and anorexia are observed predominantly in that caused by vāta, pitta and kapha respectively.

According to the causative agent, jvara is said to be of eight types—seven caused intrinsically by doṣas and the eighth as exogenous.

The innate seven types are as follows—Three caused by vāta, pitta and kapha separately, three by dual doṣas (vāta-pitta, vāta-kapha and kapha-pitta) and the seventh due to sannipāta (aggregation) which is of several types (according to permutation and combination of doṣas). The exogenous disorder is caused by (extrinsic factors such as) injury, infection of micro-organisms etc.

Trembling, irregular course, dryness of mouth, throat, palate, tongue etc., sleeplessness, roughness, headache, bodyache, tastelessness in mouth, flatulence, constipation, abdominal pain, excessive yawning—these are symptoms of fever caused by vāta.

High temperature, diarrhoea, bitter and sour vomit, thirst, burning sensation, sweating, fainting, pungency in mouth, inflammation in mouth etc. yellow tinge in stool, urine and eyes, giddiness and restlessness—these are the symptoms of fever caused by pitta.

Mild temperature, coldness, lassitude, stiffness in body, whiteness in urine etc. heaviness, anorexia, vomiting, feeling of fullness, nausea, mild pain, obstruction in channels, salivation, cough, running nose—these are symptoms of fever caused by kapha.

Jvara which even after subsidence continues within due to location is dhātus, in severe and irregular in respect of intensity etc. is known as 'viṣama' (irregular fever). Caraka etc. have described it as of five types—santata (remittent), satata (double quotidian), anyedyuṣka (quotidian), tṛtīyaka (tertian) and caturthaka (quartan).

(In the above) sometimes the temperature rises with cold and sometimes with heat. When fever becomes chronic it transverses the dhātus consecutively reaching up to śukra attaining severity accordingly. Fever based in śukra is incurable.

When fever is caused by doṣas aggravated in their prescribed time (season) like vāta in rainy season it is known as Prākṛta (natural) otherwise it is 'Vaikṛta' (unnatural). The latter are difficult and also the former if caused by vāta.

When the burning sensation is more internally directed the fever is known as 'antarvega' (directed inwardly). On the other hand, it is said as 'bahirvega' (directed outwardly) when externally temperature is high.

In the presence of āmadoṣa the fever has the following symptoms—anorexia, salivation, heaviness, tastelessness in mouth, nausea, loss of appetite, stiffness in body and high temperature. When āmadoṣa disappears the following symptoms arise—emaciation, appetite, lightness, mildness of temperature and elimination of excreta. It takes place generally after a week.

Generally fever is called as taruṇa (acute), madhya (medium) and purāṇa or jīrṇa (chronic) up to a period of one week, 12 days and after three weeks respectively.

Fever is easily curable if the patient is strong, doṣa is little, complications are absent and if it is not of long duration and is caused by a single doṣa.

Sweating, lightness, thirst, elimination of excreta, absence of foul smell in mouth, sneezing and appetite—these are the symptoms indicating the freedom from fever. (31-53)

### RAKTAPITTA (INNATE HAEMORRHAGE)

Exposure to sun, exertion, anger, excessive sexual intercourse; intake of irritant, hot, alkaline, sour, salty and pungent food items—Pitta being burnt (aggravated) by these causes further burns the blood and thus gives rise to the disease known as 'raktapitta' which is characterized by outflow of blood (haemorrhage) associated with pitta upwards from mouth, nose, eyes, ear etc., downwards from anus, penis or vagina and universally from all the hair-follicles.

The difference between pure blood (jīvarakta) and that mixed with pitta (raktapitta) is that the former is eaten with relish by dog, crow etc. while the latter is not. In this way raktapitta is examined.

In the disease having upward and downward course there is association of kapha and vāta respectively. That following both the courses have the association of both the above doṣas.

(As regards prognosis), raktapitta having upward course is curable, that with downward one is palliable and that with both the courses is incurable. The disease newly arisen and free from complications is curable while the contrary are incurable. (54-59)

### PĀṆḌUROGA (ANAEMIA)

Excessive exertion, malnutrition, excessive intake of irritant, sour and salty food and earth-eating—these causing loss of blood give rise to pāṇḍuroga.

Debility, pallor in skin, general depression, roughness, indigestion, abnormal colour in urine and stool and tendency for earth-eating—these are symptoms of pāṇḍuroga. (60-61)

### KĀMALĀ (JAUNDICE)

By excessive intake of pitta-aggravating substances pitta gets aggravated and by burning rakta and māṃsa produce kāmalā.

Afflicted with this disease, the patient looks deep yellow like rainy frog having nails, eye, skin, urine and face turmeric—yellow, general depression, debility, indigestion, burning sensation and emaciation.

According to the site of the disorder, kāmalā is of two types—Śākhāśrita (peripheral) and Koṣṭhāśrita (visceral). The chronic one is cured with difficulty and the case having loss of digestive fire and consciousness is incurable. (62-64)

## ATISĀRA (DIARRHOEA)

Atisāra is frequent purging of liquid stool which is caused by intake of food excessively cold, hot, fatty, solid, rough, heavy etc. and faulty use of food, fear, anxiety, intake of polluted water and alcoholic drink, suppression of natural urges, intestinal worms and poisons. (64-65)

The increased fluid diminishes the digestive fire and then propelled by vāta is expelled mixed with stool. This is pathogenesis of atisāra which is of six types—(1) vātaja, (2) pittaja, (3) kaphaja, (4) tridoṣaja, (5) psychic and (6) āmaja.

Pain in abdomen, flatulence, general depression, constipation, obstruction in wind and indigestion—these are premonitory symptoms of atisāra.

The patient of atisāra passing stool of various colours and having hiccough, fainting etc., emaciation, proctitis, prolapse of rectum and fever should not be taken up.

Excessive aggravation of pitta gives rise to raktātisāra in which blood passes with stool.

When aggravated vāta expels the accumulated āma mixed with stool frequently with tenesmus, it is called 'Pravāhikā' (dysentery). There is constipation and also pain and bleeding in it.

When urine and wind come out properly unassociated with defaecation, digestive fire is stimulated and bowels are light—these are signs of the recovery from diarrhoea. (65-78)

## GRAHAṆĪROGA (DISORDER OF GRAHAṆĪ)

Grahaṇī (a portion of the gastrointestinal tract) is the seat of the digestive fire where pittadharā kalā (membrane having digestive juices and enzymes) retains the food for digestion and releases quickly after it is completed.

The disorder of grahaṇī is caused by faulty diet which slows down the digestive fire with the result of which the undigested food does not get transformed into Rasa but is expelled out with faeces. Consequently abnormality in stool such as diarrhoea alternating with constipation arises leading to loss of dhātus and emaciation.

Debility, thirst, depression, burning and acidity during digestion, delayed digestion and heaviness in body—these are premonitory symptoms of grahaṇīroga.

In excess of vāta the following symptoms are present—flatulence after digestion, defeacation with sound and frothy faeces, pain in sides, cardiac region etc., roughness, thirst and dryness of mouth.

In grahaṇīroga caused by pitta stool is yellowish and liquid associated with sour eructations, indigestion, burning sensation in cardiac region and throat and thirst.

In grahaṇīroga caused by kapha there are nausea, vomiting, anorexia, lassitude, heaviness, sweet eructations and stool with mucus.

In children the disease is curable, in youth it is curable with difficulty and in old age it is incurable. (79-86)

## ARŚAS (PILES)

Arśas are the sprout-like structures produced in the rectum by aggravated doṣas in conjunction with tvak, māṃsa and medas as dūṣya. Such growths occurring in nose etc. are also called 'arśas'.

Location of the arśas is the three folds of rectum. Arśas is of six types according to doṣas—vātika, paittika, ślaiṣmika, sānnipātika, hereditary and raktaja (bleeding).

Arśas, according to discharge, is of two types—śuṣka (dry) and srāvī (wet or bleeding). The former is caused by vāta and kapha while the latter by rakta and pitta.

Faulty diet, exposure to heat and cold and lack of exercise (sedentary habit) are the causes of arśas.

Wind formation, debility, flatulence, excessive eructations, constipation—these are premonitory symptoms of arśas.

Haemorrhoids in vātika arśas are dry, hard and rough associated with the following symptoms—pain in the body, anorexia, flatulence, eructations, irregular digestion, dark tinge on skin and constipation.

Paittika haemorrhoids are reddish yellow, soft and small discharging thin blood and associated with burning sensation, fever, thirst, fainting, inflammation, sweating, yellow tinge, in body and liquid yellow stool.

Haemorrhoids in kaphaja arśas are white, solid, firm, heavy, slimy with itching and mild pain and associated with the following symptoms—salivation, coryza, vomiting, anorexia, loss of appetite, impotency, pallor in skin and defeacation with straining and mucous stool.

Raktaja arśas (bleeding piles) have symptoms like pittaja with the difference that in the former haemorrhoids are intensely red which bleed suddenly on pressure with hard stool and because of blood loss the patient becomes anaemic and emaciated. The stool comes hard with obstruction in wind and there is roughness in body.

The arśas newly arisen and caused by single doṣa is easily curable, that after one year duration and caused by two doṣas is cured with difficulty while that which is chronic, hereditary, caused by three doṣas and having numerous complications is incurable. (87-105)

## AGNIMĀNDYA-AJĪRṆA (DIMINISHED DIGESTIVE FIRE—INDIGESTION)

When due to faulty digestive fire the food is not digested properly and gives rise to various symptoms, it is called ajīrṇa (indigestion).

Agni (digestive fire) is of four types—1. sama (normal), 2. manda (slow), 3. tīkṣṇa (intense), and 4. viṣama (irregular). The first is due to equilibrium of doṣas and the other three are abnormal caused by (aggravation of) kapha, pitta and vāta respectively.

The slow digestive fire is unable to digest even little food, the intense one reduces even the abundant food to ashes quickly. The irregular fire performs its function irregularly—sometimes it digests well and sometimes does not. The normal fire digests the undigested food well and without any harmful effect.

As said earlier, the sama agni is normal while the others are abnormal giving rise to three types of ajīrṇa—āmājīrṇa, vidagdhājīrṇa and viṣṭabdhājīrṇa having predominance of kapha, pitta and vāta respectively.

Indigestion is caused by excessive intake of water, irregular diet, suppression of urges, anxiety, sleeplessness and uncomfortable bed.

Āmājīrṇa has the following symptoms—heaviness, salivation, oedema, nausea and eructation non-burnt and similar to food.

In vidagdhājīrṇa, there are giddiness, thirst, fainting, sweating, burning sensation, other symptoms of pitta and eructation smoky and sour.

In viṣṭabdhājīrṇa, the patient suffers from abdominal pain, flatulence, obstruction in wind and faeces, pain and stiffness in body, other symptoms of vāta and mental confusion.

Āmājīrṇa, if not treated, leads to viṣuci(kā) which is severe and having abdominal pain, thirst, vomiting, diarrhoea and cramps.

When the ingested food does not move in the bowels, either upwards or downwards, and creates pain etc., it is known as 'alasaka'.

Lightness, pure eructations, feeling of well-being, proper elimination of excreta, appetite and thirst—these indicate the complete digestion of food. (106-117)

## Krimiroga (Infestation of Helminth or Worms)

Krimis are of two types—bāhya (external) such as lice etc. and ābhyantra (internal) such as round worm etc.

Abdominal pain, fever, diarrhoea, nausea, anaemia, malaise, aversion to food, vomiting and cardiac distress—these are the symptoms of krimiroga.

Over-eating, indulgence in sweets, sours, liquids, jaggery, leafy vegetables, lack of physical exercise and day-sleep are the causes of krimiroga. (118-120)

## Arocaka (Anorexia)

When the food taken in mouth does not give any taste, it is called 'arocaka'; bhaktadveṣa is aversion to food and the patient does not like even the sight and talk of food. If there is no ralish in food, it is called 'abhaktacchanda' and 'trpti' is that by which one has feeling of fullness (even without taking food).

Arocaka may be caused by vāta, pitta, kapha, sannipāta and

psychic factors like anxiety etc., having respective symptoms. There is astringent, sour (pungent) and sweet taste in mouth in conditions of vāta, pitta, and kapha respectively. (121-125)

## CHARDI (VOMITING)

Chardi is of five types—three by single doṣas, fourth by tridoṣa and the fifth by extrinsic factor (on sight of disgusting things etc.) excessive intake of salty food, unsuitable diet, worms and environmental factors (cold etc.) cause vomiting.

Restlessness, aversion to food, nausea, obstruction in eructation, pain, excessive salivation—these are premonitory symptoms of chardi.

Vātika chardi is characterized by dryness of mouth and pain, paittika by burning sensation with vomit as sour, bitter, pungent and hot; kaphaja by sweetness in mouth, salivation and anorexia with vomit as solid, sweet and unctuous. Tridoṣaja chardi has severe symptoms such as pain, dyspnoea and fainting with vomit as coffee-ground material hot and thick.

Āgantu (exogenous) vomiting may arise by disgusting sight, āmadoṣa, intestinal worms and during pregnancy.

The vomiting is incurable which has severe frequency and the vomit with urinic and faecal smell and colour and mixed with blood and pus. (126-134)

## TṚṢṆĀ (POLYDIPSIA)

When pitta and vāta aggravated by fear, anxiety, exertion and debility are situated in mouth and palate give rise to tṛṣṇā (thirst).

Tṛṣṇā is of seven types according to causes—vātika, paittika, kaphaja, kṣataja (caused by wounds), kṣayaja (caused by wasting), amaja (caused by āmadoṣa) and annaja (caused by food).

Vātika thirst is characterized by intense pain in head, abnormal taste and aggravation by cold; in excess of pitta there will be burning sensation, bitterness in mouth and liking for cold; from kapha there will be heaviness, sleep, sweetness in mouth and diminished digestive fire; in wound there is thirst associated with pain due to excessive haemorrhage; loss of rasa etc. (as in dehydration) gives rise to incessant thirst with debility and emaciation; thirst caused by āma produces heart-ache, salivation and malaise; even food consisting of fatty, sour, salty and heavy items gives rise to thirst.

Tṛṣṇā attended with severe complications, too frequent, delibitating and in patients emaciated due to chronic disease is incurable. (135-141)

## AMLAPITTA (ACID GASTRITIS)

When Pitta accumulated by own factors gets further aggravated by excessive intake of burning and faulty food and having predominance of sourness is situated in gastro-intestinal tract, it is known as amlapitta.

The main symptoms of amlapitta are indigestion, weakness, bitter and sour eructations, nausea and burning sensation in epigastric region and throat. (142-143)

## ŚŪLA (ABDOMINAL PAIN OR COLIC)

The severe pain as fixing a nail in abdomen is known as 'śūla' which is one of the specific disorders of vāta. (143)

The vātika śūla is characterized by severe pain of different natures which aggravates by cold and subsides by fomentation, massage etc. Paittika śūla is just reverse as it aggravates by heat and subsides by cold. Moreover, it is attended with burning sensation, thirst, and fainting. Kaphaja śūla has more salivation and nausea and gets aggravated in its own time (after meal, in morning and early part of night) and subsides in others.

Pain which arises during digestion is known as 'Pariṇāmaśūla'. It is caused by vāta associated with kapha and pitta as well.
(144-148)

## GULMA (ABDOMINAL MASS)

Gulma is a disorder characterized by tumour-like hard (round) mass unstable in size and consistency, moving or immobile, situated in bowel and caused predominantly by vāta.

The symptoms of the disease are as follows—loss of digestion, anorexia, difficulty in excretion of urine, faeces and flatus; hard flatulence, upward movement of wind and gurgling sound.
(149-150)

## UDARAROGA (ABDOMINAL ENLARGEMENT)

Udararoga is caused by slow digestive fire, indigestion, incompatible food, over-eating and chronic constipation.

The aggravated doṣas causing obstruction in channels carrying sweat and water and derangement in prāṇa, apāna and agni produce udararoga.

Loss of strength and lustre, anorexia, disappearance of abdominal folds, burning sensation, oedema in feet, pain in pubic region—these are premonitory symptoms.

Udararoga is of eight types according to cause—vātika, paittika, kaphaja, tridoṣaja, (yakṛt) plīhodara (due to hepatic and splenic disorder), kṣatodara (due to intestinal injury), baddhagudodara (intestinal obstruction) and jalodara (ascites).

The general symptoms of udararoga are—oedema, malaise, burning sensation, obstruction in wind and faeces, flatulence, difficulty in movement, debility and slow digestive fire.

Generally all the types of udararoga terminate in ascites which is incurable. Other types also are cured with difficulty. (151-156)

## RĀJAYAKṢMĀ (CONSUMPTION)

Rājayakṣmā is produced by tridoṣa vitiated by suppression of urges, loss of dhātus, excessive exertion and irregular diet.

In this vāta produces hoarseness of voice, contraction and pain in chest and shoulder; pitta gives rise to burning sensation, fever, diarrhoea and haemorrhage and kapha contributes to heaviness in head, anorexia, cough and choking of throat. Thus all these symptoms collectively characterize rājayakṣmā. (157-159)

## KĀSA (COUGH)

Prāṇa combined with udāna gives rise to kāsa. The causes are—suppression of urges (āma), rasa (digestive disturbance), physical exertion, rough diet and smoke.

Premonitory symptoms are—irritation in throat and mouth, itching in throat, difficulty in deglutition and anorexia.

Dry cough with frequent paroxysms and pain is **vātika**, that attended with burning pain in chest and fever is paittika and in kaphaja there is discharge of thick sputum. (160-162)

### Śvāsa (Dyspnoea)

Windy, burning, heavy, rough and channel-obstructing diet, cold, unsuitable smell, dust and smoke, excessive exposure to sun and wind, exertion, load-carrying, malnutrition and suppression of urges cause hiccough as well as śvāsa.

Vāyu followed by kapha gives rise to hikkā (hiccough) while śvāsa is produced by kapha followed by vāta causing obstruction in (the respiratory) passage.

Śvāsa is of five types—Ūrdhva, mahā, chinna, tamaka and kṣudra. The first two are due to respiratory failure, the third is cheyne-stokes respiration and the last one is breathlessness due to exertion. The actual disease met with in practice is tamaka śvāsa popularly known as bronchial asthma. Tamaka śvāsa if newly arisen may be cured otherwise it is difficult and palliable. (163-166)

### Vātavyādhi (Diseases of Vāta)

Vāta aggravated by excessive use of its vitiating factors such as rough, cold, light etc. causes various disorders of vāta like sarvāṅgavadha (general paralysis), ekāṅgavadha (partial paralysis), aksepa (convulsions), ardita (facial paralysis), hanustambha (lock-jaw), manyāstambha (torticollis), jihvāstambha (stiffness of tongue), viśvācī (brachial neuritis), gṛdhrasī (sciatica) etc. (167-168)

### Vātarakta

Both vāta and rakta vitiated by intake of salt, sours, black gram, horse gram etc., alcoholic drinks and incompatible food and anger cause vātarakta. The disease starts in distal parts of the extremities (feet or hands) and gradually extends all over the body. The main symptoms are loss of sensation and motion, pain in joints and appearance of patches on skin. (169-170)

### Āmavāta

The aggravated vāta carrying āma with it reaches and gets located in all the sites of kapha exhibiting pain, swelling and fever. This is known as 'āmavāta'. (171)

## Hṛdroga (Cardiac Disorder)

Hṛdroga is caused by excessive intake of heavy, astringent, bitter and hot food, over-eating, exertion, psychic factors (worry, anxiety, anger etc.) and suppression of urges. Doṣas aggravated thus vitiate the rasa and being situated in heart produce the disease having symptoms according to predominance of vāta etc. (172-173)

## Mutrāghāta-Mutrakṛcchra-Aśmarī
### (Suppression Urine-Dysuria-Calculus)

Mūtrāghāta is suppression of urine due to vitiated doṣa, mūtrakṛcchra is urination with difficulty and aśmarī is calculus developed in kidney or bladder.

In renal calculus there is intense pain (radiating to pubic region) and occasionally blood comes out with urine due to obstructive injury by the calculus. (174-175)

## Prameha

The causes of prameha are—excessive saturation, sedentary habit, want of cleanliness and all kapha-aggravating agents and also the genetic factor.

When kapha much liquified affects kleda (body-fluid), muscle and fat and gets located in basti (urinary system), it produces prameha, a disease of chronic nature and having many types.

Excessive dirt in teeth etc., burning sensation in hands and feet (peripheral neuritis), unctuous skin, excessive thirst and sweetness in mouth—these are premonitory symptoms of prameha.

Prameha is characterized generally by turbid and abundant urine. The different types of the disease are based on colour etc.

Caraka etc. have described twenty types of prameha caused by vāta etc. (ten kaphaja, six pittaja and four vātaja) of which the four vātika ones including madhumeha (diabetes) are incurable.

(176-180)

## Śotha (Oedema)

Vāta carrying vitiated kapha, pitta and rakta out of the vessels and being obstructed by them causes bulging in skin and muscles. This is known as śotha.

Śotha caused by vāta aggravates in day, is unstable and rises again after pitting on pressure. Paittika śotha has burning sensation and redness. Kaphaja śotha aggravates in night and is stable.

The complications of śotha are vomiting, thirst, anorexia, dyspnoea, fever, diarrhoea and debility. (181-183)

### GALAGAṆḌA-GAṆḌAMĀLĀ-APACĪ (GOITRE-ADENITIS-SCROFULA).

The vitiated kapha and vāta along with medas get located in neck and thus produce galagaṇḍa hanging like scrotum.

The glands are enlarged due to kapha and medas in neck, axilla, groin etc., having size of jujube fruit and suppurating after a long time. This is known as gaṇḍamālā (chain of glands).

When the same burst after suppurating and have frequent recurrence and chronic nature the disease is known as 'apacī'. It is very troublesome. (184-186)

### ŚLĪPADA (FILARIA)

The inflammation caused predominantly by kapha in groin descending gradually to feet and attended with fever and pain is known as ślīpada. It may also take place in hand, penis etc. (187)

### KUṢṬHA (LEPROSY AND SKIN DISEASES)

The diseases is so-called as it makes the skin ugly and torn. It is of eighteen types of which seven are mahākuṣṭha (major ones) and eleven kṣudra kuṣṭha (minor ones—skin diseases).

The etiological factors of kuṣṭha are—incompatible food and drinks, suppression of urges, excessive exposure to heat, physical exercise after eating, over-eating, eating during indigestion, regular intake of curd, fish, sours, radish, sesamum, cakes of rice-flour and too much salt, indulgence in sinful activity and mental stress.

In pathogenesis of kuṣṭha seven factors participate—three doṣas (vāta, pitta and kapha) and four dūṣyas (skin, blood, muscle and lymph).

Itching, discolouration of skin, loss of sensation, pricking pain, horripilation, abnormal sweating and appearance of boils— These are premonitory symptoms of kuṣṭha.

Mahākuṣṭha (leprosy proper) are seven in number such as kāpāla, audumbara, maṇḍala, ṛṣyajihva, sidhma, padma (puṇḍa-rīka) and kākaṇaka caused by vāta, pitta, kapha, vāta-pitta, vāta-kapha, pitta-kapha and tridoṣa respectively.

Śvitra (vitiligo) is devoid of any discharge and is caused by three doṣas situated in three dhātus—rakta, māṃsa and medas— having severity in successive order. (188-195)

## Visarpa (Erysiplas)

'Visarpa' is so-called as it spreads quickly in skin. It is caused by all the doṣas aggravated by intake of excessively salty, sour, pungent and hot food.

Visarpa has the same pathogenic factors as kuṣṭha (but the affection in the former is superficial whereas that in the latter is deep). (196-197)

## Śītapitta-Udarda-Koṭha (Urticaria)

Excessive inflammation like wasp-sting caused by exposure to cool air is known as śītapitta. That produced by kapha and in the form of patches is udarda. Koṭha also has patches with itching but is endogenous being caused by pitta and kapha aggravated by gastric irritation and suppression of urges etc. (198-199)

CHAPTER X

# KĀYACIKITSĀ

## (GENERAL MEDICINE)

*Jvara* (Fever)

In acute fever, the patient should avoid wind, bath, oily massage, food, sexual intercourse, anger, day-sleep, decoctions and exertion.

As fever is caused by doṣa associated with āma which does it by diminishing digestive fire, laṅghana (lightening), at first, is prescribed in the disease except that caused by wasting, vāta and passions.

In fever caused by vāta and kapha hot medicated water should be given to relieve thirst while in paittika fever the same processed with bitters and cooled should be administered. Generally in fever, water processed with musta, parpaṭa, candana, uśīra, bālaka and śuṇṭhī and cooled should be given to allay thirst and fever.

In acute fever, the main problem is to get the āma digested and for that fomentation, lightening, time, gruel and bitters are the agents to be applied.

Gruel, decoction, milk, ghee and purgative are to be applied in consecutive order after every six days or according to condition in fever.

Liquid gruel of parched paddy processed with pippalī and śuṇṭhī or kaṇṭakārī and gokṣura should be given to the patient of fever.

For digestion of āma, the juice of fresh ginger with honey combined with mṛtyuñjaya rasa (Rasendrasārasaṅgraha, jvara 4-15) or tribhuvanakīrti rasa (Rasāmṛta, 9.80-81) is efficacious.

After lapse of six days, the patient should be given wholesome light diet and then digestive is applied in case of the continuance of āma or pacifying remedy if āma is absent.

The decoction of śuṇṭhī, dhānyaka, bṛhatī, kaṇṭakārī and devadāru is administered to the patient of fever. It is digestive as well as antipyretic.

Parpaṭa alone is sufficient to alleviate pittaja fever let alone if it is combined with candana, śuṇṭhī and bālaka.

The water kept with dhānyaka overnight and taken in the morning with sugar alleviates internal heat even if deeply located.

Harītakī, pippalī, āmalakī and citraka—this formulation as decoction alleviates all types of fever, stimulates digestive fire and is digestive.

The juice of vāsā leaves mixed with honey and sugar pacifies fever caused by pitta and kapha, jaundice and innate haemorrhage.

The patient of fever who takes Kaṭukā mixed with sugar with warm water overcomes the disease if it is caused by kapha and pitta and is chronic.

The aṣṭāṅga avaleha consisting of kaṭphala, puṣkaramūla, karkaṭaśṛṅgī, trikaṭu, yavāsā and jīraka alleviates fever caused by kapha and sannipāta.

The decoction of daśamūla is efficacious in sannipāta-jvara, cough, bronchial asthma, drowsiness, chest-pain and pain in throat and cardiac region.

In chronic fever guḍūcī decoction mixed with pippalī powder, juice of śephālī leaves, or sudarśana cūrṇa (Śārṅgadhara, madhya, 6.26.36) are beneficial.

Kaṇṭakārī, guḍūcī, śuṇṭhī, kirātatikta and puṣkaramūla—this group of five bitters (pañcatikta) alleviates all types of fever.

Guḍūcī, kirātatikta, kaṇṭakīkarañja (seeds) and saptaparṇa—This decoction makes a man free from viṣamajvara.

The diet for the patient of fever should contain wheat-bread, khicaḍī (rice cooked with pulse), green gram soup and vegetables of paṭola, papītā and kāravella. (1-21)

## *Raktapitta* (innate haemorrhage)

In strong patients haemorrhage should not be stopped instantaneously as the defective blood if retained may produce complications such as aneamia, fever etc.

At first, impurity should be eliminated through the opposite passage such as purgative in the disease having upward course and emetic in that with downward course.

The patient should be applied with lightening or saturation after considering well the passage and the doṣa involved, etiology and strength.

In ūrdhvaga type, saturation should be given with parched paddy (powder) mixed with honey and ghee or drākṣā and kharjūra. In adhoga type, however, liquid gruel is given.

If the patient is emaciated, child, old, weak and consumptive, the haemorrhage should be controlled with astringent measures like administration of the powder of śālmalī flower etc.

Red ochre powder, the juice of dūrvā, akīka piṣṭi, juice of jhaṇḍu (leaves) and āyāpāna—These are efficacious haemostatic drugs.

Fresh juice of vāsā leaves mixed with honey controls haemoptysis quickly. It is also useful in bronchial asthma, wasting and cough.

If raktapitta associated with aggravated vāta does not get controlled with decoctions, goat's milk should be used in that case.

In epistaxis, juice of dūrvā, onion, pomegranate flower and seed-kernal of mango are efficacious.

If blood comes out excessively from urethra, the patient should be given milk processed with tṛṇapañcamūla and urethral douche with the same.

In raktapitta, uṣṇavīrya (hot) substance like śuṇṭhī etc. should be avoided and cold and sweet such as paṭola, green gram etc. should be used. (22-32)

## Pāṇḍuroga (Anaemia)

The case of pāṇḍuroga, if amenable to treatment, should be evacuated after being uncted with processed ghṛta and then treated with drugs according to condition of the disorder.

One suffering from pāṇḍuroga should take with milk lauhabhasma impregnated with cow's urine for a week or maṇḍūrabhasma with cow's urine.

Navāyasa powder mixed with honey and ghee is used with punarnavāṣṭaka kvātha or the juice of punarnavā alone. (33-35)

## Kāmalā (Jaundice)

When the patient of kāmalā passes stool like sesamum paste (white with dark tinge) indicating obstruction in the passage by kapha he should be given purgative alleviating kapha and pitta.

Phalatrikādi kvātha is very efficacious in the disease. It should be given with dhātrīlauha (BR. Pāṇḍu 15) etc.

In kāmalā, the diet prescribed should be fat-free and light. All items which aggravate pitta should be abstained from.

When pitta is restored to its place, stool regains normal colour and all symptoms are alleviated the patient should be declared as free from the disorder. (36-39)

## *Atisāra* (Diarrhoea)

In atisāra, in the stage of āma, astringents should not be administered at first as the retained āma may cause complications like oedema, abdominal enlargement etc.

In this condition, the patient should undergo lightening followed by digestive measures such as decoction of dhānyaka, śuṇṭhī, musta, bālaka and bilva.

When the disease is matured (free from āma), astringent formulations should be applied to check the stool of which the decoction of bilva and mango seed or the kuṭajādi kvātha (Cakradatta, Atisāra, 41) is preferable.

Indrayava, ativiṣā, bālaka, musta and bilva—this decoction alleviates chronic diarrhoea and dysentery having mucus, tenesmus and blood.

If one takes unripe young bilva fruit with old jaggery he is freed from the above conditions.

The patient of diarrhoea should abstain from bath, exposure to heat, physical exercise, oily massage and heavy and fatty food.

He should eat soft well-cooked rice with butter-milk or the soup of banana fruits. (40-46)

## *Grahaṇīroga* (Disorder of grahaṇī)

If āma is present, at first, lightening should be observed followed by digestive. The patient should take light diet and use drugs stimulating the digestive fire.

In grahaṇīroga with āma, the decoction of śuṇṭhī, musta and ativiṣā is useful as it digests āma.

Besides, citrakādi guḍikā, vatsakādi kvātha, pañcāmṛta parpaṭī (Rasendrasārasaṅgraha, grahaṇī, 65-69) and hiṅgvaṣṭaka cūrṇa are effective and popular formulations.

If the patient lives on butter-milk diet and takes the paste of young bilva fruit mixed with śuṇṭhī powder and jaggery, he overcomes the grahaṇīroga even if severe.

Butter-milk is quite useful in grahaṇīroga as it strengthens both grahaṇī and digestive fire. Moreover, it is light, cleanses the passages and is wholesome in all the three doṣas.

The diet of the patient should consist of watery pulse of green gram or lentils processed with jīraka, buttermilk, old rice, well-cooked bread, little fat, no pungents and vegetables of pālaṅkī, banana, bottle-gourd, udumbara and paṭola. (47-53)

*Arśas* (Piles)

Food, drinks and drugs which normalise the course of vāyu and stimulate the digestive fire are generally wholesome in the disease of arśas.

In dry piles, irritant paste are applied locally such as of haridrā, latex of snuhī or arka, karañja etc.

The formulation containing tila, bhallātaka, harītakī and jaggery in equal parts is efficacious in arśas, bronchial asthma, cough, anaemia, splenomegaly and fever.

Other formulations such as śūraṇa-modaka (CD. Arśa, 46-55), kāṅkāyana vaṭaka (Ibid. 38-42), abhayāriṣṭa, vijaya cūrṇa (Ibid. 71-77) and prāṇadā guḍikā (Ibid. 28-37) are also useful and popular. (57)

In bleeding piles, the haemorrhage should not be checked in the very beginning as the retained impure blood may cause several disorders.

The haemorrhoids are pacified with the regular use of: (1) sesamum with butter (2) nāgakeśara with butter and sugar and (3) churned supernatant layer of curd. (59)

In bleeding piles, goat's milk processed with lajjālu, lodhra, candana, tila, mocarasa and utpala should be administered to check the haemorrhage. (60)

Bhallātaka and kuṭaja are regarded as the best drugs for dry and bleeding piles respectively. Kuṭajāvaleha (CD. Arśa, 116-22) is a popular and efficacious formulation for bleeding piles. (61)

In piles, butter-milk is wholesome and whatever is light appetiser and laxative. The heavy and windy items such as tubers etc. should be avoided. (54-62)

*Agnimāndya-Ajīrṇa*

Pieces of fresh ginger taken with salt before eating stimulates digestive fire, develops relish and cleans tongue, throat and mouth.

Hiṅgvaṣṭaka cūrṇa or śuṇṭhī with warm water or harītakī with salt should be used to stimulate digestive fire.

In āmājīrṇa, vomiting should be induced with saline water. Then water processed with dhānyaka and śuṇṭhī should be given.

Vidagdhājīrṇa is treated with cold water, śaṅkha-bhasma, drākṣā and harītakī mixed with sugar and honey.

In Viṣṭabdhājīrṇa, fomentation with yavānikā is applied on abdomen and saline water is given to drink. Pathyādi guṭikā is an effective formulation for this condition (CD. Agnimāndya, 82). (63-67)

## *Krimiroga* (Helminths or Worms)

In krimiroga, first of all the parasites should be expelled, then measures for destroying their environment should be applied and, of course, the avoidance of the etiological factors.

Viḍaṅga, palāśa seeds, indravaya, nimba, mūsākarṇī kampillaka and pāribhadra—these are useful anthelmintics. (68-69)

## *Arocaka* (Anorexia)

After proper evacuation, favourable and wholesome diet should be given to the patient. Kalahaṃsa and yavānī-ṣāḍava are the useful formulations to be applied in this disorder. (70)

## *Chardi* (Vomiting)

As all types of chardi originate from gastric irritation lightening is essential. One should also evacuate (and wash) the stomach except in that caused by vāta.

The juice of nimba bark along with honey pacifies the chardi caused by pitta and kapha. Similarly, that caused by vāta and pitta is alleviated by elā powder mixed with honey. (71-72)

## *Tṛṣṇā* (Polydipsia)

The thick paste of the juice of vṛkṣāmla, kola, dāḍima, cāṅgerī and cukrikā applied on face allays thirst quickly.

To pacify thirst, one should take water processed with drugs of vidārigandhādi group. Similarly that processed with lotus seeds also quenches thirst.

Dhānyaka-hima (cold infusion) mixed with sugar should be given to relieve thirst. Similarly, water processed with madhurikā is efficacious in thirst.

Gargle with sugarcane juice, milk, jaggery water and sour fruit juice is useful in thirst. Elādi guṭikā kept in mouth checks thirst. (73-76)

## *Amlapitta* (Acid gastritis)

At first, stomach should be washed by inducing vomiting with the decoction of parpaṭa, paṭola, nimba and madana added with honey and salt.

Thereafter purgative should be used particularly if the disease is directed downwards. Then paṭolādi kvātha should be administered which acts by alleviating pitta and kapha and also the increased fluid in the tract. It should be followed by formulations to pacify the disease.

Dhātrīlauha (BR., Śūla, 139-44) administered with ghee and honey before and after meals, thus four times a day, alleviates the disease positively.

As regards the diet of the patient, he should take milk-diet and flour of parched paddy mixed with sugar abstaining from irritant, sour and pungent items. (77-81)

## *Śūla* (Abdominal pain or colic)

Hiṅgvādi cūrṇa containing hiṅgu, ativiṣā, vacā, harītakī, sauvarcala and trikaṭu in equal parts should be given with warm water in vātika śūla.

In paittika śūla, śatāvarī juice with honey or āmalakī powder with honey is useful.

Nārikela-khaṇḍa is efficacious in śūla caused by vāta and pitta. It is also given in amlapitta and promotes strength as well.

In Kaphaja śūla, vacādi cūrṇa (CD. Gulma, 33-34) and arka-kṣāra (BR. Plīhayakṛd, 10) are useful formulations. The juice of bījapūra mixed with honey or yavakṣāra is also given in this condition.

The bhasma of śambūka or śaṅkha taken with warm water subsides the pariṇāma śūla.

The formulations such as dhātrīlauha, nārikelakhaṇḍa etc. should be administered in śūla to pacify it.

The patient of pariṇāmaśūla should regularly take in diet the flour of parched bengal gram strained through fine cloth.

In śūlaroga, one should avoid physical exercise, alcoholic

beverages, sexual intercourse, anxiety, anger, sours, irritants, pungents, salty items, pulses and suppression of urges. (82-89)

## *Gulma* (Abdominal mass)

In gulma, the diet should consist of light, unctuous, warm, nourishing and laxative food.

Unction followed by fomentation make the diseased mass slackened, thereafter the bhedana drugs disintegrate and destroy it. The ten bhedanīya drugs mentioned by Caraka (CS. su. 4.9 (4), vajrakṣāra (Yogaratnākara, Gulma P. 267) and kāṅkāyana guṭikā are the formulations useful in gulma. (90-92)

## *Udararoga* (Abdominal enlargement)

Udararoga is caused by profuse accumulation of doṣas combined with obstruction in channels and as such regular use of purgatives is prescribed in the disease.

As the digestive fire is mild, one should use light and appetising food. The patient of ascites should abstain from intake of water and should stay on milk diet.

Nārāyaṇa cūrṇa (BR. Udara, 33-40), abhayādi kvātha (Śārṅgadhara, madhya, 2.34-36) mixed with cow's urine and latex of snuhī are useful in udararoga.

The paste of śarapuṅkhā taken with buttermilk alleviates splenomegaly. The use of rohītaka is also efficacious in the disorders of liver as well as spleen. (93-96)

## *Rājayakṣmā* (Consumption)

In Rājayakṣmā, after cleaning the bowels, the drugs stimulating digestive fire and promoting dhātus should be administered taking care of semen and excreta which sustain the body.

Śṛṅgyārjunādya cūrṇa (CD. Rājayakṣma, 26), lavaṅgādya cūrṇa, cyavanaprāśa and balādya ghṛta (ibid. 76-77) are useful formulations for consumption.

Goat's meat-soup processed with pomegranate, āmalaka and śuṇṭhī and also the chāgalādya ghṛta (ibid. 67-71) should be used in order to promote strength, muscles and semen.

Goat's flesh, milk and ghee (with sugar), rearing of goats and also living among them alleviates the disease. (97-100)

*Kāsa* (Cough)

In Vātika kāsa, the decoction of laghu pañcamūla mixed with pippalī powder or that of kaṇṭakārī alone is efficacious.

In kāsa caused by pitta, sitopalādi cūrṇa, drākṣādi leha (CD. Kāsa, 13), kharjūrādi leha (ibid. 14) and lotus seeds are useful.

In cough caused by kapha, tālīśādya cūrṇa, puṣkaramūla decoction, vāsāvaleha and juice of fresh ginger with honey are used.

Milk processed with pañcakola allays kapha and as such is efficacious in cough and bronchial asthma. The fried fruit-pulp of bibhītaka is kept in mouth to check the bouts of cough.

The juice of vāsā leaves mixed with honey is used in cough caused by kapha and pitta, innate haemorrhage and wasting.

Vyāghrīharītakī is commonly used in all types of cough. It becomes more potent if vāsā is added to it   (101-106)

*Śvāsa* (Dyspnoea including bronchial asthma)

The patient should, at first, be subjected to oily massage followed by sudation. He should also use the drugs which normalise the course of vāyu. In strong patients, both upward and downward evacuations (emetic and pungative) should be used.

The formulations useful in śvāsa are sṛṅgyādi cūrṇa, śaṭyādi cūrṇa (of Caraka) and bhārṅgīguḍa (CD. Hikkāśvāsa, 25-30).
(107-108)

*Vātavyādhi* (Disorders of vāta)

Vātavyādhi should be treated with sweet, sour, salty and unctuous food, oily massage, unctuous enema etc.

In ardita, one should eat cakes of black gram with butter, take ample milk and meat-soup in diet and ghee after meal.

The decoction of māṣa, balā, kapikacchū, kattṛṇa, rāsnā, aśvagandhā and eraṇḍa taken warm and mixed with asafoetida and salt alleviates disorders of vāta such as hemiplegia, torticollis, tinnitus, facial paralysis etc.

Similarly, svalpa rasonapiṇḍa (BR. Vātavyādhi, 36-39) destroys all the diseases caused by vāta.

In gṛdhrasī (sciatica) decoction (or juice) of śephālī leaves and castor oil mixed with cow's urine are useful.

Other useful formulations are rasarāja (ibid., 398-404) etc., formulations of guggulu (trayodaśāṅga guggulu, ibid., 41-44) etc., nārāyaṇa-taila and (mahā) māṣa-taila etc. (109-115)

## *Vātarakta*

The superficial type of the disease should be treated with paste, anointment, baths and poultices while the deep one is treated with evacuative measures—purgative, non-unctuous enema etc.

The use of guggulu with the decoction of guḍūcī alleviates vātarakta and so does the powder of muṇḍitikā.

Kaiśora guggulu is a popular formulation which is taken with decoction of guḍūcī, simultaneously piṇḍataila is used for anointment locally. (116-118)

## *Āmavāta*

Lightening, pungents and bitters which stimulate digestive fire, purgative, enema and intake of unctuous substance—these are employed in āmavāta according to condition

Food and drink should be processed with pañcakola in order to facilitate digestion of āma. Moreover, rough fomentation (with heated sand etc.) should be applied to the affected part.

Yogarājaguggulu is the drug of choice. It is used with rāsnā-saptaka kvātha added with śuṇṭhī.

In the night at bed-time, vaiśvānara cūrṇa (Vṛndamādhava, Āmavāta, 15-18) should be given with warm water. Rasona-surā (CD. Āmavāta, 71-73) after meals is also efficacious (119-122)

## *Hṛdroga* (Cardiac disorder)

If heart is affected by vāta, milk processed with śālaparṇī should be taken. In cardiac pain, śṛṅgabhasma with honey is efficacious.

If one takes powder of arjuna (bark) regularly with milk, jaggery-water or ghee, he is relieved of heart-disease, innate haemorrhage and wasting.

The powder of puṣkaramūla taken with honey alleviates cardiac pain, dyspnoea, cough and wasting. (123-125)

## *Mūtrāghāta-Mūtrakṛcchra-Aśmarī* (Suppression of urine—Dysuria-Calculus)

The decoction of pañcatṛṇa (five grasses—darbha, kuśa, kāśa, śara and ikṣu) is useful in mūtrāghāta and mūtrakṛcchra,

In dysuria, the seeds of cucumber and candana taken with rice-water are efficacious.

The combinations of varuṇa and kulattha, śigru (root) and pāṣāṇabheda and elā and gokṣuru are lithontriptic. (126-128)

### Prameha

Śilājatu impregnated with the decoction of drugs belonging to the sālasārādi group and taken with the same alleviates all types of prameha.

The patient should keep on cereals like wheat, gram, kodrava and barley, parched grains and bitters. Moreover, he should do physical exercise regularly. (129-130)

### Śotha (Oedema)

In śotha, one should use guggulu with punarnavāṣṭaka kvātha or cow's urine.

Patient's diet should be salt-free mainly consisting of milk and wheat. He should avoid in food heavy and channel-blocking items and also day-sleep. (131-132)

### Galagaṇḍa-gaṇḍamālā-apacī (Goitre—adenitis-scrofula)

The patient should take diet of green gram, paṭola, barley and other rough and pungent items. Of remedial measures, emesis and blood-letting are useful in galagaṇḍa.

In galagaṇḍa, the ash of jalakumbhī should be taken with cow's urine while the patient should keep on the diet of boiled kodrava.

For local applications, paste of hastikarṇapalāśa (root) is useful in galagaṇḍa. Moreover, mustard, śigru (seeds), linseed, barley and radish (seeds) are also applied as paste.

Kāñcanāra-guggulu is the popular formulation for gaṇḍamālā. It is taken with the decoction of kāñcanāra (bark).

In apacī, mustard seeds, nimba leaves, burnt bhallātaka pounded together with goat's urine are applied as paste. (133-137)

### Ślīpada (Filaria)

The decoction of śākhoṭaka (bark) is efficacious in ślīpada and so is the local application of the paste of citraka (root), mustard and śigru. (138)

### *Kuṣṭha* (Leprosy and skin disease)

In kuṣṭha having predominance of vāta, pitta and kapha ghṛta, emesis and blood-letting (and also purgative) should be used respectively.

After anointing the body with oil the paste of āragvadha (leaves) pounded with buttermilk is applied. It is efficacious in kuṣṭha.

Among the useful formulations, navāyasa cūrṇa, pañcatikta-ghṛta-guggulu, bhallātakāvaleha and khadirāriṣṭa are the popular ones.

In vitiligo, one should sit in the sun after taking bākucī powder with warm water while keeping on milk-diet.

One is freed from all types of kuṣṭha if he takes the powder of five parts (bark, leaves, root, flowers and fruits) of nimba.

(139-143)

### *Visarpa* (Eysipelas)

At first, the patient should be evacuated well. Then he should take decoction of guḍūcī and should apply locally the paste of pañcavalkala and also sprinkling of the part with its decoction.

(144)

### *Śītapitta-udarda-koṭha* (Urticaria)

Haridrākhaṇḍa taken with milk alleviates śītapitta etc. (145)

CHAPTER XI

# MANASA ROGA

## (PSYCHIATRY)

Manas (mind) is the instrument of cognition as even on conjunction of self, sense organs and sense objects cognition is not effected if mind is not there. (1)

There are two qualities of mind-atomicity and oneness. It has also two doṣas—rajas and tamas which are at the root of mental disorders. (2)

Mental doṣas and physical ones are interdependent and interact with each other and as such mental disorders too are psychosomatic in nature. (3)

For instance, mūrccha (fainting) is caused by pitta as well as tamas, bhrama (giddiness) by vāta-pitta and rajas. Similarly unmāda (insanity) and apasmāra are also produced by psychosomatic doṣas. (4)

Such are the mental disorders in nature and as such the physician should take care of both the doṣas while treating them. (5)

In unmāda, caitasa ghṛta (BR. Apasmāra, 18-23) and kalyāṇaghṛta and in apasmāra vacā and pañcagavya ghṛta are popular drug formulations.

Along with these, psychiatric measures such as consolation, striking, terrorising, causing surprise and producing shock etc. are useful. (7)

In giddiness, one should administer the decoction of durālabhā mixed with ghee. Other rasāyana drugs are also useful. Aśvagandhāriṣṭa is a popular formulation for this. (8)

Intake of milk processed with drākṣā, balā and śatāvarī mixed with sugar alleviates vertigo, fainting etc. (9)

Mantha (churned drink) prepared of drākṣā, vṛkṣāmla, amlikā, kharjūra, dāḍima, āmalaka and parūṣaka allays alcoholism. (10)

Narcosis caused by betel nut gets subsided by the intake of cold water. Similarly, that of milk with sugar allays the disorders caused by dhattūra. (11)

Mental abnormality caused by passion, anxiety, anger, fear, exhilaration, envy, greed etc. should be contracted by mutually contradictory factors. (12)

## Chapter XII

# PRASŪTITANTRA
## (Obstetrics and Gynaecology)

As seed, season, soil and water collectively lead to growth of sprout, the same four factors in combination are the cause of the emergence of foetus. (1)

Pure (normal) śukra (semen) is characterized by its colour—brilliant white, consistency—thick liquid, taste—sweet smell—honey-like and potency—having potent sperms. (2)

The menstrual blood which is like rabbit's blood, or lac-solution and does not stain cloth fastly is normal. (3)

After the three days period of menses, when male's sperm combines with female's ovum, the embryo is formed. (5)

The period of twelve days after the normal menstrual period (of three days) is known as 'ṛtu-kāla' (seasoned period or season) which is favourable for combination of sperm and ova (conception). (6)

The woman in the season is known from her blossomed and cheerful face, moistened mouth and teeth, pleasant mood, quiverings in the body and longing for man. (7)

Stoppage of menses, malaise, quiverings in vagina, darkness in nipples, vomiting, tiredness in legs—these are the signs of pregnancy in woman. (8)

As a chariot is made of the aggregate of several parts, the foetus has many components such as those related to mother, father, suitability, nutrition, self and psyche. (9)

Skin, blood and other soft parts are evolved from mother; the hard and rough parts like bones, teeth etc. come from father; particular species, consciousness, life-span, happiness-unhappiness are related to self; health, condition of voice, lustre, seed etc. are concerned with sātmya (suitability); physical development, vitality, contentment, opulence and energy are related to nutrition and from psyche are attachment, aversion, memory, behaviour, purity etc. (10-12)

The body of the foetus is basically constituted by five bhūtas and as such the foetal entities should also be understood by classifying them accordingly as follows:

Sound, auditory sense-organ, lightness, subtleness and distinction—these pertain to ākāśa. Touch, tactile sense-organ, roughness, division, impulsion and movement—these are the characteristics of vāyu. Vision, visual sense-organ, heat, transformation and lustre are related to agni. Taste, gustatory sense-organ, coldness, softness, moisture and unctuousness—these are concerned with ap, smell, olfactory sense-organ, heaviness, mass (form) and stability are related to Pṛthivī. Thus the bhūtas participate in growth of respective qualities and organs in foetus. (13-16)

The development of foetus is described as follows: In the first month, Kalala (Morula) is formed which becomes solid in the second month. In the third month, the body parts are minutely differentiated in the form of round mass which become more explicit in the fourth month when foetal heart also begins to beat projecting diverse longings in the woman. In the fifth month mind and in the sixth intellect develops. In the seventh month all the body parts get manifested. In the eighth month ojas becomes unstable (moving from foetus to mother and vice-versa) and as such this month is reckoned as risky for delivery. Thus the foetus passes through the above stages in the mother's womb and gets ready for descent to the world from the ninth month. (17-20)

During pregnancy, the woman should take the drugs of garbhasthāpana (foetus-stabilising) or bṛṃhaṇīya (bulk-promoting) or jīvanīya (vitality-promoting) group as said by Caraka for the proper development of foetus. For this purpose, aśvagandhā powder mixed with sugar is taken with milk or ghṛta processed with aśvagandhā is used. (21-22)

(In order to maintain the health of the woman and to promote the foetal development a routine dietetic management has been recommended as follows:)

In the first month, the pregnant woman should take normally suitable diet and cold milk which should be processed with sweet (vitalising) drugs in the second month and, in the third month, is added with honey and ghee. In the fourth month, butter taken out of milk should be taken and its ghee in the fifth one. In sixth and seventh months ghee extracted from milk processed with vitalising drugs should be taken. In eighth month she should take milk-gruel added with ghee.

In the ninth month, the woman should be prepared by giving unctuous enema and putting oily tampon in vagina. (23-25)

The woman during pregnancy should avoid anger, anxiety, physical exercise, sexual intercourse and exertion and should always be happy, cheerful and engaged in soothing conversation. (26)

Threatened abortion may be checked by administering dūrvā paste pounded with rice-water followed by intake of milk. (27)

Madhuka, balā, leaf-buds and bark of laticiferous plants, śatāvarī, vṛkṣādanī, gokṣura and lotus-stem—these are efficacious drugs to control abortion. (28)

For raising the foetus dried by vāyu, milk processed with madhuka, gambhārī and śarkarā should be given. (29)

Milk processed with roots of kuśa, kāśa, eraṇḍa and gokṣura and mixed with sugar relieve the pain of the pregnant woman. (30)

Quite in advance, maternity house should be prepared in clean environment and furnished with all necessary accessories. (31)

In the ninth month, the woman should enter into this house in auspicious time and wait for the moment. In the mean time, she should live according to the advice of elders. (32)

In time of parturition, malaise, pain and downward movement in womb, discharge from vagina, contraction of uterus and appearance of amniotic fluid take place. (33)

Due to abnormal functioning of vāyu in genital passages the foetus has to undergo abnormal modes of presentation which is known as 'mūḍha garbha' (confounded foetus) and is described as of many types. These situations should be managed by expert specialists. (34)

In post-partum period, the mother sometimes suffers from pain in the pelvic region known as 'makkalla'. In this condition, the powder of upakuñcikā and pippalī should be administered. (35)

During the post-partum period, the mother should be managed with wholesome diet and drugs which are sweet and vāta-pacifying and provide strength and promote body-weight. (36)

For this, the decoction or ariṣṭa of daśamūla is popularly used as it is tonic and pacifies vāta. Similarly the formulations like saubhāgyaśuṇṭhī (BR. Strīroga, 367-70) dvātriṃśatka pāka (a traditional formulation known as batīsā) and jīrakamodaka (BR. Strīroga, 394-97) may be used according to choice. (37-38)

Mother's milk is diminished by anxiety, anger, malnutrition and exertion. They should be avoided and galactogogue drugs should be taken to promote the secretion of breast-milk. It is increased by application of the decoction of tṛṇapañcamūla or the ten galactogogue drugs or intake of rice powder with milk.
(39-40)

If breast-milk is affected, milk-depurants said by Caraka (CS.SU.4.12 (18)) or vacādi or haridrādi groups of Suśruta (SS.SU.38.26-28) may be administered. (41)

To ensure fertilization, the female diseases such as menorrhagia etc. should be treated with proper remedies by expert physician. (42)

Phalaghṛta is a popular formulation which provides tone to the uterus and alleviates many uterine disorders thus facilitating fertilization and successful delivery. (43)

Pradara is characterized by excessive haemorrhage from vagina attended by various symptoms. The condition of white mucous discharge from vagina is known as 'śveta pradara' (leucorrhoea).
(44)

Decoction of aśoka bark mixed with milk or aśokāriṣṭa alleviates pradara. Moreover, dārvyādi kvātha, puṣyānuga cūrṇa and balākṣīra (milk boiled with balā) are popular formulations. Taṇḍulīyaka used as vegetable is also wholesome. (45-46)

In kaṣṭārttava (dysmenorrhoea) rajata-bhasma should be given with honey. (47)

To treat amenorrhoea, juice of ghṛtakumārī, kumāryāsava and rajaḥpravartanī vaṭī are useful.

Aloe rolled into a stick and wrapped under a cloth is kept in the vagina during the menstrual period or before that. It releases the flow of menstrual blood without pain. (48-49)

Thus the woman, free from diseases and enjoying good health with normal reproductive function, is blessed with a healthy child. (50)

# CHAPTER XIII

# KAUMĀRBHṚTYA
## (PEDIATRICS)

The child, just after delivery should be cleaned well with ghee and rocksalt followed by sprinkling with balātaila in order to relieve stress. (1)

Sound is produced by rubbing stone pieces near his ear and hymn is incanted in the right ear. When he becomes normal, umbilical cord is cut with utmost cleanliness. (2)

Umbilicus is sprinkled and the child is bathed with decocted water. Ghee with rocksalt is administered in order to eliminate the water of uterine life. (3)

The newly born child should be given to lick the linctus made of aindrī, brāhmī, vacā, śaṅkhapuṣpī and swarṇabhasma mixed with ghee and honey. It promotes life-span, intellect and strength. (4)

According to prescribed method, jātakarma saṃskāra (birth ceremony) should be performed and the child should be given honey and ghee to lick for three days. (5)

Thereafter, the child should be given to suck the mother's breast-milk which is quite wholesome. Only in its absence, a proper wet-nurse should be appointed. (6)

In absence of breast-milk goat's or cow's milk should be used alone or processed with śālaparṇī or laghu pañcamūla. (7)

The naming ceremony of the child should be performed according to family tradition while he is well-dressed and well adorned with auspicious things. (8)

*Kumārāgāra* (pediatric room) should be well-built and spacious. The clothings and beddings of the child should be washed well, exposed to the sun and fumigated. (9)

In the fifth month he should be seated on ground and in the sixth one some solid food should be given to eat which is gradually increased. (10)

After dentition is complete, the child should be taken away gradually from the mother's milk and should be kept on the above (goat's or cow's) milk along with light and nutritions solid food. (11)

According to diet, the child is of three types—(1) kṣīrapa (milk-fed), (2) kṣīrannāda (fed on milk and solids) and (3) annāda (fed on solids). As the child's growth and health depend on the purity of food, all efforts should be made to maintain their purity and cleanliness. (12)

In order to promote development of the child, the linctus—formulations described by Kāśyapa (Kāśyapasaṃhitā, Sū. Lehā-dhyāya), the four lehas described by Suśruta (SS.Śā.10.68-70) and, in addition, kumārakalyāṇa rasa (BR. Bālaroga, 157-60) should be used. (13)

During the period of dentition, the children often suffer from cough, fever, vomiting and diarrhoea which have to be control-led timely. (14)

For this, the popular and efficacious formulation is 'bāla-caturbhadrā' (the four wholsome drugs for children) which is given with mother's milk or honey. Even ativiṣā alone is used with honey. (15)

In children's diarrhoea, ativiṣā should be administered with honey. The formulation known as 'lavaṅgacatuḥsama' is also useful as it alleviates diarrhoea and dysentery. (16)

There are a number of syndromes taken as caused by 'bāla-grahas' (children's seizures). In fact, these should be treated on rational lines after deciding doṣa and dūṣya. (17)

Childhood is regarded up to 16 years of age. During this period, the child should be managed with proper diet and behaviour. (18)

If reared in this way, he attains happy and long life, fulfilling all the obligations of society and thus upholds the name and fame of his mother as well as the motherland. (19)

CHAPTER XIV

# AGADATANTRA

## (TOXICOLOGY)

Poisons are called 'gada' as they cause loss of function in organs, and 'viṣa' because they produce extreme depression. 'Agada' is their antidote. (1)

Poisons, according to source, are of two types—Sthāvara (herbo-mineral) and jāṅgama (animal); dhattūra, acomite etc. come in the former wh ile snake-bite etc. in the latter group. (2)

Mixed poisons are generally artificial and known as 'gara'. The incompatible items also produce toxic symptoms. (3)

That is why Caraka has named the Agadatantra as 'Viṣagara-vairodhika-praśamana' (that which controls poisons, mixed poisons and toxicity caused by incompatibles). Agadatantra is one of the initial eight aṅgas (of Āyurveda) and mostly described in the kalpasthāna of the ancient saṃhitās (of Suśruta etc.). (4)

Among the vegetable poisons, the prominent ones are dhattūra, vatsanābha, ahiphena, guñjā and viṣatinduka while arsenic etc. are among the mineral ones. (5)

In the context of animal poisons, poisoning by various types of snakes, scorpion, spiders, rabies and insect-bites are described in short in ancient texts and with details in modern ones. The exact diagnosis of poison is necessary so that the use of antidote may be decided accordingly. (7)

In the texts of Caraka etc. a number of agadas (anti-poisonous formulations) including various fumigations may be seen while details in modern texts. (8)

Though so many plants labelled as anti-poison are described by scholars, the śirīṣa plant stands at the top of them. 'Pañca-śirīṣa' (containing five parts—bark, root, leaf, flower and fruit—of śirīṣa plant) is a popular anti-poison formulation. (9-10)

## Chapter XV

# ŚALYATANTRA

## (Surgery)

'Śalya' is foreign body which causes distress in mind as well as body such as arrow, pus, foetus (abnormally placed) etc. 'Śalyatantra' is one of the parts of Āyurveda which has been delivered by Dhanvantari, the King of Kāśī, for the extraction of śalya. For that, description of yantras (blunt instruments), śastra (sharp instruments), kṣāra (alkali), vahni (cautery) and jalaukā (leeches) is given along with the diagnosis and treatment of vraṇa (wounds), vidradhi (abscess) etc. (1-2)

Yantras 101 in number are prominent ones and as such are described in texts. They are instruments for extraction of foreign body, among them hand is the foremost one. (3)

Yantras are mentioned, according to shape, as of six types—svastika (cruciform), nāḍī (tubular), śalākā (probe), saṃdaṃśa (pincers), tāla (scoop) and upayantra (accessory instruments). (4)

Śastras (sharp instruments) are twenty such as karapatra (saw), kuṭhārikā (axe-shaped knife), mudrikā (finger knife) etc. Anuśastras (accessory agents) are also three such as kāca, sphaṭika, leeches, nails etc. (5)

Śastrakarma (surgical operation) is of eight types—chedana (excision), bhedana (incision), lekhana (scraping), vedhana (puncturing), śivana (suturing), eṣaṇa (probing), āharaṇa (extraction) and visrāvaṇa (drainage). (6)

Kṣāra (alkali) should be applied on dadru (ring worm), bhagandara (fistula-in-ano), maṣa (moles) and arśas (piles). Agnikarma (cauterization) is prescribed in diseases of granthi (glands), sirā (blood vessels) and snāyu (ligaments). To eliminate impure blood, blood-letting is recommended by śṛṅga (horn), jalaukā (leeches), alābū (gourd) and sirāvyadha (venesection). (7-8)

Four measures are employed to check haemorrhage-astringent lotions, cauterization, ash and ice-pack which are union-promoting, burning, transforming and coagulant in action respectively. (9)

The method of nasoplasty described in detail indicates the surgical excellence of ancients. This may be seen in the chapter on karṇavyadha (SS.SŪ.16). (10)

The treatment of vraṇa (wounds) consists, in short, of the following seven measures—Vimlāpana (compression), avasecana (evacuation), upanāha (poultice), pāṭanakriyā (surgical operation), śodhana (cleansing), ropaṇa (healing) and vaikṛtāpaha (post-operative measures). (11)

There are also different bandages according to disease and site such as kośa (sheath bandage), svastika (cross bandage), maṇḍala (round bandage), dāma (strap bandage), sthagikā (stump bandage), vitāna (cephaline bandage) etc. (12)

Vraṇitāgāra (the surgical ward) should be clean, located in a good building and environment protected from winds, sun-rays and other difficulties. It should be maintained clean and fumigated with antiseptic substances. Moreover, the patients should be instructed to follow the code of conduct and should also be consoled so that they should develop (confidence) for the healing. (13-14)

In emergency, the cases should be treated accordingly including those of medico-legal importance such as drowning, hanging etc. (15)

## Chapter XVI

# ŚĀLĀKYA

## (Speciality Dealing with Supra-clavicular Diseases)

'Śālākya' is so-called as there is general use of 'śalākā' (rod, stick or probe) therein. It describes the diseases situated in the parts above the root of neck. (1)

*Netraroga* (Eye diseases)

Suśruta etc. have described seventy six diseases of eye such as adhimantha (glaucoma), abhiṣyanda (conjuntivitis), arjuna (sub-conjunctival haemorrhage), pothakī (trachoma), śukra (corneal ulcer and opacity), timira (defects of vision) etc. (2)

The diseases of eye are treated with application of lepa (paste), āścyotana (drops), seka (wash), añjana (collyrium), tarpaṇa (saturating measure), vartti (sticks) and puṭapāka (drop prepared by closed heating). (3)

Liṅganāśa (catract) which obstructs the vision totally is treated by surgical operation as it is not amenable to medical treatment. (4)

In timira (defects of vision), one should use triphalā-ghṛta, triphalā powder mixed with ghee and honey or old ghee. (5)

Triphalā, old ghee, śatāvarī, paṭola, green gram, āmalaka, pot herbs such as suniṣaṇṇaka etc. are wholesome in timira. (6)

*Karṇaroga* (Diseases of ear)

Karṇaśūla (earache), karṇanāda (tinnitus), karṇasrāva (otorrhoea), karṇapāka (otitis), bādhīrya (deafness) etc. are the common disorders of ear. (7)

Fomentation, cleaning, washing, ear drops, fumigations are the remedial measures for them. (8)

Apāmārgakṣāra-taila (BR. Karṇaroga, 26) and bilva-taila are the popular formulations used in ear disease. (9)

In earache, the warm juice of garlic, fresh ginger or śigru or some efficacious oil given as drop in the ear. (10)

*Nāsāroga* (Disease of nose)

The diseases of nose mostly arise due to negligence in treatment of coryza which later gives rise to pīnasa (chronic coryza) and pūtinasya (nose with foetid smell). Other diseases of nose are nāsāpraśoṣa (dry rhinitis), dīpta (acute rhinitis), nāsānāha (nasal obstruction), kṣavathu (sneezing), nāsāpāka (suppurative rhinitis), nāsārbuda (nasal tumour) and nāsārśas (nasal polypus). (11-12)

Snuffing, potent fumigation, blowing powder and processed oil—these are used in treatment of nasal disorders (according to their nature). (13)

Popularly used are snuffing with mustard oil, kaṭphala powder and dropping of vyāghrī-taila and saḍbindu taila (three drops in each nostril). (14)

## *Mukharoga* (Diseases of mouth)

In lips, various disorders are caused by vitiation of three doṣas, blood, muscle and fat. (15)

Śītāda (spongy gums), dantaveṣṭa (pyorrhoea) etc. are disorders of gum while bhañjanaka (neurogenic disorder of teeth), krimidanta (caries of teeth), śyāvadanta (blackish teeth) etc. are situated in teeth. (16)

Galaśuṇḍī (elongated uvula), māṃsakacchapa and māṃsasaṅghāta (palate tumour), tālupāka (suppuration of palate) etc. are diseases of palate while rohiṇī (diphtheria) kaṇṭhaśālūka (tonsillitis), adhijihvā (acute inflammation of tongue) etc. are located in throat. (17)

In the above diseases, cleaning, gargles, paints, snuffing, smoking and blood-letting are applied according to condition. In conditions like kaṇṭhaśālūka, surgical operation is resorted to. (18)

## *Śiroroga* (Diseases of head)

In head-disorders such as śiraḥśūla (headache), sūryāvarta, anantavāta (types of headache), ardhāvabhedaka (migraine) and śaṅkhaka (meningitis) arise which are very severe and painful. (19)

In the diseases of head, śirobasti (head-pouch) snuffing, fumigation, paste, intake of ghee and washing are employed. (20)

Triphalā-ghṛta, kaṭphala-nasya (snuffing with kaṭphala powder) and saptāmṛta lauha are popular remedies for the head diseases. (21)

ment of coryza which later gives rise to pīnasa (chronic coryza) and [illegible] (one with fetid smell). Other diseases of nose are [illegible] (dry rhinitis), diptā (acute rhinitis), [illegible] (nasal obstruction), [illegible] (suppurative rhinitis), nāsārbuda (nasal tumour) and nāsārśas (nasal polypus). (11-12)

[illegible] fumigation, blowing powder and processed [illegible] are used in treatment of nasal disorders according to their nature. (13)

Popularly used are [illegible] with mustard oil, [illegible] and [illegible] of [illegible] salt, and sudomain [illegible] (14)

Mukharoga (Diseases of mouth)

[illegible] various disorders are caused by vitiation of three doṣas, blood, muscle and fat. (15)

[illegible] (spongy gums), dantaśaiśira (sensitivity of teeth) etc. are disorders of gums, while [illegible] (caries), [illegible] of teeth, [illegible] (blackish teeth) etc. are [illegible] (16)

[illegible] (swelled uvula), [illegible] and [illegible] (palatal tumour), tālupāka (suppuration of palate) etc. are diseases of palate while [illegible] Kaṇṭhaśālūka (tonsillitis), adhijihvā (acute inflammation of tongue) etc. are [illegible] (17)

[illegible] cleaning, gargles, [illegible] and plastering are applied according to conditions [illegible] like kaṇṭhaśālūka, surgical operation is required (18)

Śiroroga (Diseases of head)

[illegible] (migraine) [illegible] of headache, [illegible] and [illegible] arise which are very severe and painful. (19)

In the diseases of head, [illegible] (head pouch) [illegible] nasal [illegible] and washing are employed. (20) [illegible] and [illegible] are popular remedies for the head diseases. (21)

# APPENDIX

## Botanical Names of the Plants Mentioned in the Text

| *Sanskrit name* | *Botanical name* |
|---|---|
| Aṃśumatī | |
| Syn. Śālaparṇī | |
| Akṣa | |
| Syn. Bibhītaka | |
| Akṣī | Morinda tinctoria Roxb. |
| Agastya | Sesbania grandiflora (Linn.) Pers. |
| Aguru | Aquilaria agallocha Roxb. |
| Agni | |
| Syn. Citraka | |
| Agnimantha | Premna mucronata Roxb. |
| Aṅkola | Alangium salvifolium (Linn. f.) Wang. |
| Ajamodā | Apium graveolens Linn. |
| Atasī | Linum usitatissimum Linn. |
| Atibalā | Abutilon indicum (Linn.) Sw. |
| Ativiṣā | Aconitum heterophyllum Wall. |
| Anantā | |
| Syn. Sārivā | |
| Aparājitā | Clitoria ternatea Linn. |
| Apāmārga | Achyranthes aspera Linn. |
| Abda | |
| Syn. Musta | |
| Abhaya | |
| Syn. Uśīra | |
| Abhayā | |
| Syn. Harītakī | |
| Abhīru | |
| Syn. Śatāvarī | |
| Amaradāruka | |
| Syn. Devadāru | |
| Amalā | |
| Syn. Āmalakī | |
| Amṛṇāla | |
| Syn. Uśīra | |

| *Sanskrit name* | *Botanical name* |
|---|---|
| Amṛtavallī | |
| Syn. Guḍūcī | |
| Amṛta | |
| Syn. Āmalakī | |
| Amṛtā | |
| Syn. Guḍūcī | |
| Ambhas | |
| Syn. Bālaka | |
| Ambhobhava | |
| Syn. Kamala | |
| Amlavetasa | Garcinia pedunculata Roxb. |
| Amlavetra | |
| Syn. Amlavetasa | |
| Amlikā | Tamarindus indica Linn. |
| Araṇyajīraka | Centratherum anthelminticum Kuntze. |
| Aralu | Ailanthus excelsa Roxb. |
| Araluka | |
| Syn. Aralu | |
| Ariṣṭa | |
| Syn. Nimba | |
| Aruṇa Candana | |
| Syn. Raktacandana | |
| Aruṇayaṣṭikā | |
| Syn. Mañjiṣṭhā | |
| Aruṇayasti | |
| Syn. Mañjiṣṭhā | |
| Aruṇavallī | |
| Syn. Mañjiṣṭhā | |
| Aruṣkara | |
| Syn. Bhallātaka | |
| Arka (Śveta) | Calotropis gigantea (Linn) R. Br. ex Ait. |
| (Rakta) | Calotropis procera (Ait) R. Br. |
| Arjuna | Terminalia arjuna W. & A. |
| Alābū | Lagenaria siceraria standle. |
| Avalguja | |
| Syn. Bākucī | |
| Aśoka | Saraca indica Linn. |
| Aśmabheda | |
| Syn. Pāṣāṇabheda | |

| Sanskrit name | Botanical name |
|---|---|
| Aśvagandhā | Withania somnifera (Linn) Dunal. |
| Aśvagandhikā | |
| Syn. Aśvagandhā | |
| Aśvattha | |
| Syn. Pippala | |
| Asana | Pterocarpus marsupium Roxb. |
| Asitajīra | |
| Syn. Kṛṣṇajīraka | |
| Asiphala | |
| Syn. Śyonāka | |
| Ahikusuma | |
| Syn. Nāgakeśara | |
| Ahipuṣpa | |
| Syn. Nāgakeśara | |
| Ahiphena | Papaver somniferum Linn. |
| Ākallaka | |
| Syn. Ākārakarabha | |
| Ākārakarabha | Anacyclus pyrethrum DC. |
| Ākhukarṇī | Ipomoea reniformis Chois. |
| Āṭarūṣa | |
| Syn. Vāsā | |
| Ātmaguptā | |
| Syn. Kapikacchū | |
| Āmalakī | Emblica officinalis Gaertn. |
| Āmra | Mangifera indica Linn. |
| Āyāpāna | Eupatorium triplinerve Vahl. |
| Āragvadha | Cassia fistula Linn. |
| Ikṣu | Saccharum officinarum Linn. |
| Ikṣura | Asteracantha longifolia Nees. |
| Indulekhā | |
| Syn. Bākucī | |
| Indrayava (Seeds of Kuṭaja) See | |
| —Kuṭaja | |
| Ibhakeśara | |
| Syn. Nāgakeśara | |
| Ugrā | |
| Syn. Vacā | |
| Utpala | Nymphoea nouchali Burm. f. |
| Udīcya | |

*Essentials of Āyurveda*

| *Sanskrit name* | *Botanical name* |
|---|---|
| Syn. Bālaka | |
| Udumbara | Ficus racemosa Linn. |
| Upakiñcikā | Nigella sativa Linn. |
| Umā | |
| Syn. Atasī | |
| Uśīra | Vetiveria Zizanioides (Linn) Nash. |
| Uṣṇa | |
| Syn. Marica | |
| Ṛjuvṛkṣa | |
| Syn. Arjuna | |
| Eḍagaja | Cassia tora Linn. |
| Eraṇḍa | Ricinus communis Linn. |
| Ervāru | Cucumis utilissimus Roxb. |
| Elā | Elettaria cardamomum Maton. |
| Aindrī | Bacopa monnieri (Linn) Pennell. |
| Aileya (Solid extract of **Kumarī**) See—Kumarī | |
| Oḍra | Hibiscus rosa-sinensis Linn. |
| Kakkola | |
| Syn. Kaṅkola | |
| Kaṅkatikā | |
| Syn. Atibalā | |
| Kaṅkola | Piper cubeba Linn. f. |
| Kaṅgu | Setaria italica (Linn) Beauv. |
| Kaṅgunī | |
| Syn. Jyotiśmatī | |
| Kaṭukā | Picrorrhiza kurrooa Royle ex Benth. |
| Kaṭutumbī | Lagenaria siceraria (Mol). Standl. |
| Kaṭphala | Myrica nagi Thunb. |
| Kaṭvaṅga | |
| Syn. Aralu | |
| Kaṇṭakārikā | |
| Syn. Kaṇṭakārī | |
| Kaṇṭakārī | Solanum surattense Burm. f. |
| Kaṇṭakikarañja | Caesalipinia crista Linn. |
| Kaṇṭakī palāśa | |
| Syn. Pāribhadra | |
| Kataka | Strychnos potatorum Linn. |
| Kattṛṇa | Cymbopogon jwarancusa Schult. |
| Kadalī | Musa paradisiaca Linn. |

| *Sanskrit name* | *Botanical name* |
|---|---|
| Kanaka | |
| Syn. Dhattūra | |
| Kanyā | |
| Syn. Kumārī | |
| Kanyāsāra | |
| Syn. Aileya | |
| Kapikacchū | Mucuna pruriens DC. |
| Kapittha | Feronia limonia (Linn) Swingle |
| Kamala | Nelumbo nucifera Gaertn. |
| Kampilla | |
| Syn. Kampillaka | |
| Kampillaka | Mallotus philippinensis Muel-Arg. |
| Karañja | Pongamia pinnata (Linn) Merr. |
| Karamarda | Carissa carandas Linn. |
| Karavīra | Nerium indicum Mill. |
| Karīra | Capparis decidua Edgew. |
| Karkataśṛṅgī (Gali) | Pistacia integerrima Stew ex Brandis. |
| Karkaṭikā | |
| Syn. Ervāru | |
| Karkaṭī | |
| Syn. Ervāru | |
| arkandhu | Zizyphus nummularia W. & A. |
| arkoṭī | Momordica dioica Roxb. ex willd. |
| arcūra | Curcuma zedoaria Rose. |
| arpūra | Cinnamomum camphora Nees & Eberm. |
| ali | |
| n. Bibhītaka | |
| aliṅga | |
| n. Indrayava | |
| alitaru | |
| n. Bibhītaka | |
| ākanāsā | Pentatropis spiralis Decne |
| ākamācī | Solanum nigrum Linn. |
| akodumbara | Ficus hispida Linn. f. |
| akodumbarī | |
| n. Kakodumbara | |
| ākolī | Roscoea sp. |
| āñcanāra | Bauhinia variegata Linn. |
| āntā | |

| *Sanskrit name* | *Botanical name* |
|---|---|
| Syn. Priyaṅgu | |
| Kāravella | Momordica charantia Linn. |
| Kāravellaka | |
| Syn. Kāravella | |
| Kāravellikā | |
| Syn. Kāravella | |
| Kāraṣkara | |
| Syn. Kupīlu | |
| Kālambī | Ipomoea aquatica Forsk |
| Kāliṅga | Citrullus vulgaris Schrad |
| Kāśa | Saccharum spontaneum Linn |
| Kāśmarī | |
| Syn. Gambhārī | |
| Kāśmarya | |
| Syn. Gambhārī | |
| Kiṃśuka | |
| Syn. Palāśa | |
| Kirāta | |
| Syn. Kirātatikta | |
| Kirātatikta | Swertia chirata Buch-Hun |
| Kuṅkuma | Crocus sativus Lin |
| Kuṭaja | Holarrhena antidysenterica Wal |
| Kuṇḍalī | |
| Syn. Guḍūcī | |
| Kunda | Jasminum multiflorum And |
| Kupīlu | Strychnos nuxvomica Linn. |
| Kumārikā | |
| Syn. Kumārī | |
| Kumārī | Aloe vera Tourn. ex Lin |
| Kulañjana | Alpinia galanga Will |
| Kulattha | Dolichos biflorus Lin |
| Kuśa | Desmostachya bipinnata Stap |
| Kuṣṭha | Saussurea lappa C.B. Clar |
| Kuṣmāṇḍa | Benincasa cerifera Sa |
| Kusumbha | Carthamus tinctoria Lin |
| Kusumbhikā | |
| Syn. Kusumbha | |
| Kustumburu | |
| Syn. Dhānyaka | |

| *Sanskrit name* | *Botanical name* |
|---|---|
| Kṛmijit | |
| Syn. Viḍaṅga | |
| Kṛminut | |
| Syn. Viḍaṅga | |
| Kṛṣṇa | |
| Syn. Marica | |
| Kṛṣṇajīraka | Carum bulbocastanum W. Koch. |
| Kṛṣṇabīja | Ipomoea nil (Linn) Roth. |
| Kṛṣṇā | |
| Syn. Pippalī | |
| Kṛṣṇāguru | |
| Syn. Aguru | |
| Kera | |
| Syn. Nārikela | |
| Keśara | |
| Syn. Nāgakeśara | |
| Kairāta | |
| Syn. Kirātatikta | |
| Kodrava | Paspalum scrobiculatum Linn. |
| Kola | |
| Syn. Badarī | |
| Kośa (seed-aril of Jātiphala) | |
| Syn. Jātīpatrī | |
| Koṣātakī | Luffa acutangula (Linn) Roxb. |
| Kausumbha | |
| Syn. Kusumbha | |
| Kṣīrakākolī | Roscoea sp. |
| Kṣudrā | |
| Syn. Kaṇṭakārī | |
| Khadira | Acacia catechu Willd. |
| Kharapatrā | |
| Syn. Pāṭalā | |
| Kharjūra | Phoenix dactylifera Linn. |
| Gajakṛṣṇā | |
| Syn. Gajapippalī | |
| Gajakarṇapalāśa | Leea macrophylla Roxb. ex. Hornem. |
| Gajakeśara | |
| Syn. Nāgakeśara | |
| Gajapippalikā | |

| *Sanskrit name* | *Botanical name* |
|---|---|
| Syn. Gajapippalī | |
| Gajapippalī (fruits of cavikā) | See cavikā |
| Gajaśuṇḍī | Heliotropium indicum Linn. |
| Gada | |
| Syn. Kuṣṭha | |
| Gandhapalāśā | |
| Syn. Śaṭī | |
| Gandhaśaṭī | |
| Syn. Śaṭī | |
| Gambhārī | Gmelina arborea Linn. |
| Gavākṣī | Citrullus colocynthis Schrad |
| Girikarṇī | |
| Syn. Aparājitā | |
| Guggulu | Commiphora mukul (Hook ex stocks) Engl. |
| Guñjā | Abrus precatorius Linn. |
| Guḍūcikā | |
| Syn. Guḍūcī | |
| Guḍūcī | Tinospara cordifolia (Willd.) Miers. |
| Gṛhakanyā | |
| Syn. Kumārī | |
| Gokṣura | Tribulus terrestris Linn. |
| Gokṣuraka | |
| Syn. Gokṣura | |
| Gojihvā | Onosma bracteata wall. |
| Godhūma | Triticum aestivum Linn. |
| Gopadakṣuraka | |
| Syn. Gokṣura | |
| Gopavallī | |
| Syn. Śārivā | |
| Granthā | |
| Syn. Vacā | |
| Granthi | |
| Syn. Pippalīmūla | |
| Granthika | |
| Syn. Pippalīmūla | |
| Ghana | |
| Syn. Musta | |
| Ghoṣā | |
| Syn. Kośātakī | |

| Sanskrit name | Botanical name |
|---|---|
| Caṇaka | Cicer arietinum Linn. |
| Candana | Santalum album Linn. |
| Candra | |
| Syn. Karpūra | |
| Capalā | |
| Syn. Pippalī | |
| Cavikā | Piper retrofractum Vahl. |
| Cavya (Root of Cavikā) | |
| See Cavikā | |
| Cāṅgerī | Oxalis corniculata Linn. |
| Ciñcā | |
| Syn. Amlikā | |
| Citraka | Plumbago zeylanica Linn. |
| Citrā | |
| Syn. Dantī | |
| Citrāsthi | |
| Syn. Eraṇḍa | |
| Citrabīja | |
| Syn. Eraṇḍa | |
| Cukra | |
| Syn. Cukrikā | |
| Cukrikā | Rumex vesicarius Linn. |
| Coraka | Angelica glauca Edgw. |
| Chinnaruhā | |
| Syn. Guḍūcī | |
| Chinnā | |
| Syn. Guḍūcī | |
| Jaṭilā | |
| Syn. Māṃsī | |
| Jantughna | |
| Syn. Viḍaṅga. | |
| Jambīra | Citrus limon (Linn.) Burm.f. |
| Jambū | Syzygium cumini (Linn.) Skeels. |
| Jayantī | Sesbania sesban Merrill. |
| Jayapāla | Croton tiglium Linn. |
| Jayā | |
| Syn. Jayantī | |
| Jalakumbhī | Pistia stratiotes Linn. |
| Jalakṛṣṇā | Lippia nodiflora Mich. |

| *Sanskrit name* | *Botanical name* |
|---|---|
| Jātī | Jasminum officinale Linn. Form, grandiflorum (Linn.) Kobuski. |
| Jatīpatrī (seed-aril of Jātīphala) See Jātiphāla | |
| Jātīphala | Myristica fragrans Houtt. |
| Jīmūta | Luffa echinata Roxb. |
| Jīra Syn. Jīraka | |
| Jīraka | Cuminum cyminum Linn. |
| Jīvaka | Microstylis wallichii Lindl. |
| Jīvantikā Syn. Jivantī | |
| Jīvantī | Leptadenia reticulata W. & A. |
| Jyotiṣmatī | Celastrus paniculatus Willd. |
| Jhaṇḍū | Tagetes erecta Linn. |
| Ṭiṇṭuka Syn. Śyonāka | |
| Tagara | Delphinium bernonianum Royle. |
| Tantrikā Syn. Guḍūcī | |
| Tamāla | Cinnamonus tamal Nees & Eberm |
| Tarkārī | Clerodendrum phomidis Linn. f. |
| Tāmalakī Syn. Bhūmyāmalakī | |
| Tāmbūla | Piper betle Linn. |
| Tārkṣya (Solid extract of Dāruharidrā) See Dāruharidrā | |
| Tāla | Borassus flabillifer Linn. |
| Tālīśa | Abies webbiana Lindle. |
| Tiktadala Syn. Varuṇa | |
| Tiktā Syn. Kaṭukā | |
| Tintiḍī Syn. Amlikā | |
| Tintidikā Syn. Amlikā | |
| Tila | Sesamum indicum Linn. |
| Tilaparṇī | Gynandropsis gynandra (Linn.) Briquet. |

| *Sanskrit name* | *Botanical name* |
|---|---|
| Tilvaka | Viburnum nervosom D. Don. |
| Tugākṣīrī (a product of) | Bambusa arundinacea Willd. |
| Tumba | |
| Syn. Alābū | |
| Tumburikā | |
| Syn. Tumburu | |
| Tumburu | Zanthoxylum alatum Roxb. |
| Tulasī | Ocimum sanctum Linn. |
| Trapuṣa | Cucumis sativus Linn. |
| Trivṛt | Operculina turpethum (Linn) Silva Manso |
| Trivṛtā | |
| Syn. Trivṛt | |
| Traikaṇṭaka | |
| Syn. Gokṣura | |
| Tvak (bark of Tamāla) | |
| See Tamāla | |
| Daṇḍaphala | |
| Syn. Āragvadha | |
| Dadhiphala | |
| Syn. Kapittha | |
| Danti | Baliospermum montanum Muell-Arg. |
| Darbha | Imperata cylindrica Beauv. |
| Dala | |
| Syn. Patra | |
| Dāḍima | Punica granatum Linn. |
| Dāru | |
| Syn. Devadāru | |
| Dārusitā (bark of) | Cinnasnomum zeylanium Blume. |
| Dāruharidrā | Berberis aristata DC. |
| Dārvī | |
| Syn. Dāruharidrā | |
| Dīrghadalavṛnta | |
| Syn. Śyonāka | |
| Dugdhikā | Euphorbia thymifolia Linn. |
| Dundubhīpuṣpa | |
| Syn. Śyonāka | |
| Durālabhā | |
| Syn. Dhanvayavāsa | |
| Dūrva | Cynodon dactylon (Linn) Pers. |

| *Sanskrit name* | *Botanical name* |
|---|---|
| Devakusuma | |
| Syn. Lavaṅga | |
| Devadāru | **Cedrus deodara** (Roxb). Pers. |
| Devasuma | |
| Syn. Lavaṅga. | |
| Drākṣā | Vitis vinifera Linn. |
| Droṇapuṣpikā | **Leucas cephalotes** Spreng. |
| Dhattūra | **Datura** metel Linn. |
| Dhanvayavāsa | Fagonia cretica Linn. |
| Dhavalatvak | |
| Syn. Arjuna | |
| Dhātakī | **Woodfordia floribunda** Salisb. |
| Dhātrī | |
| Syn. Āmalakī | |
| Dhānya | Oryza sativa Linn. |
| Dhānya | |
| Syn. Dhānyaka | |
| Dhānyaka | Coriandrum sativum Linn. |
| Nalada | |
| Syn. Māṃsī | |
| Nāga | |
| Syn. Nāgakeśara | |
| Nāgakeśara | Mesua ferrea Linn. |
| Nāgapuṣpa | |
| Syn. Nāgakeśara | |
| Nāgabalā | Grewia hirsuta Vahl. |
| Nāgara | |
| Syn. Śuṇṭhī | |
| Nāgasuma | |
| Syn. Nāgakeśara | |
| Nāgāhva | |
| Syn. Nāgakeśara | |
| Nāraṅga | **Citrus reliculata** Blanco. |
| Nārikela | Cocos nucifera Linn. |
| Nidigdhikā | |
| Syn. Kaṇṭakārī | |
| Nimba | **Azadirachta indica** A. Juss. |
| Nimbu | |
| Syn. Nimbuka | |

| *Sanskrit name* | *Botanical name* |
|---|---|
| Nimbuka | **Citrus aurantifolia (Christm) Swingle.** |
| Nirguṇḍī | Vitex negundo Linn. |
| Nīlakumuda | |
| Syn. Nīlotpala | |
| Nīlotpala | Nymphoea stellata Willd. |
| Niśā | |
| Syn. Haridrā | |
| Nīlī | Indigofera tinctoria Linn. |
| Nṛpabalā | |
| Syn. Prasāraṇī | |
| Nyagrodha | |
| Syn. Vaṭa | |
| Pañcāṅgula | |
| Syn. Eraṇḍa | |
| Pañcāṅgulapatraka | |
| Syn. Eraṇḍa | |
| Paṭola | Trichosanthes dioica Roxb. |
| Pattaṅga | Caesalpinia sappan Linn. |
| Patra (leaves of Tamāla tree) | |
| See Tamāla | |
| Patraka | |
| Syn. Patra | |
| Pathyā | |
| Syn. Harītakī | |
| Padma | |
| Syn. Kamala | |
| Padmaka | Prunus cerasoides D.Don. |
| Padmākṣa (seeds of Kamala) | |
| See Kamala | |
| Papītā | Carica papaya Linn. |
| Parūṣaka | Grewia asiatica Linn. |
| Parṇa | |
| Syn. Tāmbūla | |
| Parpaṭa | Fumaria vaillantii Loisal. |
| Parvatanimba | |
| Syn. Mahānimba | |
| Palāṇḍu | Allium cepa Linn. |
| Palāśa | **Butea monosperma (Lam.) Kuntz.** |
| Pāṭala | Rosa centifolia Linn. |

| *Sanskrit name* | *Botanical name* |
|---|---|
| Pāṭalā | Stereospermum suaveolens DC. |
| Pāṭali | |
| Syn. Pāṭalā | |
| Pāṭhā | Cissampelos pariera Linn. |
| Pārasadeśayavānī | |
| Syn. Pārasīka yavānī | |
| Pārasīka Yavānī | Hyoscyamus niger Linn. |
| Pārijāta | Nyetanthes arbor-tristis Linn. |
| Pāribhadra | Erythrina variegata Linn. Var. |
| | Orientalis (Linn.) Merrill. |
| Parīṣa | Thespesia populnea Soland. |
| Pārtha | |
| Syn. Arjuna | |
| Pālaṅka | Spinacia oleracia Linn. |
| Pāṣāṇabheda | Bergenia ligulata (Wall) Engl. |
| Pippala | Ficus religiosa Linn. |
| Pippalī | Piper longum Linn. |
| Pippalīmūla   (root of Pippalī) | |
| See Pippalī | |
| Punarnavā | Boerhaavia diffusa Linn. |
| Pura | |
| Syn. Guggulu | |
| Puṣkara | Inula racemosa Hook. f. |
| Puṣkaraja | |
| Syn. Puṣkaramūla | |
| Puṣkaramūla   (root of Puṣkara) | |
| See Puskara | |
| Pūga | Areca catechu Linn. |
| Pūraka | |
| Syn. Mātuluṅga | |
| Pṛthvīkā | Nigella sativa Linn. |
| Pṛśniparṇī | Uraria picta Desv. |
| Pauṣkara | |
| Syn. Puṣkaramūla | |
| Pauṣkara mūla | |
| Syn. Puṣkaramūla | |
| Pratyakpuṣpī | |
| Syn. Apāmārga | |
| Prasāraṇī | Sida veronicaefolia Linn. |

| *Sanskrit name* | *Botanical name* |
|---|---|
| Priyaṅgu | Callicarpa macrophylla Vahl. |
| Plakṣa | Ficus lacor Buch-Ham. |
| Phalapūra | |
| Syn. Mātuluṅga | |
| Bakula | Mimusops elenagi Linn. |
| Badarī | Ziziphus mauritiana Lam. |
| Bandhūka | Pentapetes phoenicea Linn. |
| Babbūla | Acacia arabica Willd. |
| Balā | Sida cordifolia Linn. |
| Bahulā | |
| Syn. Elā | |
| Bākucikā | |
| Syn. Bākucī | |
| Bākucī | Psoralia corylifolia Linn. |
| Bāla | |
| Syn. Bālaka | |
| Bālaka | Valeriana hardwickii Wall. |
| Bibhītakā | Terminalia belerica Roxb. |
| Bilva | Aegle marmelos Corr. |
| Bisa (stem of Kamala) | |
| See Kamala | |
| Bījaka | |
| Syn. Asana | |
| Bījapūra | |
| Syn. Mātuluṅga | |
| Bṛhatī | Solanum indicum Linn. |
| Bodhidruma | |
| Syn. Pippala | |
| Brāhmī | Centella asiatica (Linn) Urban. |
| Bhaṅgā | Cannabis sativa Linn. |
| Bhallātaka | Semecarpus anacardium Linn. f. |
| Bhārgī | Clerodendrum serratum (Linn) Moon. |
| Bhūnimba | |
| Syn. Kirātatikta | |
| Bhūmyāmalakī | Phyllanthus urinaria Linn. |
| Bhūrja | Betula utilis D. Don. |
| Bhṛṅga | |
| Syn. Bhṛṅgarāja | |
| Bhṛṅgarajas | |

| *Sanskrit name* | *Botanical name* |
|---|---|
| Syn. Bhṛṅgarāja | |
| Bhṛṅgarāja | Eclipta alba Hassk. |
| Makhānna | Euryale ferox Salisb. |
| Magadhā | |
| Syn. Pippalī | |
| Magadhodbhavā | |
| Syn. Pippalī | |
| Mañjiṣṭhā | Rubia cordifolia Linn. |
| Maṇḍūkī | |
| Syn. Brāhmī | |
| Matsyākaṣī | Alternanthera sessilis (Linn). R.Br. |
| Matsyalocanā | |
| Syn. Matsyākṣī | |
| Madakṛt | |
| Syn. Dhātakī | |
| Madana | Randia dumetorum Lam. |
| Madaphala    (gall of) | Quercus infectoria Oliv. |
| Madhuka | Glycyrrhiza glabra Linn. |
| Madhuyaṣṭī | |
| Syn. Madhuka | |
| Madhurikā | Focniculum vulgare Mill. |
| Madhūka | Madhuca indica J.F. Gmel. |
| Mantha | |
| Syn. Agnimantha | |
| Marica | Piper nigrum Linn. |
| Malapū | |
| Syn. Kākodumbara | |
| Malaya | |
| Syn. Candana | |
| Masūra | Lens culinaris Medic. |
| Mahānimba | Melia azedarach Linn. |
| Mahābalā | Sida rhombifolia Linn Mast. |
| Mahāmedā | Polygonatum verticillatum Allioni |
| Mahauṣadha | |
| Syn. Śuṇṭhī | |
| Māṃsī | Nardostachys jatamansi DC. |
| Māgadhikā | |
| Syn. Pippalī | |
| Māṇaka | Alocasia indica (Roxb) Schott. |

| Sanskrit name | Botanical name |
|---|---|
| Mātuluṅga | Citrus medica Linn. |
| Māṣa | Phaseolus mungo Linn. |
| Māṣadalā | Teramnus labialis Spreng. |
| Miśi | |
| Syn. Śatapuṣpā | |
| Mucakunda | Petrospermum acerifolium Willd. |
| Muṇḍitikā | Sphaeranthus indicus Linn. |
| Mudga | Phaseolus radiatus Linn. |
| Mudgapariṇī | Phaseolus trilobus Ait. |
| Murā | Selinum tenuifolium Wall. |
| Muruṅgī | |
| Syn. Śigru | |
| Muśalī | Asparagus adscendens Roxb. |
| Muṣka | Schrebera swietenioides Roxb. |
| Musta | Cyperus rotundus Linn. |
| Mustā | |
| Syn. Musta | |
| Mūrvā | Marsdenia tenacissima W. & A. |
| Mūla | |
| Syn. Mūlaka | |
| Mūlaka | Raphanus sativus Linn. |
| Mṛdvīkā | |
| Syn. Drākṣā | |
| Medā | Polygonatum sp. |
| Mocarasa (Exudation of Śālmalī) | |
| See Śālmalī | |
| Mocāhva | |
| Syn. Mocarasa | |
| Modā | |
| Syn. Ajamodā | |
| Yava | Hordeum vulgare Linn. |
| Yavānikā | |
| Syn. Yavānī | |
| Yavāni | Trachyspermum ammi (Linn) Sprague. |
| Yāvanī yavānī | |
| Syn. Pārasīkayavānī | |
| Yavāsa | Alhagi camelorum Fisch. |
| Yaṣṭī | |
| Syn. Madhuka | |

| *Sanskrit name* | *Botanical name* |
|---|---|
| Yaṣṭīmadhuka | |
| Syn. Madhuka | |
| Yojanavallī | |
| Syn. Mañjiṣṭhā | |
| Raktacandana | Pterocarpus santalinus Linn. |
| Raktatvak | |
| Syn. Rohītaka | |
| Raktā | |
| Syn. Mañjiṣṭhā | |
| Raktikā | |
| Syn. Guñjā | |
| Raktī | |
| Syn. Guñjā | |
| Rajanī | |
| Syn. Haridrā | |
| Ratnadyuti | Geranium wallichianum D. Don. |
| Rambhā | |
| Syn. Kadalī | |
| Rasāñjana (solid extract of Dāruharidrā) | |
| See Dāruharidrā | |
| Rasona | Allium sativum Linn. |
| Rājī | Brassica juncea Czern & Coss. |
| Rāmaṭha | |
| Syn. Hiṅgu | |
| Rāsnā | Pluchea lanceolata Oliver and Hiern. |
| Rudrākṣa | Elaeocarpus ganitrus Roxb. |
| Ṛddhi | Habenaria sp. |
| Rohita | |
| Syn. Rohītaka | |
| Rohītaka | Tecomella undulata (G. Don.). |
| Lajjālu | Mimosa pudica Linn. |
| Lavaṅga | Syzygium aromaticum (Linn.) Merr and L.M. Perry. |
| Laśuna | |
| Syn. Rasona | |
| Lākṣā | Laccifer lacca Kerr. |
| Lāṅgalikā | Gloriosa superba Linn. |
| Lodhra | Symplocus racemosa Roxb. |
| Lohita Candana | |

| Sanskrit name | Botanical name |
|---|---|
| Syn. Raktacandana | |
| Vacā | Acorus calamus Linn. |
| Vajrī | Cissus quadrangularis Linn. |
| Vaṭa | Ficus bengalensis Linn. |
| Vatsaka | |
| Syn. Kuṭaja | |
| Vatsakanābha | |
| Syn. Vatsanābha | |
| Vatsakaphala | |
| Syn. Indrayava | |
| Vatsanābha | Aconitum ferox Wall ex Seringe. |
| Vatsaviṣa | |
| Syn. Vatsanābha | |
| Vandhyākarkotī | Momordica dioica Roxb. ex Willd. |
| Varī | |
| Syn. Śatāvarī | |
| Varuṇa | Crateava nurvala Buch-Ham. |
| Varṣābhū | |
| Syn. Punarnavā | |
| Vallīkarañja | |
| Syn. Kaṇṭakikarañja | |
| Vasantadūtī | |
| Syn. Pāṭalā | |
| Vahni | |
| Syn. Citraka | |
| Vāṃśī | |
| Syn. Tugākṣīrī | |
| Vātāri | |
| Syn. Eraṇḍa | |
| Vāyasamācī | |
| Syn. Kakamācī | |
| Vārtākī | |
| Syn. Bṛhatī | |
| Vāluka | Prunus cerasus Linn. |
| Vāsaka | |
| Syn. Vāsā | |
| Vāsā | Adhatoda vasica Nees. |
| Viḍaṅga | Embelia ribes Burm. f. |
| Vidārikā | |

| *Sanskrit name* | *Botanical name* |
|---|---|
| Syn. Vidārī | |
| Vidārigandhā | |
| Syn. Śālaparṇī | |
| Vidārī | Pueraria tuberosa DC. |
| Videhaprabhavā | |
| Syn. Pippalī | |
| Viśālā | Trichosanthes plamata Roxb. |
| Viśva | |
| Syn. Śuṇṭhī | |
| Viśvabheṣaja | |
| Syn. Śuṇṭhī | |
| Viśvā | |
| Syn. Śuṇṭhī | |
| Viśvārdraka | |
| (Ārdraka) (fresh form of) | Zingiber officinale Roscoe. |
| Viśvauṣadha | |
| Syn. Śuṇṭhī | |
| Viṣa | |
| Syn. Vatsanābha | |
| Viṣatindu | |
| Syn. Kupīlu | |
| Viṣamuṣṭika | |
| Syn. Kupīlu | |
| Viṣā | |
| Syn. Ativiṣā | |
| Vṛkṣādanī | Loranthus longiflorus Desr. |
| Vṛkṣāmla | Garcinia indica Chois. |
| Vṛddhi | Habenaria sp. |
| Vṛntāka | Solanum melongena Linn. |
| Vṛṣa | |
| Syn. Vāsā | |
| Vṛṣabha (Ṛṣabhaka) | Microstytis Sp. |
| Vetasāmla | |
| Syn. Amlavetasa | |
| Vaidehī | |
| Syn. Pippalī | |
| Vyāghrī | |
| Syn. Kaṇṭakārī | |
| Vyādhihṛt | |

| *Sanskrit name* | *Botanical name* |
|---|---|
| Syn. Āragvadha | |
| Śakrayava | |
| Syn. Indrayava | |
| Śakravṛkṣa | |
| Syn. Kuṭaja | |
| Śaṅkhapuṣpikā | |
| Syn. Śaṅkhapuṣpī | |
| Śaṅkhapuṣpī | Convolvulus pluricaulis Chois. |
| Śaṅkhasumā | |
| Syn. Śaṅkhapuṣpī | |
| Śatikā | |
| Syn. Śaṭī | |
| Śaṭī | Hedychium spicatum Ham ex Smith. |
| Śatapuṣpā | Peucedanum graveolens Linn. |
| Śatamulā | |
| Syn. Śatāvarī | |
| Śatavīryā | |
| Syn. Śatāvarī | |
| Śatāvarī | Asparagus racemosus Willd. |
| Śatāhvā | |
| Syn. Śatapuṣpā | |
| Śara | Saccharum munja Roxb. |
| Śaśi | |
| Syn. Karpūra | |
| Śākaśreṣṭhā | |
| Syn. Jīvantī | |
| Śākhoṭaka | Streblus asper Lour. |
| Śālaparṇī | Desmodium gangeticum DC. |
| Śāli | |
| (A variety of dhānya) | |
| See Dhānya | |
| Śālmalī | Salmalia malabarica Schott & Endl. |
| Śikharī | |
| Syn. Apāmārga | |
| Śigru | Moringa pterygosperma Gaertn. |
| Śirīṣa | Albizzia lebbeck Benth. |
| Śilābheda | |
| Syn. Pāṣāṇabheda | |
| Śivā | |

| *Sanskrit name* | *Botanical name* |
|---|---|
| Syn. Harītakī | |
| Śuṇṭhī | Zingiber officinale Roscoe. |
| Śṛṅgabera | |
| Syn. Śuṇṭhī | |
| Śṛṅgī | |
| Syn. Karkaṭaśṛṅgī | |
| Śephālī | |
| Syn. Pārijāta | |
| Saileya | Parmelia perlata Ach. |
| Śobhāñjana | |
| Syn. Śigru | |
| Śyonāka | Oroxylum indicum Vent. |
| Śryāhva (Oleoresin of) Sarala | |
| See Sarala | |
| Śrīkhaṇḍa | |
| Syn. Candana | |
| Śrīparṇī | |
| Syn. Gambhārī | |
| Śrīphala | |
| Syn. Bilva | |
| Śvadaṃṣṭrā | |
| Syn. Gokṣura | |
| Śvadaṃṣṭrikā | |
| Syn. Gokṣura | |
| Ṣaḍgranthā | |
| Syn. Vacā | |
| Ṣaṣṭika | |
| (A variety of dhānya) | |
| See Dhānya | |
| Saptacchada | |
| Syn. Saptaparṇa | |
| Saptadala | |
| Syn. Saptaparṇa | |
| Saptaparṇa | Alstonia scholaris R. Br. |
| Sarala | Pinus roxburghii Sargent |
| Saroja | |
| Syn. Kamala | |
| Sarjarasa (Śālaniryāsa) | Shorea robusta Gaertn |
| Exudation of Śāla | |

| Sanskrit name | Botanical name |
|---|---|
| Sarpagandhā | Rauwolfia serpentina Benth ex Kurz. |
| Sarpākṣī | Ophiorrhiza mungos Linn |
| Sarṣapa | Brassica campestris Var. Sarson Prain. |
| Salila | |
| Syn. Bālaka | |
| Sahadevī | Vernonia cineria Less. |
| Sārivā | Hemidesmus indicus R. Br. |
| Sitajīra | |
| Syn. Jīraka | |
| Sitājājī | |
| Syn. Jīraka | |
| Siddhārtha | |
| Syn. Sarṣapa | |
| Silhaka (exudation of) | Liquidamber orientalis Miller. |
| Sukṣmabahulā | |
| Syn. Elā | |
| Sukṣmailā | |
| Syn. Elā | |
| Sudarśana | Crinum latifolium Linn. |
| Surakusuma | |
| Syn. Lavaṅga | |
| Suradāru | |
| Syn. Devadāru | |
| Suravāruṇī | |
| Syn. Gavākṣī | |
| Surāhva | |
| Syn. Devadāru | |
| Suvarṇapatrī | Cassia angustifolia Vahl. |
| Sūkarī | Dioscorea bulbifera Linn. |
| Sūraṇa | Amorphophallus campanulatus Blume. |
| Sevya | |
| Syn. Uśīra | |
| Saireyaka | Barleria cristata Linn. |
| Somavallikā | Sarcostemma acidum Voigt. |
| Saumyā | |
| Syn. Guḍūcī | |
| Sthirā | |
| Syn. Śālaparṇī | |
| Snuk | |

| *Sanskrit name* | *Botanical name* |
|---|---|
| Syn. Snuhī | |
| Snuhi | Euphoria nerüfolia Linn. |
| Svarṇadalā | |
| Syn. Suvarṇapatrī | |
| Svarṇapatrikā | |
| Syn. Suvarṇapatrī | |
| Svarṇasuma | |
| Syn. Āragvadha | |
| Hapuṣā | Juniperus communis Linn. |
| Hayagandhā | |
| Syn. Aśvagandhā | |
| Hayamāra | |
| Syn. Karavīra | |
| Haridrā | Curcuna longa Linn. |
| Harītakī | Terminalia chebula Retz. |
| Hareṇuka | Amomum subulatum Roxb. |
| Hiṅgu | Ferula foetida Regel. |
| Hrībera | |
| Syn. Bālaka | |

# BIBLIOGRAPHY

Caraka-saṃhitā (with Āyurvedadīpikā comm.), Nirnayasagar Press, Bombay, 1941 (3rd ed.).

Caraka-saṃhitā (with English translation by Prof. P.V. Sharma), Vol. I-III, Chowkhambha Orientalia, Varanasi, 1981-85.

Suśruta-saṃhitā (with Nibandhasaṅgraha comm.), Nirnayasagar Press, Bombay, 1938 (3rd ed.).

Kāśyapa-saṃhitā (with Hindi comm.), Cowkhamba Sanskrit Series, Banaras, 1953.

Vāgbhaṭa; Aṣṭāṅgahṛdaya (with comms. of Aruṇadatta and Hemādri), Chowkhambha Orientalia, Varanasi, 1982 (7th ed.).

P.V. Sharma; Introduction to Dravyaguṇa, Chowkhambha Orientalia, Varanasi, 1976.

Idem; Dravyaguṇa-vijñāna Vols. I-V, Chaukhambha Bharati Academy, Varanasi, 1954-81.

Idem; Priyanighaṇṭu (with Hindi comm.), Chowkhambha Surabharati Prakashan, Varanasi, 1983.

Dhanvantarinighaṇṭu (with Rājanighaṇṭu), Anandashram, Poona, 1925 (2nd ed.).

Bhāvaprakāśanighaṇṭu (incorporated in Bhāvaprākāśa), with Hindi comm., Chowkhambha Sanskrit Sansthan, Varanasi, 1969 (5th ed.).

Mādhavakara; Mādhavanidāna or Rugviniścaya (with Madhu-koṣa comm.) Nirnayasagar Press, Bombay, 1928 (2nd ed.).

Ibid. with English translation by Prof. K.R. Srikanta Murthy, Chowkhambha Orientalia, Varanasi, 1986.

G.J. Meulenbeld; The Mādhavanidāna and its Chief Commentary, E.J. Brill, Leiden, 1974.

Vṛnda; Vṛndamādhava, Anandashram Press, Poona, 1943 (2nd ed.).

Cakrapāṇidatta; Cakradatta, Chaukhambha Sanskrit Series, Varanasi, 1961 (3rd ed.).

Vāgbhaṭa; Rasaratnasamuccaya, Chaukhamba Sanskrit Series Office, Benares city, 1936.

Gopālakṛṣṇa; Rasendrasārasaṅgraha, Motilal Banarsidass, Lahore, 1936.

Sadānanda Sharma; Rasataraṅgiṇī, Narendranath Mitra, Lahore, 1935 (2nd ed.).

Yadavaji Trikamji Acharya; Rasāmṛta, Motilal Banarsidass, Banaras, 1951.

Śārṅgadhara; Śārṅgadharasaṃhitā, Master Khelari Lal & Sons, Benares City, 1933.

Ibid. with English translation by Prof. K.R. Srikanta Murthy, Chowkhambha Orientalia, 1984.

Yogaratnākara, Nirnayasagar Press, Bombay, 1932 (4th ed.).

Govindadāsa; Bhaiṣajyaratnāvalī (with Hindi comm.), Motilal Banarsidass, Lahore, 1932 (2nd ed.).

# Section II

# ṢOḌAŚĀṄGAHṚDAYAM

*(Sanskrit Text)*

।। श्रीगणेशाय नमः ।।

# षोडशाङ्गहृदयम्

## १. मौलिकसिद्धान्ताः

मुकुलितहृत्कमलानां कुर्वन् सद्यः प्रफुल्लतां परमाम् ।
जडतामचिरमुदस्यन् जयति गुरुः कोऽपि चण्डांशुः ।।१।।

कज्जलितेऽन्तःकुहरे निचितं बाल्यात्तमो घनावरणम् ।
रविरिव हरति समूलं प्रणमामि गुरोः पदाब्जं तत् ।।२।।

नत्वा गुरुवरचरणान् ध्यात्वा हृदये पराञ्च वाग्देवीम् ।
पूर्वाचार्यकृतानां तन्त्राणां तत्त्वमाकृष्य ।।३।।

आयुर्वेदपयोधेः सारमयं षोडशाङ्गहृदयाह्वम् ।
आर्याछन्दसि सरसं नूतनं प्रस्तूयते तन्त्रम् ।।४।।

आयुर्वेदः

येनायुषो हि लाभो ज्ञानञ्चायुश्च विद्यते यत्र ।
मीमांस्यते च सकलं यत्रायुर्वेदसंज्ञोऽसौ ।।५।।

आयुः आयुषो भेदाश्च

आयुः स्यात् संयोगो देहस्यादृष्टकल्पितः प्राणैः ।
प्राणास्त्रिदोषसत्वादिगुणाः पञ्चेन्द्रियाण्यात्मा ।।६।।

आयुश्चतुर्विधं स्याद्धितं सुखं तयोर्विपर्यये चापि ।
प्रथमं लोकहितं यत् पुरुषहितं यद्द्वितीयं स्यात् ।।७।।

आयुर्वेदप्रयोजनम्

स्वस्थः स्वस्थस्तिष्ठेद्बलवर्णयुतः सुरक्षितो रुग्भ्यः ।
रुग्णानां रुक्शमनं ह्यायुर्वेदप्रयोजनकम् ।।८।।

आयुर्वेदाध्ययनस्य प्रयोजनम्

धन्यः स एव पुरुषः सुखहितमायुः सदा य उपभुङ्क्ते ।
वर्षशतं कामार्थौ धर्मयुतौ चार्जयन् वपुषा ।।९।।

अन्ते च मोक्षपदवीमयते ममताविवर्जितः प्रयतः।
यमनियमादिविधानाद् योगी ब्रह्माहितस्वान्तः ॥१०॥

भूतैः पञ्चभिराप्तं पुरुषार्थनिमित्तकं शरीरं यत्।
तत् सर्वदा सुपाल्यं रोगेभ्यो विघ्नभूतेभ्यः ॥११॥

एतेषां ज्ञानार्थं वेदोऽध्येयः सदायुषः पुंसा।
मन्तव्यश्च सुधीभिर्मन्तव्यश्चापि तद्वर्त्म ॥१२॥

## स्वास्थ्यं विकारश्च

स्वास्थ्यं प्राकृतभावः साम्यं, विकृती रुजा तु वैषम्यम्।
आरोग्यं रुगभावो नाशो रोगस्य कीर्त्यते प्राज्ञैः ॥१३॥

## आयुर्वेदस्याङ्गानि

कायकुमारविषोर्ध्वगवृष्यरसप्राप्तिभूतशल्यहरैः।
आयुर्वेदः प्रोक्तो धात्राऽऽम्नातस्तु सोऽष्टाङ्गः ॥१४॥

आयुर्वेदोऽष्टाङ्गः क्रमशो विज्ञानबृंहितावयवः।
अधुना द्विगुणितकायः सञ्जातः षोडशाङ्गोऽसौ ॥१५॥

सिद्धान्ताः शारीरं द्रव्यगुणं कल्पनौषधानाञ्च।
रसशास्त्रञ्च निदानं कायचिकित्साविधानञ्च ॥१६॥

सद्वृत्तं स्वस्थानां मानसरोगो रसायनं वृष्यम्।
विषविज्ञानं शल्यं शालाक्यं बालभृत्यञ्च ॥१७॥

सस्त्रीप्रसूतितन्त्रं षोडश विदितानि वैद्यकाङ्गानि।
ज्ञातव्यानि सुशिष्यैः गुरूपदेशात् प्रयतमानैः ॥१८॥

## गुरोः शिष्यस्य च गुणाः

आयुर्वेदसुधाब्धिप्रमथनशक्तः क्रियासु निष्णातः।
नैकश्रुतपरिशोधितधिषणो वाग्मी सदाचारः ॥१९॥

सुमुखः सुमनाः शान्तो दान्तो वात्सल्यभावपरिपूर्णः।
गुरुरिव विबुधैर्मान्यो ज्ञानवदान्यो गुरुः पूज्यः ॥२०॥

शिष्यो ज्ञानपिपासुर्निष्कलुषो भक्तिमान् गुरौ नम्रः।
अनुशिष्टः सुरवाणीदर्शनशब्दादिशास्त्रेषु ॥२१॥

संहतसारशरीरो धीरो मनसा कुशाग्रबुद्धिश्च।
वाचा सूनृतभाषी सरलः सर्वाङ्गसम्पन्नः ॥२२॥

### शास्त्रकर्मणोरुभयोर्महत्वम्

शास्त्रं कर्म च वैद्यैरुभयं समुपास्यमेव समभावात् ।
प्रथमेन विनान्धः स्यात् पङ्गूपमितो द्वितीयेन ।।२३।।

शास्त्रं कर्म रथाङ्गे दिष्टे भेषजशताङ्गयानस्य ।
एकेन विनापि स्यान्न गतिस्तस्य क्रियामार्गे ।।२४।।

### पञ्चभूतप्रादुर्भावः

प्रकृतिप्रवर्तितेयं संसृतिरखिला, ततो महान् जातः ।
महतश्चाहङ्कारोऽहङ्कारात् पञ्चतन्मात्रम् ।।२५।।

एकादशेन्द्रियाणि श्रवणाद्यर्थानि चाथ जायन्ते ।
तन्मात्रेभ्यो भूतानि वियद्वाय्वम्बुसलिलधराः ।।२६।।

### पञ्चभूतानि तद्गुणाश्च

खं वायुरग्निरापः पृथिवी चैतानि पञ्च भूतानि ।
लघुता रौक्ष्यञ्चौष्ण्यं शैत्यं गुरुता गुणास्तेषाम् ।।२७।।

### पुरुषः

षड्धात्वात्मकसंज्ञः पञ्चमहाभूतजीवसमवायः ।
पुरुषो वैद्यकशास्त्रे मतश्चिकित्साक्रियाधिकृतः ।।२८।।

### दोषधातुमलमूलं शरीरम्

धातुर्दोषश्च मलं मूलं देहस्य कीर्तितं प्राज्ञैः ।
अत एव वैद्यविद्याजिज्ञासुस्तानि जानीयात् ।।२९।।

### दोषाः

प्राणानां संयोगाद् वपुषि जडे पञ्चभूतनिष्पन्ने ।
जीवनवृत्तिस्थित्यै सञ्जायन्ते त्रयो दोषाः ।।३०।।

वायुनभोभ्यां वातः, पित्तं त्वग्नेस्तथा भवेच्छ्लेष्मा ।
अप्पृथिवीभ्यां द्वाभ्यामित्थं तेषां समुत्पत्तिः ।।३१।।

कायविधारणकरणाद् धातुः, दोषस्तु रोगजनकत्वात् ।
मलिनीकरणाच्च मलं, संज्ञास्तेषामिमास्तित्र ।।३२।।

दोषास्त्रयोऽपि देहे व्याप्ताः सकले सदा प्रकुर्वन्ति ।
स्वं स्वं कर्म विशिष्टं स्थिताः शिरोनाभ्यधोदेशे ।।३३।।

मरुदिनसोमैः लोको गत्यादानात् विसर्गतो ध्रियते ।
देहस्तथैव कर्मभिरेभिर्दोषैस्त्रिभिर्विधृतः ॥३४॥

प्रकृतिन्त्वारभमाणो दुष्टिं जनयत्यतः स्मृतो दोषः ।
भजतेऽतीव महत्त्वं प्रकृतौ विकृतौ च जीवानाम् ॥३५॥

त्रिगुणा इव त्रिदोषा अन्योन्यविपर्ययस्वरूपभृतः ।
साम्यस्थापनकुशलाश्चित्रकृतस्ते हि शैलूषाः ॥३६॥

ते हि वयोऽहोरात्राशनविषयेष्वनिलपित्तकफदोषाः ।
वर्धन्तेऽन्ते मध्ये चादाविति तत्क्रमो दृष्टः ॥३७॥

दोषाणां गुणाः

रूक्षः शीतो लघुरथ सूक्ष्मोऽत्यन्तं चलस्तथा विशदः ।
खरतावांश्चापि गुणैर्वायुर्विज्ञैर्विनिर्दिष्टः ॥३८॥

ईषत्स्निग्धञ्चोष्णं तीक्ष्णं द्रवमम्लभावसंयुक्तम् ।
सरमथ कटुतासहितं पित्तं तज्ज्ञैः गुणैः प्रोक्तम् ॥३९॥

गौरवशैत्यसुमार्दवसुस्वादुत्वैः सुहृत्समः स्निग्धः ।
स्थिरपिच्छिलश्च गुणतः श्लेष्मा प्रोक्तो भिषग्वर्यैः ॥४०॥

विपरीतैस्तु गुणेभ्यो भेषजकल्पैः प्रशान्तिमुपयान्ति ।
इति दोषगुणान् धृत्वा मनसि भिषक् कर्म कुर्वीत ॥४१॥

दोषाणां कर्माणि

वा गतिगन्धनसार्थाद् धातोर्वातस्य शब्दनिष्पत्तिः ।
तद्गतिसूचनप्रेरणकर्मसु वातस्य प्राकृती शक्तिः ॥४२॥

उत्साहो निःश्वासोच्छ्वासौ चेष्टा समा च धातुगतिः ।
मलनिर्हरणं सम्यक् वायोः स्यात् प्राकृतं कर्म ॥४३॥

तप सन्तापे धातोः रूपं पित्तमिति साधु निष्पन्नम् ।
अनुगृह्णाति शरीरं व्यापारैर्नैकशो वह्नेः ॥४४॥

आहारपक्तिरूष्मा देहे क्षुत्तृट् तथा समा दृष्टिः ।
तेजःप्रसादमेधाः पित्तस्य प्राकृतं कर्म ॥४५॥

श्लिष आलिङ्गनसार्थाद् धातोः श्लेष्मेतिशब्दनिष्पत्तिः ।
कुरुते श्लेषणरोपणप्रभृतीनि जलस्य कर्माणि ॥४६॥

स्नेहो बन्धः स्थैर्यं गुरुता वृषता बलं ह्यलञ्च तनौ ।
क्षान्तिर्धृतिस्त्वलोभः कफकर्म प्राकृतं ज्ञेयम् ॥४७॥

### दोषाणां गतिः

दोषगतिः स्यात् त्रिविधा स्थानं वृद्धिः क्षयस्तृतीयश्च ।
वृद्धिश्चापि द्विविधा सञ्चयरूपः प्रकोपश्च ॥४८॥

दोषाणां स्वस्थाने वृद्धिस्त्वल्पा तु सञ्चयः प्रोक्तः ।
कोपो विलयनभावः सोन्मार्गव्रजनशीलत्वः ॥४९॥

स्थानं समस्थितत्वं ह्रासो हानिर्भवेत् क्षयश्चापि ।
स्वप्राकृतपरिमाणादिति वै निर्णीतसिद्धान्तः ॥५०॥

वृद्धिर्वाऽप्यथ हानिर्दोषाणां भवति हेतुभिः स्वैः स्वैः ।
अत एव सर्वभावैः कारणमेषान्तु विज्ञेयम् ॥५१॥

### दोषप्रकोपहेतवः

रूक्षैस्तिक्तकषायैः कटुभिरनशनैश्च वेगसंरोधैः ।
व्यायामात्त्वतिशैत्याद् धातुह्रासान्मनःसादात् ॥५२॥

रात्रौ जागरणादपि प्रावृट्काले तथा च वार्धक्ये ।
रात्र्याश्चरमे सायं चान्ने जीर्णेऽनिलक्षोभः ॥५३॥

कट्वम्लोष्णविदाहिद्रव्यैरतितीक्ष्णलवणसंसृष्टैः ।
अतियोगसेवितैश्च क्रोधादतिघर्मतश्चापि ॥५४॥

भुक्तस्य जरणकाले मध्याह्ने सपदि सार्धरात्रे च ।
यूनि स्वभावतः स्याच्छरदि च पित्तस्य संक्षोभः ॥५५॥

मधुराम्ललवणसहितैर्द्रव्यैः सुस्निग्धपिच्छिलैर्गुरुभिः ।
स्वापाद् दिवसे काले स्वभावतः पुष्पसमये च ॥५६॥

दिवसस्याद्ये भागे रात्र्याश्चापि श्रमाभिराहित्यात् ।
बाल्ये वयसि प्रकोपो भवति कफस्यापि धीरस्य ॥५७॥

### प्रकुपितदोषाणां लक्षणानि

कोपे वातस्य भवेच्छूलं जठरे रुजा तथाऽङ्गेषु ।
स्तब्धत्वं सङ्कोचः कर्कशता कृष्णता विट्सु ॥५८॥

कार्श्यं निद्रानाशस्त्वचि रूक्षत्वञ्च चित्तचापल्यम् ।
अग्नेश्चापि विषमता वदनविरसतास्यशोषश्च ॥५९॥

स्वेदोऽति स्यात् पित्ते दाहः सर्वाङ्गगोऽभिसन्तापः ।
मूर्च्छा तृष्णा वर्णो पीतस्त्वङ्नेत्रमूत्रादौ ॥६०॥

गौरवमग्नेर्मान्द्यं हृल्लासः प्रस्रुतिश्च लालायाः ।
आलस्यरोमहर्षौ वपुषि मुखे चापि माधुर्यम् ॥६१॥

कण्ठे कण्डूस्तन्द्रा निन्द्रा सादः शरीरबुद्ध्योश्च ।
पाण्डुत्वं वा श्वैत्यं विकृता वृद्धिः कफक्षोभे ॥६२॥

प्रकुपितदोषोपक्रम।

बस्तिविरेकोल्लेखैः क्रमशः शोध्यास्तु वातपित्तकफाः ।
संशोधनैस्तु शुद्धाः दोषाः न पुनः प्रकुप्यन्ति ॥६३॥

वमनविरेकौ नस्यञ्चास्थापनबस्तिसंज्ञको निरूहश्च ।
अनुवासनश्च बस्तिः संशोधनपञ्चकर्माणि ॥६४॥

तदनन्तरं प्रशमनं कुपितानामाशु जानता कार्यम् ।
आहारौषधचेष्टायोगैस्तैस्तैः समुद्दिष्टैः ॥६५॥

मधुराम्ललवणयोगैर्वातं स्नेहेन मित्रवच्छमयेत् ।
बहुशः स्वेदविधानात् विश्रामान्निद्रया हर्षैः ॥६६॥

मधुरैस्तिक्तकषायैः पितं स्थानं निजं द्रुतं व्रजति ।
सान्त्वनया सुहृदामपि शीतलजलपानसेकाभ्याम् ॥६७॥

द्रव्यैस्तिक्तकषायैः कटुभिः श्लेष्मा शमं समायाति ।
तीक्ष्णोष्णरूक्षयोगैः जागरणाच्चेष्टया चापि ॥६८॥

कुपिता जनयन्ति रुजः क्षीणाः दोषाः स्वलक्षणं जहति ।
साम्यावस्थाप्राप्ताः प्रकृताः स्वं कुर्वते कर्म ॥६९॥

धातवः

रसरक्तमांसमेदोऽस्थितदन्तर्भूतमज्जशुक्राणि ।
धारणपोषणकरणात् सप्तैते धातवः ख्याताः ॥७०॥

रसप्रभृतीनां तेषां धातूनां सार ओज इति विदितः ।
तद्व्याधिप्रतिबन्धकबलरूपं श्लेष्मलिङ्गञ्च ॥७१॥

रसधातुर्हृदयस्थो व्यानक्षिप्तः शरीरधमनीषु ।
कुल्यास्विव केदारों धातूनङ्गानि पोषयति ॥७२॥

धात्वाहाराः काले परिणामं धातवः सदा यान्ति ।
एवं चरमो धातुः शुक्रं मासेन संभवति ॥७३॥

अव्यक्तं तद्बाल्ये वार्धक्ये चाथ शुष्कतां याति ।
विकसितकुसुमोपमिते तारुण्ये कार्मुकं भवति ॥७४॥

## मलानि

मूत्रपुरीषस्वेदादिकमाहारान्मलन्तु निःसारम् ।
स्वाशयसञ्चयपूर्वकमथ निजमार्गाच्च निःसरति ।।७५।।

धातूनामपि सूक्ष्मो भागो यः सोऽग्रधातुनां याति ।
स्थूलोंऽशस्त्वग्राह्यः किट्टाख्यो नीयते च बहिः ।।७६।।

## अग्नयः

अग्निस्तु पाककर्मण्यविनाभावेन साधको ज्ञेयः ।
ते संख्यया त्रयोदश जाठर-भूतस्थ-धातुसंस्थाश्च ।।७७।।

तेषां सर्वाध्यक्षः ख्यातो वैश्वानरोऽनलो जठरे ।
यो हि चतुर्विधभुक्तं पचति रसार्थं मलार्थञ्च ।।७८।।

भूताग्नयस्तु पञ्च प्रत्येकं भुक्तनीतभूतांशम् ।
परिणमयन्ति यथास्वं भूतानां पोषणार्थं हि ।। ७९ ।।

धात्वग्नयस्तु सप्त प्रत्येकं धातुमञ्जसाश्रित्य ।
भागत्रये पचन्ति स्थूले सूक्ष्मेऽतिसूक्ष्मे च ।।८०।।

स्थूलो भागः किट्टं सूक्ष्मः स्वो धातुभाग एव स्यात् ।
परिणम्यतेऽतिसूक्ष्मश्चोत्तरधातौ क्रमश्चैषः ।।८१।।

एवं पाकविधानात् परिणामो दृश्यते तनौ द्विविधः ।
एकः प्रसादभूतः किट्टाख्यस्त्याज्य एवान्यः ।।८२।।

अन्तर्मुखः प्रसादः किट्टाख्योंऽशो बहिर्मुखो विदितः ।
आद्यः प्रीणाति वपुः कुरुते मलिनं द्वितीयस्तु ।।८३।।

## स्रोतांसि

धमनीसिरादिरूपाः नलिकाः स्रोतांसि खानि कथ्यन्ते ।
यानि वहन्ति चतुर्विधमशितं धातून् मलान् दोषान् ।।८४।।

स्वेनाग्निना विपक्वः मार्गेण स्वेन वाहितः सम्यक् ।
धातुर्धत्ते देहं स्वोत्तरधातुञ्च पोषयति ।।८५।।

इत्थं मलप्रसादद्वैधे नृत्यन्निरन्तरं देहः ।
संवर्धते पृथिव्यां तृणवच्चान्ते लयं याति ।।८६।।

## पदार्थाः

ज्ञातव्यास्तु पदार्थाः भिषजायुर्वेदतत्त्वबोधाय ।
षट् सामान्यविशेषौ द्रव्यं गुणकर्मसमवायाः ।।८७।।

द्रव्यं सर्वप्रधानं, कर्मगुणौ स्तः सदा यदाश्रित्य ।
समवायेन तु, कार्यं स्यात्सामान्याद्विशेषाच्च ॥८८॥

यत्राश्रयते गुणयुक् कर्म निमित्तञ्च यद्धि समवायि ।
तद् द्रव्यं हि प्रधानं प्रकीर्त्यते सर्वतः प्राज्ञैः ॥८९॥

गुणसंज्ञः समवायाधेयो द्रव्ये श्रितस्त्वसमवायि ।
कारणमुक्तं, द्रव्यादनन्तरं जन्यते क्षणतः ॥९०॥

संयोगे च विभागे कारणभूतं सदा च द्रव्यस्थम् ।
कर्म प्रयत्नमूलं जीवानां चेष्टितञ्चापि ॥९१॥

द्रव्याणां गुणकर्मभिरविरतसम्बन्ध एव समवायः ।
द्रव्यन्त्वाभ्यां रहितं तिष्ठति नैव क्षणादूर्ध्वम् ॥९२॥

सामान्यं तुल्यार्थं वृद्धिकरं सर्वदैक्यकर्तृत्वात् ।
विपरीतश्च विशेषो ह्रासकरोऽसौ पृथक्त्वकरः ॥९३॥

दोषादीनां वृद्धिं क्षयमथ दृष्ट्वा भिषग्वरो दद्यात् ।
क्षयवृद्ध्यर्थं द्रव्यं हितं विशिष्टञ्च सामान्यम् ॥९४॥

देशः

जाङ्गलसैन्धवसैकतपार्वत्यानूपमध्य इति भेदात् ।
देशः षड्विध उक्तः तरतमयोगाद्धि भूतानाम् ॥९५॥

वन्यो वातप्रधानः, सामुद्रः श्लेष्मपित्तकृज्ज्ञेयः ।
पित्तानिलकृन्मरुभूः, पार्वत्यो वातकफप्रायः ॥९६॥

आनूपः कफबहुलः, मध्यः साधारणो भवेद्देशः ।
देशप्रकृतिविचारं कृत्वा पथ्यं प्रयुञ्जीत ॥९७॥

बलम्

उपचयशक्तिविशेषो बलमिति तज्ज्ञैः पुनः समाख्यातम् ।
प्रवरं मध्यन्त्ववरं त्रिविधं स्यात् कोटिभेदेन ॥९८॥

त्रिविधं कारणभेदाद्युक्तिकृतं त्वौषधादिनिष्पन्नम् ।
कालजमिति यत् कालात् सहजं जन्मप्रभृति यत् स्यात् ॥९९॥

कालः

कालो ग्रहपतिगमनादुत्तरदिशि दक्षिणस्याञ्च तथा ।
आदानञ्च विसर्गो द्विविधः स्यादयनभेदेन ॥१००॥

आद्ये सूर्यः प्रबलो रससारं प्राणिनां समादत्ते ।
सोमश्चाथ विसर्गे विसृजति रसमेषु पुष्टिकरम् ॥१०१॥

त्रिविधो लक्षणभेदात् शीतोष्णावर्षलक्षणः कालः ।
देशविशेषाल्लोके स्याल्लक्षणतारतम्यन्तु ॥१०२॥

ऋतुभेदेन पुनः स्यात् षोढा वर्षा शरच्च हेमन्तः ।
शिशिरवसन्तग्रीष्माः वैसर्गादानकौ क्रमशः ॥१०३॥

वायोश्चयः प्रकोपो ग्रीष्मे वर्षासु च क्रमाज्ज्ञेयः ।
सञ्चीयते प्रकुप्यति वर्षाशरदोः क्रमात् पित्तम् ॥१०४॥

एवं कफस्य चयनं कोपो हैमे तथा वसन्ते स्यात् ।
इति सञ्चयप्रकोपौ ज्ञात्वा चर्यां भजेज्जन्तुः ॥१०५॥

शोधनदृष्ट्या प्रावृट्कालः प्राक् वर्षतः समाख्यातः ।
तस्मिन् मते न वैद्यैः ऋतुभेदे गण्यते शिशिरः ॥१०६॥

ऋतुगणनैका यस्यामाषाढान्मासतो भवेत् क्रमशः ।
सौरक्रमो द्वितीयो मेषाद्यात् ग्रीष्मप्रारम्भः ॥१०७॥

मासो राशी रूपं त्वेषु स्यादुत्तरोत्तरं प्रबलम् ।
एवं क्रमेण मनुजैराचरणीयं यथा श्रेयः ॥१०८॥

## सत्त्वम्

सत्त्वं नृणां त्रिविधं प्रवरावरमध्यभेदतो ज्ञेयम् ।
प्रवरो धीरो मध्यो मध्यस्त्ववरश्च विपरीतः ॥१०९॥

## सात्म्यम्

यत्त्वात्मनोऽनुकूलं तत् सात्म्यं कथ्यते हितं प्राज्ञैः ।
प्रवरं सर्वरसीयं त्वेकरसीयं भवेदवरम् ॥११०॥

मध्यं मध्यममार्गं प्रवरं त्विष्टं मतं सदा सद्भिः ।
निजहितबुद्ध्या सर्वे सात्म्यं संवीक्ष्य युञ्जीरन् ॥१११॥

## वयः

त्रिविधं वय इति विदितं बाल्यं मध्यं तथा च वार्धक्यम् ।
आषोडशात्तु बाल्यं मध्यं स्यात् सप्तर्ति यावत् ॥११२॥

तदनु जराजर्जरितं शिथिलितगात्रं भवेत्तु वार्धक्यम् ।
कफपित्तानिलबहुलञ्चैतत् क्रमशो हि विज्ञेयम् ॥११३॥

बाले मृदु मात्राल्पं वृद्धे तद्वत् गदे प्रयोक्तव्यम् ।
आहारौषधमेतन्न कदाचित्तीक्ष्णमादेश्यम् । ॥११४॥

प्रकृतिः

शुक्ररजःसंयोगे संयोगादुल्वणेन दोषेण ।
दोषप्रकृतिर्नृणां भवति विशिष्टा तथाऽऽमरणात् ॥११५॥

शीतद्वेषी स्तेनः प्रियसंगीतः करौ पदौ स्फुटितौ ।
रूक्षश्मश्रुनखाद्यो धृतिरहितश्चास्थिरात्मा स्यात् ॥११६॥

कृशपरुषश्च कृतघ्नो बहुभाषी शीघ्रगतिरथाप्यटनः ।
अस्थिरमैत्रश्चञ्चलनयनः स्याद् वातलप्रकृतिः ॥११७॥

मेधावी तेजस्वी विगृह्य वक्ताऽऽशुकोपकरुणः स्यात् ।
बहुभुक् चोष्णद्वेषी स्वेदी स्यात् पित्तलप्रकृतिः ॥११८॥

सुभगः प्रियः कृतज्ञो धृतिमानलोलुपो दृढश्चिरग्राही ।
बलवान् सहिष्णुरतुलश्रद्धो दाता कफप्रकृतिः ॥११९॥

शौचास्तिक्यसमेतः सुरगुरुपूजारतः सुखी धीमान् ।
मध्यस्थितो विवेकी स्वाध्यायी सात्त्विकप्रकृतिः ॥१२०॥

शूरो रागद्वेषी क्रोधी कामी त्वमर्षणो भोगी ।
लोभी स्वार्थी हिंसानिरतोऽसौ राजसप्रकृतिः ॥१२१॥

मूर्खो मन्दो भीरुः शौचद्वेषी तथा कलौ निरतः ।
सुजनद्वेष्टा स्वापी पर्युषिताशी तमःप्रकृतिः ॥१२२॥

एवं पुरुषविशेषाद् भूतप्रकृतयश्च साधु विज्ञेयाः ।
पुरुषस्य निश्चयार्थं प्रकृतिं सम्यक् परीक्षेत ॥१२३॥

प्रकृतिं स्वां स्वां वीक्ष्य प्राज्ञश्चर्यां चरेद्धितां नित्यम् ।
पुरुषं पुरुषं वीक्ष्य त्वगदङ्कारो दिशेदगदम् ॥१२४॥

॥ इति षोडशाङ्गहृदये प्रियव्रतशर्मकृते मौलिकसिद्धान्तप्रकरणं प्रथमम् ॥१॥

# २. शारीरम्

पङ्ग्वन्धवदुभयोर्यः संयोगस्तत्कृतं प्रकृतिपुंसोः ।
पञ्चमहाभूतमयं स्थूलशरीरं विदुः प्राज्ञाः ॥१॥

शीर्यंत इति तु शरीरं दिह्यत इति देह उपचयार्थकरः।
कायोऽपि तत्समार्थो यो हि निकायोऽस्ति जीवस्य ॥२॥

तत्तु षडङ्गं शाखाचतुष्टयं मध्यमं शिरः षष्ठम् ।
मस्तकनाभिललाटस्फिग्जानूर्वादि प्रत्यङ्गम् ॥३॥

आव्रियते तु शरीरं सप्तत्वग्भिः समस्तमापादात् ।
सप्त कलाः मर्यादाभूताः धात्वाशयान्तःस्थाः ॥४॥

आशेरतेऽन्नदोषौ यत्र मलाद्या त आशयाः प्रोक्ताः ।
स्रोतांसि सन्ति मार्गाः यैः सम्यक् संवहन्त्येते ॥५॥

अस्थीनि वृक्षसारप्रतिमानि नृणां शरीरमादधति ।
सन्धिभिराबद्धोऽयं स्नायुशतैः देहकङ्कालः ॥६॥

पेश्यस्तत्र निविष्टा रज्जुनिभोत्कण्डराप्रतानान्ताः ।
आऽक्षिनिमेषात् सर्वाश्चेष्टाः सम्पादयन्तीह ॥७॥

नाड्यस्तन्त्रीसदृशाः मूर्ध्नि सुषुम्नातले च संलग्नाः ।
व्याप्य समस्तं देहं संज्ञां चेष्टां वहन्त्येताः ॥८॥

ध्मानाद् वहन्ति रक्तं हृदयादङ्गेषु याः धमन्यस्ताः ॥
सरणाद्धृहृदयाभिमुखं मन्दं रक्तस्य तास्तु सिराः ॥९॥

उभयोर्मध्ये सूक्ष्मा वितताः केशस्य सूक्ष्मजालनिभाः ।
याभ्यः स्रवति रसोऽसौ ताः प्राज्ञैः केशिकाः प्रोक्ताः ॥१०॥

हृदयं हरति ददाति प्रयतं रुधिरं सवेगमप्ययते ।
तदिदं सार्थकसंज्ञं कायहितार्थं हि चरितार्थम् ॥११॥

हृदयं जीवनमूलं हृदयनिरोधे न जीवितुं शक्यम् ।
अत एव प्राङ्‌ महर्षिप्रोक्तं तच्चेतनास्थानम् ॥१२॥

रसरक्ताश्रयहृदयं वितरति तत् सर्वदेहपरिपुष्ट्यै ।
दोषानप्याहृत्य च याति यथा चक्रपरिवृत्तिः ॥१३॥

वक्षसि हृदयसरोजं तत्पार्श्वे फुफ्फुसावथोभयतः ।
तदधो दक्षिणभागे यकृदिह वामे तथा प्लीहा ॥१४॥

फुफ्फुसयुगलं सकलं रक्तमशुद्धं सदैव शोधयति ।
श्वासानीताम्बरगतसुधया धौतं सुधातुल्यम् ॥१५॥

मूलाधारस्तु पथां रक्तवहानां श्रयश्च पित्तस्य ।
यकृदस्ति कपिलवर्णं कर्माणि बहूनि प्रकरोति ॥१६॥

प्लीहा तथैव रक्तस्थानमतो यत्र रक्तकणिकाद्याः ।
निर्मीयन्ते सततं, रक्तक्षयरोगसंवृद्धः ॥१७॥

ग्रहणी वह्निस्थानं यत्राश्लिष्टा कला तु पित्तधरा ।
अशितं पीतं सर्वं जीर्यत्यत्रैव पित्तेन ॥१८॥

रसमलविवेककालादनन्तरं शोषितो रसोऽन्त्रेभ्यः ।
हृदयं याति, पुरीषं गुदमार्गात्तद्विनिःसरति ॥१९॥

बस्तिर्मूत्राधारो निदधाति स वृक्कनिर्मितं मूत्रम् ।
उभयगवीनीभ्यां, तद् विसृजति मूत्रप्रसेकाच्च ॥२०॥

शुक्रं सर्वशरीरव्याप्तं शुक्राशयस्थितं व्यक्तम् ।
मैथुनकाले हर्षात् मूत्रस्रोतोऽयनाद् याति ॥२१॥

त्र्यावर्त्ता स्त्रीयोनिस्तस्याश्चरमे स्थितस्तथावर्त्ते ।
गर्भाशयः स दृष्टो वस्तिपुरीषाशयान्तःस्थः ॥२२॥

मस्तिष्काश्रयभूतं प्राणेन्द्रियमूलमुत्तमाङ्गं यत् ।
तद्धि शिरः संप्रोक्तं मूर्धन्यं मर्मसु प्राज्ञैः ॥२३॥

मर्मशतं सप्तोत्तरमत्र प्रहाराद् रुजा च मृत्युश्च ।
हृदयं शिरश्च वस्तिः मर्मत्रयमेतदुपदिष्टम् ॥२४॥

मानवशरीरशास्त्रं बोद्धुं सम्यक् बुभूषुना भिषजा ।
द्रष्टव्यास्तु विशेषादङ्गावयवाः शवच्छेदात् ॥२५॥

॥ इति षोडशाङ्गहृदये प्रियव्रतशर्मकृते शारीरप्रकरणं द्वितीयम् ॥२॥

## ३. द्रव्यगुणम्

भिषजां वृत्तौ करणं चरणोऽन्यतमो मतश्चिकित्सायाः ।
द्रव्यमतो विज्ञेयं नाम्ना रूपेण गुणधर्मैः ॥१॥

शास्त्रे यस्मिन् द्रव्यं नामाकृतिधर्मकर्मसंयोगैः ।
विक्रियते च प्रयोगैः द्रव्यगुणन्तद् विनिर्दिष्टम् ॥२॥

गुर्वाद्यास्तु गुणा ये मधुराम्लाद्याः रसास्तथा वीर्यम् ।
द्रव्ये स्थिताः विपाको द्रव्यप्रभावश्च कर्माणि ॥३॥

गुणकर्माश्रयभूतं द्रव्यं, द्रव्याश्रिताः गुणाः प्रोक्ताः ।
रसनार्थस्तु रसः स्याद्, वीर्यं द्रव्यक्रियाहेतुः ।।४।।

अग्निकृतः परिणामो योऽन्त्यः पाकात्मको विपाकोऽसौ ।
द्रव्यस्वभावभूतः शक्तिविशेषः प्रभावः स्यात् ।।५।।

संयोगे च विभागे यद्धेतुः स्थात् समाश्रितं द्रव्ये ।
तद् दीपनादि कर्म प्रथितश्चापि प्रयत्नादि ।।६।।

भौमं जाङ्गममौद्भिदमिति भिन्नं योनिभेदतस्त्रिविधम् ।
द्रव्यं प्रयोगभेदादाहारस्त्वौषधश्चापि ।।७।।

त्रिविधश्च कर्मभेदाच्छमनं कोपावहन्तु धातूनाम् ।
स्वस्थहितं तद् द्रव्यं यत् साम्यं स्थापयत्यमलम् ।।८।।

## १. हरीतकी

दोषान् सर्वान् स्वबलाद्धरतितरां तद्धरीतकी ख्याता ।
अपसारयति मलांश्च प्रसभं धातून् विवर्धयति ।।९।।

## २. बिभीतकम्

बिभ्यति रोगा यस्माद् द्यूतक्रीडाक्षसाधनीभूतम् ।
ख्यातं बिभीतकं तच्छ्लेष्महरं श्वासकासघ्नम् ।।१०।।

## ३. आमलकी

धात्रीतुल्या मनुजान् पालयति त्रायते च रोगेभ्यः ।
तस्याः फलमामलकं वृष्यं बल्यञ्च पित्तघ्नम् ।।११।।

## ४. त्रिफला

पथ्याबिभीतधात्र्यः समभागफलाः भवेत्तु सा त्रिफला ।
प्रथिता रसायनीयं मलमूत्रविशोधनो शमनी ।।१२।।

## ५. पिप्पली

मगधोद्भवा विदेहप्रभवा कृष्णा च पिप्पली चपला ।
वातश्लेष्मणि कासे शस्ता जीर्णज्वरे बल्या ।।१३।।

## ६. शुण्ठी

नागरपरपर्याया शुण्ठी विश्वा कटूष्णवीर्या च ।
कफवातघ्नी सामं पाचयति त्वामवातघ्नी ।।१४।।

७. मरिचम्

मरिचं कटुकं कृष्णं तीक्ष्णोष्णं स्रोतसां प्रमाथि स्यात् ।
कफछेदने प्रशस्ता कासादौ लेखनीया च ॥१५॥

८. त्रिकटु

शुण्ठीमगधामरिचैः कटुकैर्भागैर्भवेत् समैस्त्रिकटु ।
वातकफौ विनिहन्ति प्रचुरं दीपयति वह्निश्च ॥१६॥

९. बिल्वः

बिल्वत्वग् वातघ्नी तत्पत्रं हृद्यमेहशोथघ्नम् ।
तस्य शलाटु कषायं तिक्तं स्याद् दीपनं ग्राहि ॥१७॥

१०. गम्भारी

त्वग् गम्भार्यास्तिक्ता तुवरा दशमूलवर्गघटनीया ।
पक्वं फलं सुपीतं स्वादु स्वयनं रसादीनाम् ॥१८॥

११ पाटला

ख्याता वसन्तदूती खरपत्रा सुरभिपाटलप्रसवा ।
तन्मूलत्वक् तुवरा तिक्तोष्णा श्लेष्मवातहरी ॥१९॥

१२. श्योनाकः

श्योनाकोऽसिफलः स्याद् दुन्दुभिपुष्पः सुदीर्घदलवृन्तः ।
तुवरस्तिक्तश्चोष्णो ग्राही शोथामवातहरः ॥२०॥

१३. अग्निमन्थः

तर्कारीद्वयमुक्तं तर्कार्याद्याऽपरो द्रुमोऽग्निमन्थश्च ।
उष्णः कषायतिक्तः कफवातघ्नश्च शोथहरः ॥२१॥

१४. शालपर्णी

विदारिगन्धांऽशुमती बधती पर्णञ्च शालपर्णनिभम् ।
ज्ञेया तु शालपर्णी हृद्या बल्या त्रिदोषघ्नी ॥२२॥

१५. पृश्निपर्णी

गोमायुपुच्छसदृशं पुष्पव्यूहं बिभर्ति सघनवलम् ।
बल्या तु पृश्निपर्णी वृष्या सोष्णा ज्वरघ्नी च ॥२३॥

१६. बृहती

बृहती स्याद् वार्ताकी वार्त्ताकफलोपमं फलं दधती ।
कटुतिक्तोष्णा ग्रहणीरोगं श्लेष्मानिलौ हन्ति ॥२४॥

१७. कण्टकारी

व्याघ्री निदिग्धिकाऽसौ कण्टकिता कण्टकारिका विदिता ।
कण्ठहिता कटुतिक्ता कासश्वासज्वरान् हन्ति ॥२५॥

१८. गोक्षुरः

शृङ्गाटोपमफलयुक् निशितैः कण्टैर्युतश्च गोक्षुरकः ।
मूलं दशमूलगणे, मूत्र्यं वृष्यं फलं बल्यम् ॥२६॥

१९. दशमूलम्

बिल्वो वसन्तदूती श्रीपर्णी टिण्टुकस्तथाऽग्निमन्थश्च ।
पर्ण्यावुभे श्वदंष्ट्रा भवति बृहत्यौ च दशमूलम् ॥२६॥

दशमूलं वातहरं शोथहरं सर्वतस्त्रिदोषहरम् ।
शोथे ज्वरे प्रशस्तं वातव्याधौ च दौर्बल्ये ॥२८॥

२०. आरग्वधः

आरग्वध इति नाम्ना स्वर्णसुमो व्याधिहृच्च दण्डफलः ।
तत्पत्रं कुष्ठघ्नं, फलमज्जाऽऽस्तु मृदुरेकी ॥२९॥

२१. भल्लातकः

भल्लातकोऽतितीक्ष्णः स्पर्शात् कुरुते तनौ तथारूंषि ।
वीर्येऽप्युष्णः कुष्ठं वृद्धिं चार्शांसि नाशयति ॥३०॥

२२. विडङ्गम्

अपसारयति विडङ्गं नूनं सद्यो विडङ्गभूतक्रमीन् ।
शूलाध्मानविबन्धानपि वह्नेर्मन्दतां हन्ति ॥३१॥

२३. कुटजः

कुटजो महेन्द्रपर्वतसम्भूतः शक्रवृक्षनामाऽसौ ।
प्रावृषि पुष्पप्रसवस्तद्बीजञ्चेन्द्रयवसंज्ञम् ॥३२॥

कुटजः कषायतिक्तः कफपित्तघ्नोपशोषणः क्रिमिजित् ।
ग्रहणीरुजि रक्तार्शसि शस्तश्चामातिसारगदे ॥३३॥

२४. मदनः

मदनस्तरुरिह गिरिषु प्रभवति विन्ध्यादिषु प्रकण्टिकतः।
वमनकराणां श्रेष्ठं मदनफलं प्रोच्यते प्राज्ञैः ॥३४॥

२५. कम्पिल्लकः

कम्पिल्लकस्य फलतो लोहितवर्णं रजः समादाय।
प्रयुज्यते क्रिमिघ्नं विरेचनं रोपणं व्रणिनाम् ॥३५॥

२६. कर्पूरः

कर्पूरः शशिसंज्ञो हृद्यो लेखी हिमश्च चक्षुष्यः।
सुरभिः कटुकस्तिक्तो दौर्गन्ध्यं दाहमपहरति ॥३६॥

२७. चन्दनम्

चन्दनमपि सञ्जातं मलयगिरौ भारतं सुवासयति।
विश्वञ्च सुरभिकीर्त्या शैत्येन च पित्तशमनेन ॥३७॥

२८. अगुरु

पूर्वोत्तरप्रदेशे जाते वृक्षे च भक्षिते क्रिमिभिः।
गुरुसारं स्यादगुरु प्रकाममुष्णञ्च सुरभिवरम् ॥३८॥

२९. देवदारु

हिमवच्छिखरे जातः स्नातः स्तन्येन मातृपार्वत्याः।
तत्तरुदारु लघूष्णं तिक्तं वातप्रमेहघ्नम् ॥३९॥

३०. पद्मकम्

पद्मकदारु सतुवरं तिक्तं शीतं कफास्रपित्तहरम्।
त्वग्दोषे तृष्णायां शस्तं दाहेऽस्रपित्ते च ॥४०॥

३१. गुग्गुलु

निर्यासः स्याद् गुग्गुलु तरुभिर्जातैर्मरुस्थलेऽत्युष्णे।
वातव्याधौ मेदोरोगे शस्तं व्रणादौ च ॥४१॥

३२. जातीफलम्

जातीफलन्तु बीजं द्वीपान्तरवासिनो द्रुमाज्जातम्।
सङ्ग्राहि दीपनं स्याज्जातीपत्री तदावरणम् ॥४२॥

३३. लवङ्गम्

सुरकुसुमन्तु लवङ्गं कलिका पुष्पस्य सुरभि शीतञ्च।
तिक्तं कटु पित्तकफौ हन्ति चलञ्चानुलोमयति ॥४३॥

३४. त्वक्पत्रम्

त्वक् स्यात्तमालवृक्षत्वक्, पत्रं तस्य पत्रकं प्रथितम्।
त्वक्पत्रन्तु लघूष्णं कासार्शोवह्निमान्द्यहरम् ॥४४॥

६५. एला

एला दक्षिणजाता मलयानिलमाकुलं सुगन्धेन।
कुरुते, शीता महिता क्षयजे कृच्छ्रे च मुखशुद्धौ ॥४५॥

३६. नागकेशरः

पुष्पं सुवर्णवर्णं परिधत्ते नागकेशरः सुरभिम्।
रक्तार्शसि तृड्दाहज्वरविषजुष्टेषु परमहितः ॥४६॥

३७. त्रिजातम्-चतुर्जातम्

एलात्वक्पत्रैस्तु त्रिभिरभिविहितं त्रिजातसंज्ञं तत्।
तन्नागपुष्पयुक्तं ख्यातं विज्ञैश्चतुर्जातम् ॥४७॥

३८. तालीशम्

तालीशं तीक्ष्णोष्णं कफवातहरं हिमाद्रिसंभूतम्।
श्वासे कासे त्वरुचौ यक्ष्मणि शस्तं तथा मान्द्ये ॥४८॥

३९. उदुम्बरः

श्रेष्ठो भवेदुदुम्बरनामा क्षीरान्वितेषु वृक्षेषु।
शीतस्तुवरः शमयति कफपित्तेऽतीव सङ्ग्राही ॥४९॥

४०. क्षीरिवृक्षपञ्चकम्-पञ्चवल्कलम्

बोधिद्रुमपारीषप्लक्षोदुम्बरवटाः द्रुमाः पञ्च।
क्षीरिद्रुमास्तु पञ्च ख्याताः, त्वक् पञ्चवल्कं स्यात् ॥५०॥

४१. काकोदुम्बरः

काकोदुम्बरनामा मलपूश्चाप्येष कथ्यते प्राज्ञैः।
तिक्ता रसे च तुवरा शस्ता श्वित्रे व्रणे कुष्ठे ॥५१॥

४२. शिरीषः

पुष्पं सुकुमारं यो मधुमासे सुरभि मूर्ध्नि धारयति।
विषनाशकेषु चाग्र्यं शस्तश्चान्येषु रोगेषु ॥५२॥

४३. अर्जुनः

धवलत्वचर्जुवृक्षश्चार्जुननामा तु जायते बहुशः।
तुवरः कफपित्तघ्नः ग्राही हृद्यश्च शस्ततमः ॥५३॥

४४. असनः

असनो बीजकसञ्ज्ञः सारप्रधानो भवेदसौ विटपी।
रूक्षः शीतस्तुवरो मेहे कुष्ठे प्रशस्तश्च ॥५४॥

४५. खदिरः

खदिरः खादति कुष्ठं तुवरः शीतः कफास्रपित्तहरः।
दन्तान् द्रढयति, मेहान् मेदोरोगञ्च नाशयति ॥५५॥

४६. रोहितकः

रक्तत्वग् रोहितको दाडिमपुष्पश्च राजते विपिने।
वृद्धि प्लीह्नो यकृतो विधिना युक्तो निवारयति ॥५६॥

४७. बब्बूलः

बब्बूलस्तु कषायः शुष्के देशे प्रजायते प्रायः।
कफपित्तहरो रूक्षः कासातीसारनुद् ग्राही ॥५७॥

४८. लोध्रः

लोध्रस्तुवरः शीतो ग्राही रूक्षोऽतिसारनुच्छस्तः।
प्रदरे स्त्रीणां नेत्राभिष्यन्दे रक्तपित्ते च ॥५८॥

४९. अरलुः

कट्वङ्गोऽरलुसंज्ञस्तिक्तकषायोऽग्निकृच्च सङ्ग्राही।
क्रिमिकुष्ठहरो हन्ति प्रवाहिकाञ्चातिसारञ्च ॥५९॥

५०. कर्कटशृङ्गी

शृङ्गी कर्कटवृक्षे कोशः शृङ्गाकृतिस्तु कीटकृतः।
तिक्तकषाया चोष्णा कफवातघ्नी ज्वरघ्नी च ॥६०॥

५१. कट्फलः

कट्फलवल्कलनस्यं हरति शिरोघ्राणसंस्थितान् रोगान् ।
तुवरस्तिक्तः कटुकः कफवातघ्नस्तथा चोष्णः ।।६१।।

५२. हिङ्गु

हिङ्गूष्णं कटु पित्तं वर्धयति, श्लेष्मवातजान् रोगान् ।
शूलाध्माने हन्ति, प्रसभं वह्निञ्च दीपयति ।।६२।।

५३. रुद्राक्षः

रुद्राक्षः शिवभक्तैर्धार्यः शीतश्च सत्त्वसंशमनः ।
रक्तानिलमुन्मादं दाहं हन्ति ज्वरञ्चापि ।।६३।।

५४. पलाशः

किंशुकतरुरिह मदयति मधुमासे मण्डितो रुधिरपुष्पैः ।
पुष्पं ग्राहि कषायं, बीजं पर्पटनिभं क्रिमिनुत् ।।६४।।

५५. शाल्मलिः

शाल्मलिमूलं वृष्यं, तत्पुष्पं स्तम्भनं प्रदरदारि ।
निर्यासो मोचरसस्त्वतिसारगदान् विमोचयति ।।६५।।

५६. वरुणः

वरुणोऽरुणप्रसूनस्तिक्तदलः कृच्छ्रनाशनश्चोष्णः ।
मेदोहरोऽश्मरीघ्नो विद्रधिगुल्मान् विनाशयति ।।६६।।

५७. सप्तपर्णः

तिक्तस्तु सप्तपर्णश्चोष्णः श्लेष्मानिलौ विलाययति ।
विषमज्वरं सकुष्ठं क्रिमिजातं नाशयत्यचिरम् ।।६७।।

५८. बकुलः

बकुलः कुले तरूणां धन्यो धत्ते हि मद्यगन्धिकुसुमानि ।
गण्डूषदोहदोऽसौ दन्तास्यगदेषु लाभकरः ।।६८।।

५९. अशोकः

तिक्तकषायोऽशोकः शोकं स्त्रीणां निहन्ति प्रदरकृतम् ।
शीतो वीर्ये वर्ण्यो विधियुक्तोऽसौ विषं हन्ति ।।६९।।

६०. करवीरः

करवरो हयमारो हृदयव्याधिं द्रुतं निवारयति।
शोथं त्वचो विकारान् श्वासं मात्राप्रयुक्तश्च ॥ ७० ॥

६१. निम्बः

निम्बस्तिक्तप्रवरः कफपित्तहरो वरो ज्वरापहरः।
कुष्ठं क्रिमिं प्रमेहं रक्तविकारान् व्रणान् हन्ति ॥७१॥

६२. पञ्चतिक्तः

अमृतावासातिक्ताभूनिम्बैः संयुतस्तथा च निम्बेन।
कफपित्तभवे रोगे शस्तोऽयं पञ्चतिक्तगणः ॥७२॥

६३. महानिम्बः

पर्वतनिम्बो गिरिषु प्रजायते प्रायशो महानिम्बः।
तिक्तस्तुवरो बीजं यकृदर्शःकुष्ठमेहघ्नम् ॥७३॥

६४. पारिजातः

शेफाली नवरात्रप्रसवो रुचिरस्तु पारिजातसंज्ञोऽसौ।
पत्रस्वरसस्तिक्तो गृध्रसिजीर्णज्वरक्रिमिहा ॥७४॥

६५. काञ्चनारः

लसति वसन्ते पुष्पैर्धवलैः कर्बुरितरम्यकुसुमदलः।
मालां गण्डस्य गले हन्ति कृतां काञ्चनारस्तु ॥७५॥

६६. शिग्रुः

शिग्रुस्तीक्ष्णश्चोष्णः कटुतिक्तो वातकफहरोऽग्निकरः।
शूलं शमयति, दमयति शोथं, बीजञ्च चक्षुष्यम् ॥७६॥

६७. निर्गुण्डी

निर्गुण्डी कटुतिक्ता चोष्णा श्लेष्मानिलौ क्रिमीन् हन्ति।
कुष्ठं शोथं सामं वातगदं तद्दलस्वरसः ॥७७॥

६८. करञ्जः

नीलाभपुष्पलसितो बहुशो मार्गेषु दृश्यते विटपी।
विदितः करञ्जसंज्ञः कुष्ठव्रणनाशनः क्रिमिनुत् ॥७८॥

६९. कण्टकिकरञ्जः

वल्लीकरञ्जसंज्ञः प्रचुरैस्तीक्ष्णैश्च कण्टकैः सुवृतः ।
कण्टकिकरञ्जबीजं विषमज्वरसामशूलघ्नम् ।।७९।।

७०. नारिकेलम्

शीतं मधुरं स्निग्धं पित्तानिलहारि नारिकेलफलम् ।
बल्यं तदम्लपित्ते जाठरशूले प्रशस्ततरम् ।।८०।।

७१. जम्बूः

जम्बू रूक्षा तुवरा शीता संस्तम्भनी स्रुतौ प्रथिता ।
जम्बूफलास्थि मूत्रं सङ्गृह्णाति प्रमेहघ्नम् ।।८१।।

७२. चाङ्गेरी

चाङ्गेरी जठराग्नेर्दीप्तिकरी वातशान्तिकृच्चाम्ला ।
ग्रहणीरोगे चार्शसि कुष्ठातीसारयोश्च हिता ।।८२।।

७३. चित्रकः

चित्रो वह्निसमानस्तीक्ष्णो दीपयति जाठरं त्वग्निम् ।
चित्रव्याघ्र इवासौ गुल्मं शूलं विदारयति ।।८३।।

७४. पञ्चकोलम्

पिप्पलिचव्यद्वीपिग्रन्थिकविश्वैस्तु पञ्चकोलं स्यात् ।
कटुकं तीक्ष्णञ्चोष्णं कफवातघ्नञ्च वह्निकरम् ।।८४।।

७५. गुडूची

अमृताभिधा गुडूची तिक्तरसा सा रसायनी शस्ता ।
जीर्णज्वरे प्रमेहे सानिलरक्ते च कामलिषु ।।८५।।

७६. पाठा

पाठा तिक्तरसोष्णा वल्ली वृत्तच्छदा सपीतसुमा ।
सङ्ग्राहिणी प्रशस्ता कुष्ठे शूलातिसारघ्नी ।।८६।।

७७. ताम्बूलम्

ताम्बूलं मुखशुद्ध्यै प्रयुज्यते तु तिक्तकटु वीर्योष्णम् ।
वातकफामयशमनं हृद्यं वृष्यञ्च जन्तुघ्नम् ।।८७।।

७८. सारिवा

गोपानां वल्ली या श्वेता कृष्णा च सारिवा द्विविधा ।
बह्नेर्दीप्तिकरी सा बल्या रक्तप्रसादकरी ॥८८॥

७९. शतावरी

शीता शतावरी स्याद् रसायनी स्तन्यदायिनी स्त्रीणाम् ।
वृष्या वातं पित्तं हन्ति हिता चाम्लपित्ते सा ॥८९॥

८०. विदारी

कन्दो महान् विदार्याः कार्श्यं सद्यो विदारयति पुंसाम् ।
भूम्या सहैव भूम्ना रसायनी स्तन्यजननी च ॥९०॥

८१. कपिकच्छूः

मर्कटकाये स्पर्शात् कण्डूं जनयत्यतोऽस्ति कपिकच्छूः ।
तद्बीजं वातहरं मधुरं वाजीकरं परमम् ॥९१॥

८२. कुलत्थ

उष्णं कुलत्थबीजं तीक्ष्णं साम्लं करोति तत्पित्तम् ।
भित्त्वाऽश्मरीञ्च गुल्मान् हन्ति भृशं शुक्रधातुञ्च ॥९२॥

८३. कारवेल्लम्

तिक्तं सोष्णं सरणं कफपित्तघ्नं तु कारवेल्लं स्यात् ।
जन्तुघ्नं ज्वररोगे रक्तविकारे हितं मेहे ॥९३॥

८४. ज्योतिष्मती

ज्योतिष्मती तु तीक्ष्णा कटुतिक्तोष्णा कफानिलापहरी ।
मेध्याऽग्निदीप्तिकरणी पित्तकरी वामनी प्रोक्ता ॥९४॥

८५. मञ्जिष्ठा

मञ्जिष्ठाऽरुणवल्ली शोणितदोषापहारिणी श्रेष्ठा ।
वर्ण्या कुष्ठे मेहे शोथविषघ्नी प्रशस्ततरा ॥९५॥

८६. शतपुष्पा

शतपुष्पा तु शताह्वा कटुरुष्णा पित्तवह्निकृत् शस्ता ।
वातानुलोमनीयं शूले ध्मानेऽग्निमान्द्ये च ॥९६॥

८७. अरण्यजीरकः

क्रिमिनुत्तिक्तरसोऽसौ तीक्ष्णोष्णः कुष्ठहा कफघ्नश्च ।
विषकण्डूतिप्रशमनो ज्वरहन्ताऽरण्यजीरः स्यात् ॥९७॥

८८. यवानी

कटुतिक्ता रूक्षोष्णा वह्निकरी पित्तला यवानी स्यात् ।
शूलाध्मानक्रिमिनुत् शस्ता वातानुलोमकरी ।।९८।।

८९. पारसीकयवानी

पारसदेशभवा या तिक्तोष्णा मादनी यवानी सा ।
शूलप्रशमनकुशला क्रिमिसंघातञ्च नाशयति ।।९९।।

९०. धान्यकम्

कुस्तुम्बुर्वथ धान्यकसंज्ञं हृद्यं परञ्च सङ्ग्राहि ।
दाहच्छर्दिषु शस्तं त्वतिसारे मूत्रकृच्छ्रे च ।।१००।।

९१. रसोनः

अम्लरसेन न्यूनो भवति रसोनोऽन्वितस्तु पञ्चरसैः ।
तीक्ष्णो रसायनोऽसौ चोष्णो वाते परं शस्तः ।।१०१।।

९२. कुष्ठम्

कुष्ठं कटुतिक्तोष्णं वृष्यं कफवातशामकं सुरभि ।
कफवातजे विकारे शस्तं कुष्ठे च रक्तगदे ।।१०२।।

९३. पुष्करम्

पुष्करमूलं कटुकं तिक्तञ्चोष्णं मदावहं किञ्चित् ।
हृद्यं हन्ति श्वासं कासगदं पार्श्वशूलञ्च ।।१०३।।

९४. मांसी

मांसी जटिला हिमवद्देशभवा चित्तशान्तिकृच्छस्ता ।
निद्राजननी मेध्या रक्तानिलहृच्च कुष्ठघ्नी ।।१०४।।

९५. उशीरम्

तिक्तं शीतमुशीरं पाचनमामस्य पित्तहृत् प्रथितम् ।
दाहे ज्वरेऽस्रपित्ते कृच्छ्रे शस्तञ्च तृष्णासु ।।१०५।।

९६. मुस्तम्

मुस्तं कटुकं तिक्तं दीपनसङ्ग्राहि पाचनं परमम् ।
ग्रहणीगदे सदामे ज्वररोगे चारुचौ शस्तम् ।।१०६।।

९७. वचा

तीक्ष्णोष्णा तु वचा स्याद् वमनकरी श्लेष्मवातनुन्मेध्या ।
क्रिमिरोगेऽपस्मारे शूले कोष्ठानिले शस्ता ।।१०७।।

९८. जयपालः

जयपालो द्रवरेची तीक्ष्णः स्वल्पः प्रयुज्यते त्वगदे ।
कोष्ठे क्रूरे शोथे जलोदरे द्रवनिरासाय ॥१०८॥

९९. अतिविषा

द्विविधाऽतिविषा शुक्ला त्वरुणाभा सर्वदोषसंशमनी ।
कटुतिक्तोष्णा कासातीसारज्वरवमीषु हिता ॥१०९॥

१००. दारुहरिद्रा

दार्वी तिक्ता चोष्णा कफपित्तहरी यकृद्विकारहिता ।
मेहे रक्तविकारे व्रणिनाञ्चापि प्रशस्ताऽसौ ॥११०॥

१०१. हरिद्रा

आर्द्रहरिद्रास्वरसो हरति प्रमेहान् निषेवितो नियतम् ।
मधुना चूर्णं कुष्ठश्वासहरं शीतपित्तघ्नम् ॥१११॥

१०२. अपामार्गः

सम्मार्जयति शरीरं मूत्रपुरीषादिकानपाकृत्य ।
बीजं शिरोविरेके युक्तं मूलञ्च कुष्ठघ्नम् ॥११२॥

१०३. बाकुची

बीजं बाकुचिकायाः श्वित्रघ्नं भक्षणात् तथा लेपात् ।
ओषधिरियं समन्ताद् देशे सञ्जायते बहुशः ॥११३॥

१०४. रास्ना

रास्ना वातहराणां श्रेष्ठा चरकेण कण्ठतः प्रोक्ता ।
वातव्याधौ शोथे प्रशस्यते सामवाते च ॥११४॥

१०५. सर्पगन्धा

अतितिक्तन्तु सरोष्णं निद्राकृत् सर्पगन्धिकामूलम् ।
उग्रोन्मादे शूले परिशस्ता रक्तवाते च ॥११५॥

१०६. कटुका

कटुका हिमवद्देशे जाता तिक्ता निहन्ति कफपित्ते ।
मलभेदनी ज्वरघ्नी यकृदामयनाशिनी प्रवरा ॥११६॥

१०७. कुमारी

तिक्ता कुमारिका स्यान्मलरोधविरोधिनी, रजोरोधम् ।
नाशयति द्रुतमेव प्लीहयकृद्रोगनाशकरी ॥११७॥

१०८. पुनर्नवा

वर्धयतीह तु रुधिरं क्षीणं देहं पुनर्नवं कुरुते ।
पाण्डुं शोथं कृच्छ्रं हृद्रोगं सोदरं हन्ति ॥११८॥

१०९. तुलसी

तुलसी भारतभूमौ गेहे गेहे सुपूजिता लसति ।
कफवातघ्नी श्वासज्वरकासादीन् द्रुतं हन्ति ॥११९॥

११०. भृङ्गराजः

भृङ्गः कटुकस्तिक्तो वीर्योष्णः श्लेष्मवातनुत् प्रथितः ।
पलिते चर्मविकारे शोथे पाण्डौ च दौर्बल्ये ॥१२०॥

१११. वासा

वासा कासामयिनां श्वासासृक्पित्तरोगिणामाशा ।
तिक्ता कफपित्तहरी शस्ता शोथे ज्वरे कुष्ठे ॥१२१॥

११२. किराततिक्तः

कैरातस्तु किरातः कफपित्तहरो वरश्च तिक्तेषु ।
सर्वज्वरनिर्मूलनशक्तः कुष्ठव्रणादिहितः ॥१२२॥

११३. शटी

गन्धपलाशा तु शटी सुरभिनटीवावलोक्यते लोके ।
कासे श्वासे शूले हृद्यां मुखशोधने च हिता ॥१२३॥

११४. भार्गी

भार्गी रूक्षा कट्वी तिक्ता वह्नेश्च दीपनी सोष्णा ।
श्वासं कासं पीनसमसृजो गुल्मं विनाशयति ॥१२४॥

११५. ब्राह्मी

ब्राह्मी मेधां वितरति धातून् शस्तान् तनौ च वर्धयति ।
हृद्या सरा च कुष्ठं मेहं शोथं विनाशयति ॥१२५॥

११६. शंखपुष्पी

धत्ते धवलं रम्यं शंखनिभं शंखपुष्पिका पुष्पम् ।
मेध्यप्रवरा स्निग्धा बल्या मानसगदान् हन्ति ॥१२६॥

११७. अश्वगन्धा

पुंसे ददाति वाजं वाजीव भृशं ततोऽश्वगन्धाऽसौ ।
बल्या रसायनीयं वातविकारे प्रशस्ततमा ॥१२७॥

### ११८. बला

**नागबलाऽतिबलाह्वा महाबला नृपबला बला चेति ।**
**पञ्च बला विख्याता वातघ्न्यो बल्यवृष्याश्च ॥१२८॥**

### ११९. जीवन्ती

**शाकश्रेष्ठा बल्ली शृङ्गाकृतिहरितफलभरैः रम्या ।**
**मधुररसा जीवन्ती स्तन्यप्रदा जीवनीया च ॥१२९॥**

### १२०. मधुकम्

**मधुकं मधुयष्ट्याह्वं श्रेष्ठञ्चक्षुष्यवृष्यकण्ठ्यानाम् ।**
**कासे श्वासे शिरसः शूले रोगे हितञ्चाक्ष्णोः ॥१३०॥**

### १२१. अष्टवर्गः

**जीवकवृषभौ मेदा महती मेदा तथा च काकोली ।**
**सक्षीरा काकोली चर्द्धियुता वृद्धिरित्यष्टौ ॥१३१॥**

**ओषधयो हिमवज्जास्तासां निकरोऽष्टवर्गसंज्ञः स्यात् ।**
**मधुरस्तु जीवनीयो बल्यो वृष्यो हिमः स्निग्धः ॥१३२॥**

### १२२. जीवनीयगणः

**साष्टगणा जीवन्ती मधुयष्टी मुद्गपर्णिनी चापि ।**
**माषदलेति गणः स्यान् मधुररसो जीवनीयगणः ॥१३३॥**

### १२३. तृणपञ्चमूलम्

**काशः कुशश्च दर्भश्चेक्षोर्मूलं तथा च शरमूलम् ।**
**ख्यातन्तु पञ्चमूलं तृणसंज्ञं स्तन्यमूत्रकरम् ॥१३४॥**

### १२४. अर्कः

**अर्को द्विविधः श्वेतोऽरुणपुष्पश्च प्रजायते बहुशः ।**
**तीक्ष्णो भेदी श्लेष्मानिलनाशी कुष्ठगुल्मघ्नः ॥१३५॥**

### १२५. एरण्डः

**एरण्डो वातारिः पञ्चाङ्गुलपत्रकश्च चित्रास्थिः ।**
**वातव्याधौ शस्तस्त्वामहरं रेचनं तैलम् ॥१३६॥**

### १२६. दूर्वा

**काण्डात् काण्डाद् रोहति दूर्वा विविधान् व्रणांश्च रोपयति ।**
**रक्तस्रावे दाहे त्वग्दोषेषु प्रशस्तेयम् ॥१३७॥**

१२७. पाषाणभेदः

प्रायः प्रस्तरपृष्ठं भवति तु भित्त्वा ततोऽश्मभेदोऽसौ ।
शीतोऽश्मरीं विभिद्य प्रभवति लातुं बहिर्मूत्रे ॥१३८॥

विस्तरशो द्रव्याणां द्रष्टव्यं प्रियनिघण्टुके ग्रन्थे ।
नामस्वरूपकर्मप्रयोगगुणतो विवरणन्तु ॥१३९॥

रास्नागोक्षुरछिन्नानागबलाभीरुचित्रबीजबलाः ।
हयगन्धाकपिकच्छूपुनर्नवाः वातशामको हि गणः ॥१४०॥

काकोलीद्वयममृतं मधुकं वांशी च पद्मकं पद्मम् ।
जीवन्ती चोशीरं ख्यातः पित्तापहस्तु गणः ॥१४१॥

कृष्णाग्रन्थिकचित्रकविश्वौषधमरिचहिङ्गुसिद्धार्थाः ।
वत्सकभार्गीमूर्वापाठाः श्लेष्मापहस्तु गणः ॥१४२॥

चरके महाकषायाः पञ्चाशद् दशावयवकाः प्रोक्ताः ।
सप्तत्रिंशद् वर्गाः सुश्रुतसूत्रे च निर्दिष्टाः ॥१४३॥

## ४. भेषज-कल्पना

द्रव्याणां सङ्ग्रहणं संरक्षणञ्च

कल्पार्थं सद्द्रव्यं काले कीटादिजन्तुनाऽस्पृष्टम् ।
ग्राह्यं सुभूमिजातं प्रत्यग्रं प्रौढप्रत्यङ्गम् ॥१॥

प्रक्षाल्य सर्वशस्तद् विशोध्य युक्त्या विशोषणीयञ्च ।
छायायां न तु चण्डे घर्मे नश्येद्धि कार्मुकता ॥२॥

पात्रे सुदृढे स्वच्छे मूषककीटादिजन्तुनिर्दूष्ये ।
ओषधयः संरक्ष्याः काले काले प्रयोज्याश्च ॥३॥

मूलकल्पाः

मूलत्वेन समेषां कल्पानां पञ्च कल्पनाः प्रोक्ताः ।
स्वरसः कल्कः क्वाथः हिमफाण्टौ ते कषायाख्याः ॥४॥

स्वरसो द्रव्यात् पिष्टात् पुटपक्वाद् वा रसः समाकृष्टः ।
कल्कः स्याद् द्रवपिष्टं, क्वाथो द्रवपाचितः प्रोक्तः ॥५॥

उष्णेऽचिरस्थितं यद् वारिणि फाण्टं भवेत्तदाकृष्टम् ।
शीते सलीले न्यस्तो रात्रिं यावद्धिमाख्योऽसौ ॥६॥

क्वाथो द्रव्यस्य पलात् षोडशगुणिते जले चतुर्थांशः ।
शिष्टः पेयस्त्वेकल एव क्षौद्रादिमिश्रितो वाऽपि ॥७॥

द्रव्यपलं कुडवोन्मितसलिले क्वथितोष्णके तु संस्थाप्य ।
किञ्चत्कालं फाण्टश्चायसमः प्रस्तुतो भवति ॥८॥

क्षुण्णे द्रव्यपले षण्नीरपलानि प्रदाय संस्थाप्य ।
रात्रिं यावत् प्रातः शीतकषायो हिमो भवति ॥९॥

पुटपाकः

द्रव्यन्त्वापोथ्यान्तर्जम्बूपत्रादिसंपुटे कृत्वा ।
बद्ध्वा रज्जवा मृत्स्नालेपं तु द्व्यङ्गुलं कुर्यात् ॥१०॥

तदनु पुटे संस्थाप्यं परिपाच्यं याति रक्ततां यावत् ।
उद्धृत्य शीतभावे स्वरसो ग्राह्यस्तु तत्कल्कात् ॥११॥

क्षुण्णास्तण्डुलकणिकाः पलमानाः पात्रके समादाय ।
आप्लाव्य वेदगुणितेऽम्भसि जातं तण्डुलाम्भस्तत् ॥१२॥

द्रव्यपलं प्रक्षुण्णं क्वथितं तोये शुभेऽष्टगुणिते तु ।
अवशिष्टं तुर्यांशात् सा हि प्रमथ्या स्मृता प्राज्ञैः ॥१३॥

वारि चतुःषष्टिपलं द्रव्यपलात् साधु साधितं क्षुण्णात् ।
अर्धांशेन तु शिष्टं पानीयं स्यात् षडङ्गादि ॥१४॥

केवलमुदकं क्वथितं वसुतुर्यार्धांशशिष्टमात्रन्तु ।
उष्णोदकमिति पेयं कफपित्तसमीररोगेषु ॥१५॥

अष्टगुणं स्यात् क्षीरं द्रव्यान्नीरश्चतुर्गुणं क्षीरात् ।
शृत्वा तु दुग्धशेषं सेवेत क्षीरपाकोऽयम् ॥१६॥

द्रवरहितं परिशुष्कं द्रव्यं क्षुण्णं समञ्च सूक्ष्मतया ।
वस्त्रेण गालितं तच्चूर्णं क्षोदो रजः प्रोक्तम् ॥१७॥

क्वाथं सितासमेतं पुनरपि पक्त्वाऽचिरं तु मन्दाग्नौ ।
किञ्चिद् दर्वीस्पर्शं द्रवरूपं पानकं तत् स्यात् ॥१८॥

क्वाथादीनां पाकात् पुनरपि घनता भवेद् यदा त्वर्धा ।
रसक्रिया सा ज्ञेया त्ववलेहश्चापि निर्दिष्टः ॥१९॥

घनतां पूर्णां यातः स मोदकः कथ्यते भिषग्वर्यैः ।
ससितः सगुडो वाऽसौ मोदकसदृशो भवेद् गुडकः ॥२०॥

वटको वटकाकारः कल्प्यः कार्यस्तु मोदकाद् भिन्नः ।
गुडिका वटिका स्वल्पाकाराऽप्यसिता वटी कथिता ॥२१॥

चूर्णे चूर्णसमानं, द्विगुणगुडं मोदके सुधीर्दद्यात्।
वटिकाऽपि वह्निसाध्या क्वचिदपि कार्या विना पाकम् ॥२२॥

## स्नेहकल्पना

स्नेहाच्चतुर्गुणः स्याद् द्रव इह कल्को भवेच्चतुर्थांशः।
इत्थं तैलघृते द्वे साध्ये भिषजा विधिज्ञेन ॥२३॥

चतुरष्टषोडशगुणं दत्वा वारि प्रसाधयेत् क्वाथम्।
पादावशेषमात्रं स्नेहः साध्यस्तु तेनैव ॥२४॥

क्वचिदपि कल्कविहीनः स्नेहो द्रवमात्रके भवेत् साध्यः।
इत्थमकल्कसकल्कौ पाकौ स्नेहस्य विज्ञेयौ ॥२५॥

अङ्गुल्या यदि कल्को विमर्दितो वर्तिमूर्त्तिवद् भवति।
शब्दं नाग्नौ क्षिप्तः कुर्यात् स्नेहः स संसिद्धः ॥२६॥

फेनोद्गमश्च तैले शान्तिः क्रमशो घृते च फेनस्य।
वर्णामोदरसानामिष्टानामुद्गमः सिद्धे ॥२७॥

त्रिविधस्तु पाक उक्तो मृदुमध्यावन्तिमो भवेत्तु खरः।
प्रथमः कोमलसरसः, मध्यो नीरसमृदुः प्रोक्तः ॥२८॥

खरपाकस्तु निकृष्टश्चेषत्काठिन्ययुक्त तां यातः।
तदनन्तरं तु दग्धो निर्वीर्यो दाहजनकः स्यात् ॥२९॥

नस्यार्थं मृदुपाकः खरपाकोऽभ्यङ्गयोगकर्मार्थम्।
योज्यो मध्यमपाको भिषजा सर्वप्रयोगेषु ॥३०॥

नैवं युञ्ज्यादामं खरपाकं सर्वथा बुधः स्नेहम्।
निर्वीर्यौ तौ, प्रथमो मान्द्यकरो दाहकृत्त्वपरः ॥३१॥

नैकदिने संसाध्यो घृततैलादिस्त्वरायुजा भिषजा।
कालातीते ह्येते द्रव्यविशिष्टान् गुणान् दधते ॥३२॥

## सन्धानकल्पना

यदपक्वौषधसलिलाभ्यां सन्धानं स आसवः प्रोक्तः।
यत् सन्धानं क्वाथात् सोऽरिष्टः प्रोच्यते मदकृत् ॥३३॥

पक्वान्नैः सन्धानाद् विहितं मद्यं बुधैः सुरा प्रोक्ता।
खर्जूरादिरसैर्या विहिता सा वारुणी ज्ञेया ॥३४॥

सप्त दिनानि सुरायां द्रव्यं सन्धाय कल्पनाविधिना।
एष सुरायाः कल्पः जीमूतसुरा यथा चरके ॥३५॥

आप्लाव्य विमलतोयैः द्रव्यं संस्थाप्य मद्यकृद्भाण्डे ।
गजशुण्डिकया नाड्या पक्त्वा निष्कृष्यते सोऽर्कः ॥३६॥

मूलककन्दफलादिद्रव्याणि स्नेहयोजितानि यदा ।
तद्रहितान्यथवा स्युः सन्धानात् शुक्तसंज्ञं तत् ॥३७॥

माषादिधान्यमण्डैः सन्धानात् काञ्जिकं कृतं भवति ।
मूलकसर्षपप्रभृतिद्रव्यैः सिद्धा तु शण्डाकी ॥३८॥

मण्डादिकल्पना

भुवनगुणे शुचिसलिले चतुष्पलान् तण्डुलान् भिषक् पक्त्वा ।
यं स्रावयेदसिक्थं मण्डोऽसौ कीर्तितः पथ्यः ॥३९॥

पेया तथैव सलिले साध्या परमल्पसिक्थकाया या ।
बहुसिक्था तु यवागूः लेपाकारा विलेपी स्यात् ॥४०॥

षड्गुणजले यवागूः लेपी साध्या चतुर्गुणे तोये ।
अन्नं पञ्चगुणे स्यात् कृशरा साध्या यवागूवत् ॥४१॥

तण्डुलमुद्गद्विदलैः सिद्धा कृशरा कृते रुजार्त्तानाम् ।
परमहिता यदि जीरकहिङ्गुघृतैः संस्कृता भवति ॥४२॥

मानम्

गुञ्जाबीजप्रमाणा रक्ती स्याद् रक्तिकाभिधेया च ।
वसुरक्तिकाप्रमाणो माषो ग्रामश्च पर्यायः ॥४३॥

दशभिर्ग्रामैः कर्षः, कर्षाभ्यां भवति शुक्तिरेका सा ।
शुक्तिभ्यां पलमेकं प्रसृतं द्वाभ्यां पलाभ्याञ्च ॥४४॥

प्रसृताभ्यां कुडवः स्यादञ्जलिनामा भवेच्च पर्यायात् ।
कुडवाभ्याञ्च शरावः, प्रस्थो द्वाभ्यां शरावाभ्याम् ॥४५॥

प्रस्थैश्चतुर्गुणैः स्यादाढकमानञ्च पात्रपर्यायम् ।
तैस्तु चतुर्भिर्द्रोणः, द्रोणचतुष्कात्तथा द्रोणी ॥४६॥

द्रोणीमानचतुष्टयमाना खारी भिषग्वरैः प्रोक्ता ।
शतमानस्तु पलैः स्याद् वेदकिलो तत्तुलामानम् ॥४७॥

परिभाषा

द्रव्याणि नूतनानि प्राज्ञैः सकलप्रयोगयोज्यानि ।
किन्तु गुडन्तु पुराणं दद्यान्मधुवद् गुणैः प्राज्यम् ॥४८॥

सर्पिर्नवं प्रयोज्यं रसगन्धाद्यैस्तु प्राकृतैः युक्तम् ।
तत्तु पुराणं युक्तं मानसरोगेषु गुणकारि ॥४९॥

तैलं तिलभवमेव प्राज्ञैः योगेषु सर्वथा योज्यम् ।
चर्मविकारेषु परं प्रायः सर्षपभवं ग्राह्यम् ॥५०॥

द्रव्याणान्तु विशिष्टं ह्यङ्गं गुणवत्तु कार्मुकं ग्राह्यम् ।
खदिरादीनां सारः निम्बादीनाञ्च मूलत्वक् ॥५१॥

यद्धि ससारं मूलं महदपि तस्य त्वचा समादेया ।
येषां ह्रस्वं मूलं तद्धि समस्तं समुत्पाट्यम् ॥५२॥

पात्रोक्तौ मृत्पात्रं नीलोत्पलमेवमुत्पलाद् ग्राह्यम् ।
शकृतो रसस्य कथनाद् गोमयरस एव सङ्ग्राह्यः ॥५३॥

चन्दनकथनाद्रक्तं सिद्धार्थः सर्षपात् सदा योज्यः ।
लवणे सैन्धवमुक्तं मूत्रे गोमूत्रमेव स्यात् ॥५४॥

कालेऽनुक्ते प्रातस्त्वङ्गेऽनुक्ते हितं मतं मूलम् ।
भागेऽनुक्ते साम्यं सलिलं ग्राह्यं द्रवेऽनुक्ते ॥५५॥

आगारे संस्थापितमौषधमब्दात् परं त्यजेद् वीर्यम् ।
तच्चूर्णीकृतमृच्छति मासद्वयतस्तु हीनत्वम् ॥५६॥

गुटिकालेहौ वर्षादूर्ध्वं वीर्येण हीनतां यातः ।
घृततैलाद्या हीना वीर्यान्मासैश्चतुर्भिः स्युः ॥५७॥

प्रायः सर्वौषधयो वीर्यं मुञ्चन्ति वत्सरात् परतः ।
आसवभस्मरसास्तु क्रमशः कालेन गुणवन्तः ॥५८॥

### मात्रा

स्वरसस्य गौरवात्तु प्रयोजयेत् कर्षमेकमस्य बुधः ।
कल्कस्यापि तु सैव प्रोक्ता मात्रा भिषग्वर्यैः ॥५९॥

मात्रा क्वाथाद्द्विपला ग्राह्या कोष्णाऽशिते परं जीर्णे ।
पित्तानिलयोस्तु सितां श्लेष्मातङ्के मधु क्षिप्त्वा ॥६०॥

मोदकवटकालेहान् कर्षं यावत् प्रयोजयेत् प्राज्ञः ।
कोष्ठाग्निं सुविचार्य न्यूनाधिक्यं विधातव्यम् ॥६१॥

कर्षस्य पादमानं गुग्गुलु मेदस्विनां भवेदधिकम् ।
अत्याधिक्यात् क्लैब्यं जनयति तन्नाति युञ्जीत ॥६२॥

गुञ्जामात्रं दद्याद् रसं सुवर्णादिभस्म सुमृतं यत् ।
लौहन्तु माषमात्रं मण्डूरञ्च त्रिमाषमितम् ॥६३॥

स्नेहस्य कर्षमात्रां प्रयोजयेत् स्नेहने प्रभूतां ताम् ।
दृष्ट्वा कोष्ठाग्निबलं स्नेहान् सर्वान् भिषग् युञ्जात् ॥६४॥

प्रथमे मासि कुमारे रक्तिप्रायौषधस्य मात्रोक्ता ।
दद्यात् क्रमशो वृद्धिं कुर्वन् कालक्रमेणाथ ।।६५।।

मात्राधिक्याद्द्रव्यं तीक्ष्णं व्यापत्करं तथा स्वल्पम् ।
कर्मक्षमं न भवति प्राज्ञो युञ्जात् समां मात्राम् ।।६६।।

मात्रा पुरुषे पु रुषे दोषं वह्निं बलं वयः कोष्ठम् ।
प्रकृतिं विकृतिं देशं सम्यग् सुविचार्य निर्धार्या ।।६७।।

अल्पो भवति महार्थो भवति प्रभूतश्च हीनकर्माऽसौ ।
संयोगाद् विश्लेषात् संस्कारात् कालयुक्तिभ्याम् ।।६८।।

संस्कारो हि गुणान्तरजननं छायाजलातपच्छेदैः
पेषणपीडनशोधनवासनमन्थादिभिश्चापि ।।६९।।

योगे यन्निर्दिष्टं द्रव्यं तत् सर्वदा प्रयोक्तव्यम् ।
प्रतिनिधियोगो न हितः यतोऽव्यवस्थामसौ कुर्यात् ।।७०।।

योगे शास्त्रनिदिष्टे त्यजतु बुधो यत्त्वयौगिकं द्रव्यम् ।
यु ञ्ज्यात् तु पुनरनुक्तं, युक्त्या कार्यं सदा वैद्यैः ।।७१।।

## औषधयोगाः

क्वाथाः

अमृताधान्यकनिम्बारुणचन्दनपद्मकैः सर्मैविहितः ।
क्वाथो ज्वरसंशमनः कफपित्तहरोऽग्निवृद्धिकरः ।।७२।। अमृतादिः ।।

पाटोलमूर्वचन्दनकिराततिक्तागुडूचिपाठाभिः ।
क्वाथो विहितः पित्तश्लेष्मज्वरहृच्च र्दिघ्नः ।।७३।। पटोलादिः ।।

पर्पटमुस्तगुडूचीशुण्ठीकैरातसाधितः क्वाथः ।
नाम्ना तु पञ्चभद्रः पित्तानिलजान् ज्वरान् हन्ति ।।७४।। पञ्चभद्रः ।।

पुष्करविश्वगुडूचीक्षुद्राभिः साधितो हितः क्वाथः ।
वातश्लेष्मणि कासे श्वासगदे पार्श्वशूले च ।७५।। पुष्करादिः ।।

पीतः पिप्पलिचूर्णैः सार्धं दशमूलसाधितः क्वाथः ।
हन्ति रुजां तनुशोथं सूतादोषं त्रिदोषोत्थम् ।।७६।। दशमूलक्वाथः ।।

धान्यकबालकबिल्वैः शुण्ठीमुस्तायुतैः कृतः क्वाथः ।
ग्राही दीपनपाचनकर्मकरश्चामशूलहरः ।।७७।। धान्यपञ्चकः ।।

वत्सकबालकबिल्वैः मुस्तातिविषायुतैः कृतः क्वाथः ।
सकलिङ्गैरतिसारं सामं हन्ति प्रवाहणहृत् ।।७८।। वत्सकादिः ।।

त्रिफलानिम्बगुडूचीतिक्ताकैरातवासकैर्विहितः।
क्वाथो माक्षिकसहितो हन्त्यचिरं कामलां पाण्डुम् ॥७९॥ फलत्रिकादिः ॥

वर्षाभूश्च पटोलं निम्बं तिक्ता गुडूचिका दार्वी।
शुण्ठी हरीतकी च क्वथितैरेतैः समांशैस्तु ॥८०॥

पीतैः पाण्डुविकारः सर्वाङ्गजदेहशोथसंवलितः।
उदरश्च नाशमेति क्षिप्रं क्षौद्रान्वितैरेतैः ॥८१॥ पुनर्नवाष्टकः ॥

रास्नारग्वधदारुश्वदंष्ट्रपञ्चाङ्गुलामृताविहितः।
सपुनर्नवः सशुण्ठीप्रक्षेपो वातरोगघ्नः ॥८२॥ रास्नासप्तकः ॥

दार्वीताक्ष्यारुष्करवासाबिल्वाब्दनामकैरातैः।
समधुः पीतः क्वाथो जयति समस्तं सरुक्प्रदरम् ॥८३॥ दार्व्यादिः ॥

मञ्जिष्ठाषड्ग्रन्थात्रिफलातिक्तागुडूचिदार्वीभिः।
निम्बयुताभिः क्वाथस्त्वग्दोषघ्नोऽस्रदोषहरः ॥८४॥ मञ्जिष्ठादिः ॥

पथ्याकलितरुधात्रीभूनिम्बनिशाह्वकुण्डलीनिम्बैः।
सगुडः कृतः षडङ्गो हरति समस्तान् शिरोरोगान् ॥८५॥ पथ्याषडङ्गः ॥

मलयोशीरोदीच्यैः सपर्पटैः विश्वभेषजाब्दयुतैः।
शृतमुदकं तु सुशीतं पेयं ज्वरदाहतृष्णाघ्नम् ॥८६॥ षडङ्गपानीयम् ॥

एवं लवङ्गसुशृतं सलिलन्त्वामज्वरे हितं विहितम्।
पद्माक्षसिद्धमुदकं दाहे तृषि च ज्वरे देयम् ॥८७॥ लवङ्गोदकं पद्माक्षोदकञ्च ॥

फाण्टः

पिप्पलिपिप्पलिमूलाग्निमहौषधचव्यकैः समैर्विहितः।
फाण्टो वातकफघ्नः परमहितः स्यात् प्रतिश्याये ॥८८॥ पञ्चकोलफाण्टः ॥

जटिलाविहितः फाण्टः सद्राक्षोऽसौ तथा सरुद्राक्षः।
शमयति जटिलं शोणितवातं जनयति शमं निद्राम् ॥८९॥ मांस्यादिफाण्टः ॥

त्रिफला रजनीयुग्मं व्याघ्री शटिका तथा च छिन्नरुहा।
कटुकापर्पटमुस्तारिष्टाः वासा च मधुयष्टी ॥९०॥

कालिङ्गं चातिविषा देवसुमं त्वक् पटोलपत्राणि।
तालीशं शोभाञ्जनबीजं भार्गी वचा दारु ॥९१॥

सर्वेषां स्यादर्धं कैरातं चूर्णितं परं त्वेतत्।
फाण्टीकृतञ्च विधिना मधुना हन्ति ज्वरान् विविधान् ॥९२॥ सुदर्शनफाण्टः ॥

हिमः

धान्यकविहितः शीतः प्रातः पेयो हितः सितासहितः ।
शीतः सोऽन्तर्दाहं तृष्णां पित्तं जयत्यखिलम् ॥९३॥ धान्यकहिमः ॥

चूर्णानि

शृङ्गी कृष्णाऽतिविषा मुस्तं सर्वन्तु चूर्णितं तुलितम् ।
कासज्वरातिसारान् हरति शिशूनां वर्मि सद्यः ॥९४॥ बालचतुर्भद्रा ॥

शुभ्रसितोपलसहिता वांशी कृष्णा तथा च बहुला त्वक् ।
द्विगुणितपूर्वेति कृतं चूर्णन्तु सितोपलाद्यं स्यात् ॥९५॥

मधुघृतलीढं कृच्छ्रं कासं श्वासं समीरपित्तोत्थम् ।
ज्वरमपि कृशतामग्नेर्मान्द्यं दूरं निवारयति ॥९६॥ सितोपलादिचूर्णम् ॥

तालीशं त्वथ मरिचं शुण्ठी कृष्णा तथा तुगाक्षीरी ।
भागाः स्युस्तु यथोत्तरवृद्धास्त्वेलात्वचोरर्धः ॥९७॥

सर्वसमा तु सिता स्यान्नाम्ना तालीशकाद्यचूर्णं तत् ।
वातश्लेष्मजकासं श्वासं छर्दिं हरेद् ग्रहणीम् ॥९८॥ तालीशाद्यचूर्णम् ॥

त्रिकटुकमजमोदा स्यात् सैन्धवमथ जीरकद्वयं हिङ्गु ।
हिङ्ग्वष्टकमिति प्रोक्तं दीपनमग्नेश्च वातघ्नम् ॥९९॥ हिङ्ग्वष्टकचूर्णम् ॥

सामुद्रं लवणं वै कर्षाष्टमितञ्च पञ्च रुचकं स्यात् ।
सैन्धवबिडधान्यानां ग्रन्थिककृष्णाम्लवेत्राणाम् ॥१००॥

तालीशनागपत्रासितजीराणां द्विकर्षमानञ्च ।
जीरक विश्वामरिचं त्वेकैकं कर्षमानं स्यात् ॥१०१॥

दाडिमकर्षचतुष्टयमेला त्वक् चार्धकार्षिकी ग्राह्या ।
चूर्णीकृतं समस्तं भास्करसंज्ञं भवेल्लवणम् ॥१०२॥

भस्करलवणं वह्निं जनयति भद्रञ्च प्लीहगुल्मादीन् ।
आमाजीर्णविबन्धान् नाशयति क्षिप्रमेतद्धि ॥१०३॥ भास्करलवणम् ॥

जातीफलसुरकुसुमे चातुर्जातञ्च शुभ्रकर्पूरम् ।
चन्दनवांशीतगरं त्रिकटु त्रिफला च तालीशम् ॥१०४॥

चित्रकजीरविडङ्गान्येतानि समानि चूर्णितानि स्युः ।
तत्तुलिता स्याद् भङ्गा सर्वसमा शर्करा देया ॥१०५॥

जातीफलादिचूर्णं ख्यातमिदं दीपनञ्च सङ्ग्राहि ।
मधुना लेह्यं ग्रहणीकासश्वासाग्निमान्द्येषु ॥१०६॥ जातीफलादिचूर्णम् ॥

शुण्ठी पथ्या कृष्णा त्रिवृता सौवर्चलं तथा चान्त्यम् ।
पञ्चसमं स्याच्चूर्णं शूलाध्मानामवातहरम् ॥१०७॥ पञ्चसमचूर्णम् ॥

हयगन्धा मुशली स्याद् गोक्षुरकाद् बीजमिक्षुराच्चापि ।
समभागञ्च मखान्नं वरी सिता चापि सर्वसमा ॥१०८॥

श्लक्ष्णं चूर्णितमधुना मधुना यो धातुवल्लभं चूर्णम् ।
लीढ्वा पिबति च दुग्धं स भवति वाजी वृषश्चापि ॥१०९॥ धातुवल्लभचूर्णम् ॥

एलालवङ्गकृष्णाचन्दनलाजाप्रियङ्गुमुस्तानाम् ।
चूर्णं सकोलमज्जं सनागपुष्पं तदेलाद्यम् ॥११०॥

ससितं मधुना लीढं हन्ति समस्तामुपद्रुतां छर्दिम् ।
अरुचिञ्चाप्यपहरति द्रुतमेव मनोऽरतिं शमयेत् ॥१११॥ एलादिचूर्णम् ॥

आकारकरभशुण्ठीकुङ्कुमकङ्कोलभद्रपिप्पलिकाः ।
जातीफलं लवङ्गं चन्दनमेतानि कर्षाणि ॥११२॥

अहिफेनञ्च पलं स्याच्चूर्णं पयसा निषेवणीयमिदम् ।
शुक्रस्तम्भनमतुलं पुंसां त्वाकारकरभाद्यम् ॥११३॥ आकारकरभादिचूर्णम् ॥

जातीफलमथ कुसुमं देवानां टंकणं समं जीरम् ।
चूर्णं मधुना ससितं लीढं शूलातिसारघ्नम् ॥११४॥ लवङ्गचतुसमम् ॥

एतद् द्रव्यचतुष्कं दाडिमफलकोशमध्यगं पुटितम् ।
पक्वं छागक्षीरे पिष्टं दाडिमचतुःसमकम् ॥११५॥ दाडिमचतुःसमम् ॥

सुरकुसुमन्त्वथ टंकणमुस्ते धातकिसुमं समं बिल्वम् ।
जातीफलञ्च धान्यं सर्जरसश्चापि शतपुष्पा ॥११६॥

दाडिमजीरकसैन्धवमोचरसाञ्जनसुनीलकुमुदाह्वम् ।
लोहितचन्दनलज्जे चविका शृङ्गी तथाऽतिविषा ॥११७॥

खदिरं बालकमभ्रकवंगोत्थं भस्म भृङ्गराजोत्थैः ।
स्वरसैस्त्रिदिनं भाव्यं सिद्धं चूर्णं लवङ्गाद्यम् ॥११८॥

कासश्वासविकारे ग्रहणीरोगेऽग्निमान्द्यदोषे च ।
विविधेऽतिसाररोगे यक्ष्मणि शस्तं लवङ्गाद्यम् ॥११९॥ लवङ्गादिचूर्णम् ॥

एला दारुसिता दलमहिकुसुमं मरिचपिप्पलीशुण्ठ्यः ।
क्रमशो वर्धितभागाः सर्वसमा शर्करा ग्राह्या ॥१२०॥

समशर्करमिति चूर्णं वह्निकरं मारुतानुलोम्यकरम् ।
अर्शांसि शस्तं कासे श्वासे वह्नेस्तथा मान्द्ये ॥१२१॥ समशर्करचूर्णम् ॥

पञ्चपटु प्रत्येकं क्षारद्वयमम्लवेतसं ग्राह्यम् ।
धान्यं कृष्णा ग्रन्थिकमसितं जीरं तथा चित्रम् ॥१२२॥

अहिपुष्पं तालीशं कर्षद्वयमानतः, सितं जीरम् ।
दशकर्षञ्च सुभृष्टं सर्वं सञ्चूर्ण्य निम्बुरसैः ॥१२३॥

भाव्यं तद् बडवानलचूर्णं दीपयति मन्दजठराग्निम् ।
जरयति भुक्तं क्षिप्रं वातजगुल्मं विनाशयति ॥१२४॥ बडवानलचूर्णम् ॥

त्रिकटु त्रिफला मुस्तं बिडलवणं पत्रकं विडङ्गैले ।
सर्वं समं, लवङ्गं सर्वसमं चूर्णितं कुर्यात् ॥१२५॥

तच्चूर्णाद्द्विगुणं स्यात् त्रिवृताचूर्णं, सिता च सर्वसमा ।
अविपत्तिकरमिति स्यात् स्रंसनमथ चाम्लपित्तघ्नम् ॥१२६॥ अविपत्तिकरचूर्णम् ॥

पाठा जम्ब्वाम्रभवाद् बीजान्मज्जाऽर्जुनः शिलाभेदः ।
रसाञ्जनं मोचरसः लज्जालुः पद्मकेशरं मुस्तम् ॥१२७॥

कुङ्कुमकट्फलमरिचञ्चातिविषा बिल्वमज्जलोध्रे च ।
गैरिकमथ विश्वौषधमृद्वीके रक्तचन्दनं मदकृत् ॥१२८॥

कुटजारलुकानन्ताः मधुकं पुष्येण साधु सङ्गृह्य ।
चूर्णीकृत्य तु मधुना युक्तया तण्डुलजलेनैतत् ॥१२९॥

पेयं पुष्यानुगमिति चूर्णं प्रदरापहं परं शस्तम् ।
स्त्रीणां योनिव्यापदमखिलां त्वरितं निवारयति ॥१३०॥ पुष्यानुगचूर्णम ॥

शतपुष्पा कर्षमिताऽभृष्टा भृष्टा च तत्समा ग्राह्या ।
अभया शुण्ठी सौवर्चलमेतत् कर्षमानञ्च ॥१३१॥

शतपुष्पाद्यं चूर्णं जठरोत्थं सर्वमामदोषभवम् ।
रोगं निर्हृत्य परं वह्निं दीपयति शूलघ्नम् ॥१३२॥ शतपुष्पादिचूर्णम् ॥

बीजं पलाशवृक्षादिन्द्रयवं यावनी यवानी च ।
क्रिमिनुत् किराततिक्तं निम्बत्वक् तुल्यभागाः स्युः ॥१३३॥

सञ्चूर्ण्य वस्त्रगालितमेतच्चूर्णं शुचौ तु मृत्पात्रे ।
स्थाप्यं सेव्यं विधिना विविधक्रमीणां विनाशार्थम् ॥१३४॥ पलाशबीजादिचूर्णम् ॥

भृङ्गी त्रिकटु त्रिफला पुष्करमूलं निदिग्धिका भार्गी ।
पञ्चलवणमित्येतत् कासश्वासापहं चूर्णम् ॥१३५॥ शृङ्गयादिचूर्णम् ॥

शटिचोरकजीवन्तीत्वङ्मुस्तं पौष्करं तथा तुलसी ।
एला भूम्यामलकी कृष्णागुरु बालकं शुण्ठी ॥१३६॥

समभागं सुविचूर्णितमष्टौ भागाः सितोपलायाः स्युः ।
शट्याद्यं तच्चूर्णं शस्तं श्वासे च हिक्कासु ॥१३७॥ शट्यादिचूर्णम् ॥

भृष्टन्तु कृष्णबीजं वसुभागं स्वर्णपत्रिका भवेत् त्वर्धा ।
शुण्ठ्याः भागद्वितयं शतपुष्पा चैकभागा स्यात् ॥१३८॥

भागाः सप्त सितायाः चूर्णीकरणीयमञ्जसा श्लक्ष्णम् ।
चूर्णन्त्वेतत् परमं स्रंसनमुक्तं मलापहरम् ॥१३९॥ कृष्णबीजादिचूर्णम् ॥

मधुकं भागद्वितयं स्वर्णदला तत्समा समादेया ।
शतपुष्पाया एको भागः सौगन्धिकस्यापि ॥१४०॥

सर्वसमा च सिता स्याच्चूर्णीकृत्याखिलं निधातव्यम् ।
मृदुकोष्ठेषु नरेषु श्रेष्ठं त्वेतद् विरेचनकम् ॥१४१॥ यष्ट्यादिचूर्ण म् ॥

स्वर्णदला च शिवाख्या सैन्धवसौवर्चले तथा शुण्ठी ।
शतपुष्पेति षडुक्तद्रव्यैस्तत् षट्सकाराख्यम् ॥१४२॥

मृदुरेचनमिदममलं विदधाति वपुर्नृणां हि निर्दोषम् ।
राज्ञां सुकुमाराणां हिततममिति शस्यते प्राज्ञैः ॥१४३॥ षट्सकारचूर्णम् ॥

शुण्ठी त्वभया मुस्तं सारः खदिरस्य शुभ्रकर्पूरम् ।
अन्तःपाचितपूगं मरिचं त्वग् देवकुसुमञ्च ॥१४४॥

सर्वं समं विदध्यात् खटिकाचूर्णं प्रदाय सर्वसमम् ।
एतच्चूर्णं विधिवद् युक्तं दन्तान् विशोधयति ॥१४५॥ दशनसंस्कारचूर्णम् ॥

शुण्ठीपिप्पलिमरिचं कलितरुधात्रीफले नवे त्वभया ।
तुत्थं सैन्धवलवणं पत्तङ्गं मदफलं ग्राह्यम् ॥१४६॥

सौवर्चलञ्च तुम्बुरु कर्पूरं तुल्यभागिकं सर्वम् ।
सर्वसमं स्याद् गैरिकमेतद् दन्तांस्तु वज्रयति ॥१४७॥ वज्रदन्तमञ्जनम् ॥

वटिकाः

कृष्णाविडङ्गनागरपथ्याधात्रीविभीतकानि वचा ।
अमृताभल्लातविषाण्येतानि समानि संयोज्य ॥१४८॥

गोमूत्रेण च पिष्ट्वा कुर्याद् वटिकास्तु रक्तिकाप्रमिताः ।
गुल्माजीर्णविषूचीविषवातश्लेष्मरोगघ्न्यः ॥१४९॥ सञ्जीवनीवटी ॥

व्योषाम्लवेत्रचविकास्तालीशं जीरकं तथा चित्रः ।
दाडिमबीजान्येतान्यक्षमितानि, त्रिजातञ्च ॥१५०॥

शाणत्रयं, गुडः स्याद् विंशतिकर्षस्त्वियं भवेद् गुडिका ।
व्योषाद्या खलु हन्यात् पीनसकासप्रतिश्यायान् ॥१५१॥ व्योषादिगुडिका ॥

सौम्यावचाब्दरजनीद्वयभूनिम्बं विषा सुराह्वाग्नी ।
त्रिफलाग्रन्थिकधान्यकविडङ्गगजपिलीचविका: ॥१५२॥

व्योषं माक्षिकधातुर्द्वौ क्षारौ त्रीणि चापि लवणानि ।
शाणोन्मितानि, दन्ती त्रिवृता वांशी त्रिजातञ्च ॥१५३॥

कर्षं, द्विकर्षमानं मृतलोहं, शर्करा चतुष्कर्षा ।
वसुकर्षं तु शिलाजतु गुग्गुलु चैभिस्तु संक्षुण्णैः ॥१५४॥

विहिता विधिना ख्याता त्वेषा चन्द्रप्रभा वटी नाम्ना ।
रोगान् प्रमेहप्रभृतीन् हन्याद् बलशुक्रसञ्जननी ॥१५५॥ चन्द्रप्रभावटी ॥

जीरकधान्ययवानीद्वयपृथ्वीकापराजितामरिचम् ।
शाणचतुष्टयमानं, हिङ्गु षडेतत्, तथा क्षारौ ॥१५६॥

पञ्चपटु त्रिवृता वै शाणमितं ग्राह्यमत्र प्रत्येकम् ।
दन्तीविडङ्गपौष्करदाडिमपथ्याशटीविश्वाः ॥१५७॥

चित्राम्लवेत्रसहिताः षोडशशाणाः पृथक् समादाय ।
निम्बुरसैरथ गुडिका त्वेषाऽग्र्या शूलगुल्मघ्नी ॥१५८॥ काङ्काथनगुडिका ॥

मागधिकायाः मूलं द्वौ क्षारौ चित्रकश्च पञ्चपटु ।
कोषं हिङ्ग्वजमोदा चव्यं सर्वञ्च सञ्चूर्ण्य ॥१५९॥

निम्बुकरसेन दाडिमरसतश्चाप्लाव्य शोषितं घर्मे ।
गुडिका चणकसमाना कर्तव्या चित्रकाद्येयम् ॥१६०॥

योज्या ग्रहणीरोगे वह्नेर्मान्द्ये तथा जठरशूले ।
गुल्मे कोष्ठविकारे वातभवे चानुलोमकरी ॥१६१॥ चित्रकादिगुडिका ॥

तुल्यं लवङ्गमरिचैः सहितन्तु फलं कलेश्च निष्कुलितम् ।
सर्वसमं स्यात् खदिरं मद्यं बब्बूलवल्कभृते ॥१६२॥

वटिका वसुघटिकान्ते कासान्तकरी परं प्रसिद्धेयम् ।
श्वासे च स्वरभेदे भवति हिता धार्यमाणाऽऽस्ये ॥१६३॥ लवङ्गादिवटी ॥

पारसदेशयवानी द्विपलाऽर्धपलन्तु शुभ्रकर्पूरम् ।
शुद्धं हिङ्गु च गञ्जा द्विपला ग्राह्याऽथ सम्मर्द्य ॥१६४॥

सलिले मरिचसमाना वटिका सम्यक्तया विधातव्या ।
योषापस्मारमियं त्वपतन्त्रगदञ्च हन्त्याशु ॥१६५॥ अपतन्त्रहरवटी ॥

ऐलेयं कासीसं हिङ्गु समं टङ्कणञ्च परिशुद्धम् ।
गृहकन्यास्वरसैस्तद् भाव्यं वटिकाऽथ कर्त्तव्या ॥१६६॥

विधिना निषेवितेयं वटिका सद्यः प्रवर्त्तनी रजसः ।
स्त्रीणां कुसुमनिरोधं तज्जं हन्त्यस्रगुल्मञ्च ॥१६७॥ रजःप्रवर्त्तनी वटी ॥

मज्जा बीजभवः स्यान्निम्बात् भागौ, तथा महानिम्बात् ।
भागैकश्च, रसाञ्जनभागौ, तृणकान्तपिष्टिश्च ॥१६८॥

बोलश्चैको भागः पिष्ट्वा वटिका समा विधातव्या ।
अर्शोघ्नीयं सकलान्यर्शांसि द्राग् विनाशयति ॥१६९॥ अर्शोघ्नी वटी ॥

शुद्धपुरं निम्बास्थ्नो मज्जा शुद्धं भवेत्तथा हिङ्गु ।
शुण्ठीचूर्णं लशुनं निस्तुषमखिलन्तु समभागम् ॥१७०॥

सम्मिश्र्य कुट्टयित्वा सघृतं वटिका समा विधेया च ।
वातविकारान् सकलान् सेवितमात्रं निहन्त्येषा ॥१७१॥ गुग्गुलुवटी ॥

वह्निः कृष्णामूलं जीरद्वयममरदारुकं चव्यम् ।
अजमोदा च यवानी जन्तुघ्नं सैन्धवं कुष्ठम् ॥१७२॥

एलारास्नागोक्षुरधान्यकमुस्तत्वचस्तथोशीरम् ।
त्रिफला व्योषं यवजः पत्रं तालीशपत्रञ्च ॥१७३॥

सञ्चूर्ण्य सर्वतुल्यं गुग्गुलुमस्मिन् विमिश्रयेद् विधिना ।
सघृतञ्च कुट्टयित्वा खल्वे कार्याः समाः गुडिकाः ॥१७४॥

गुग्गुलुकल्पो राजा योगानां राजते भिषग्भुवने ।
वातव्याधिशतानि द्रुतमेवासौ विनाशयति ॥१७५॥ योगराजगुग्गुलुः ॥

त्रिफलायाः प्रस्थत्रयममृताप्रस्थं शुभं समाहृत्य ।
संकुट्य लोहपात्रे सार्धद्रोणाम्बुना विपचेत् ॥१७६॥

अर्धंशृते त्ववतार्य ग्राह्यं तद् वस्त्रगालितं सम्यक् ।
तत्क्वाथे प्रक्षिप्य प्रस्थं शुद्धाच्च गुग्गुलुकात् ॥१७७॥

आयसपात्रे दर्व्या घटयन् विपचेत्तु सान्द्रतां यावत् ।
सान्द्रीभूते दद्याद् द्रव्याणां चूर्णमेतेषाम् ॥१७८॥

दन्तीत्रिवृतोः कर्षं कृमिजित् कर्षद्वयं पृथक् त्रिकटोः ।
अमृता स्यात् पलमाना त्रिफला द्विपला समाहार्या ॥१७९॥

पिण्डीकृत्य समस्तं घृतपात्रे स्नेहिते च संस्थाप्य ।
शाणमिताः समगुडिकाः कार्याः सम्यग् विधानज्ञैः ॥१८०॥

दद्यात् मञ्जिष्ठादिक्वाथेन शृतेन वापि खदिरस्य ।
कोष्णजलेन तु कुष्ठे मधुमेहे वातरक्ते च ॥१८१॥

बालस्येव मृदुत्वं सुस्निग्धत्वं ददाति प्रत्यग्रम् ।
कैशोरकस्ततोऽसौ गुग्गुलुनामा भुवि ख्यातः ॥१८२॥ कैशोरगुग्गुलुः ॥

अष्टाविंशतिपलिकं गोक्षुरमादाय षड्गुणे सलिले ।
विपचेदर्धशृतं तत् कृत्वा सम्यक् तु गृह्णीयात् ॥१८३॥

पुनरथ तस्मिन् गुग्गुलुसप्तपलानि प्रदाय तद् विपचेत् ।
गुडपाकं तत्र बुधो दद्याद् व्योषं वरां मुस्तम् ॥१८४॥

सप्तपलानि पृथक्शः संपीडच नयेत्ततो गुडिकाः ।
मूत्रगदं सह कृच्छ्रैः मूत्राघातं विनाशयति ॥१८५॥ गोक्षुरादिगुग्गुलुः ॥

त्वक् काञ्चनारतरुजा ग्राह्या दिक्पलमिता तु प्रत्यग्रा ।
त्रिफला षट्पलमाना त्रिकटु त्रिपलं पलं वरुणम् ॥१८६॥

कर्षत्रयं त्रिजातं चूर्णीकुर्याद् बुधस्तु सुश्लक्ष्णम् ।
गुग्गुलु सर्वसमं स्यात् गुडिकाः कार्यास्तु शाणमिताः ॥१८७॥

अपहरति द्रुतमेव ग्रन्थीन् गलगण्डमालिकामपचीम् ।
गुडिकैषा संसेव्या मुण्डीक्वाथेन सलिलैर्वा ॥१८८॥ काञ्चनारगुग्गुलुः ॥

अभया वचा सकुष्ठा कलिमज्जा पिप्पली तथा मरिचम् ।
नाभिः शंखस्य शिला समभागा छागदुग्धेन ॥१८९॥

संमर्द्य श्लक्ष्णवर्त्तिः कार्या विधिवद् समा विधानज्ञैः ।
चन्द्रोदयाऽक्षिरोगान् विनाश्य चन्द्रोदयं कुरुते ॥१९०॥ चन्द्रोदया वर्त्तिः ॥

अवलेहाः

दशमूलं वसुवर्गः शृङ्गी पर्णीचतुष्टयं कृष्णा ।
भूम्यामलकी द्राक्षा जीवन्ती पुष्करं मुस्तम् ॥१९१॥

अगुरु बला च गुडूची सूक्ष्मैला चन्दनं हरीतक्यः ।
अम्भोभवाटरूषौ वर्षाभूः काकनासाह्वा ॥१९२॥

शटिका विदारिका स्युः पलमानानि प्रमाणतस्तुलया ।
पञ्चशतानि फलानि ग्राह्याण्यनघानि धात्र्याश्च ॥१९३॥

सर्वं सलिलद्रोणे विपाचयेत्तुर्यभागशिष्टांशम् ।
आमलकान्युद्धृत्यापीड्यैषां बीजमपहार्यम् ॥१९४॥

तदनु पलद्वादशके तैलघृते कल्कमामलं भर्ज्यम् ।
क्वाथं पूर्वकृतं त्विह दत्वा मत्स्यण्डिकार्धतुलाम् ॥१९५॥

दर्व्या घटयन् वैद्यः कुर्याल्लेहं विधानवित् सम्यक् ।
शीते मधुनः षट्पलमथ वांशीञ्चापि वेदपलाम् ॥१९६॥

द्विपलं कृष्णां पलिकं दद्याच्छुभ्रं तथा चतुर्जातम् ।
च्यवनप्राशस्त्वेषः ख्यातो रासायनः श्रेष्ठः ॥१९७॥

हृद्यो बल्यो वृष्यश्च्यवनप्रोक्तोऽवलेहकल्पोऽसौ ।
उरसो रोगान् हत्वा वार्धक्यं यौवनं दत्ते ॥१९८॥ च्यवनप्राशः ॥

वासा तुलार्धमाना निदिग्धिका तावती च सङ्गृह्य ।
हरीतकी चार्धतुला सलिलद्रोणे विपक्तव्या ॥१९९॥

क्वाथे चतुर्थशेषे गुडस्य दत्वा तुलाञ्च संसाध्य ।
शीते त्रिकटु द्विपलं वेदपलं स्याच्चतुर्जातम् ॥२००॥

मधुनः पलानि षट् स्युर्वासाव्याघ्रीहरीतकीलेहः ।
वातश्लेष्मजकासं श्वासं पीनसमपाकुरुते ॥२०१॥ वासाव्याघ्रीहरीतकी ॥

वासापत्रस्वरसं प्रस्थमितं पाचयेन्मृदौ वह्नौ ।
चूर्णैरेतैः सार्धं कृष्णाऽतिविषालवङ्गोष्णम् ॥२०२॥

शृङ्गी त्रिपलप्रमाणैः प्रत्येकं साधिते तथा लेहे ।
शीते दद्यात् सर्पिश्चतुष्पलं क्षौद्रतो द्विपलम् ॥२०३॥

दारुणकासं कफजं पैत्तं श्वासं द्रुतं विनाशयति ।
क्षयमपि विधिना लीढः वासालेहः प्रशस्ततमः ॥२०४॥ वासालेहः ॥

रजनी वचा सकुष्ठा कृष्णा विश्वाऽसितं तथा जीरम् ।
मधुकं सिन्धु यवानी सर्वं समभागिकं ग्राह्यम् ॥२०५॥

चूर्णीकृत्य घृतेनालीढः प्रसभं जयत्यसौ सर्वान् ।
स्वरभेदांश्च विकारान् वाचो मेधां समेधयति ॥२०६॥ कल्याणलेहः ॥

पक्वमरुष्करममलं प्रत्यग्रं तत्तुलामितं ग्राह्यम् ।
कल्कीकृत्य समस्तं भर्ज्यं कुडवत्रये हविषि ॥२०७॥

तदनु तुलामितसितया पाच्यं चूर्णानिमांस्तु सम्मिश्र्य ।
द्विपलं स्यात् प्रत्येकं शुण्ठी त्वमृता च निम्बत्वक् ॥२०८॥

बाकुचिका चैडगजस्त्वभयाऽऽमलकं निशाह्वया मरिचम् ।
मञ्जिष्ठा सयवानी मगधा मुस्तञ्च पर्पटकम् ॥२०९॥

ह्रीबेरं त्वमृणालं चन्दनकर्पूरगोक्षुरं ग्राह्यम् ।
शीते च प्रक्षेप्यं त्वष्टपलांशं चतुर्जातम् ॥२१०॥

षट्पलिकं मधु दद्यात् ख्यातो भल्लातपाकनामासौ ।
जयति समस्तान् कुष्ठानर्शांस्यपचीं व्रणान् गण्डान् ॥२११॥ भल्लातकपाकः ॥

प्रस्थं केरफलस्य ग्राह्यं सरसं चतुष्पलञ्च घृतम् ।
खण्डश्चतुष्पलः स्यान्निजनीरे पात्रमात्रे तत् ॥२१२॥

पाच्यं गुडवच्छीते देयं शाणोन्मितं तदनु चूर्णम् ।
धान्यककृष्णामुस्तकवांशीजीरद्वयं तुल्यम् ॥२१३॥

चातुर्जातमथासौ खण्डः स्यात् सरसनारिकेलस्य ।
अम्लजपित्ते शूले शस्तो वैद्यैस्तु शान्तिकरः ॥२१४॥ नारिकेलखण्डः ॥

अष्टपला तु हरिद्रा षट्पलसर्पिस्तथाढकं क्षीरम् ।
खण्डस्यार्धतुला स्यात् सकलं मृद्वग्निना विपचेत् ॥२१५॥

प्रक्षेप्यं त्रिसुगन्धि त्रिकटु त्रिवृता तथा समा त्रिफला ।
केशरविडङ्गमुस्तं लौहं प्रत्येकपलमानम् ॥२१६॥

एष हरिद्राखण्डः कोठोदर्दादिशीतपित्तगदे ।
कण्डौ चर्मविकारे भद्रं परमौषधं शस्तम् ॥२१७॥ हरिद्राखण्डः ॥

अभया मरिचं शुण्ठी जन्तुघ्नञ्चाथ पिप्पलीमूलम् ।
आमलकं त्वक्पत्रं कृष्णा मुस्तं समं ग्राह्यम् ॥२१८॥

दन्त्याः भागत्रितयं त्रिवृदष्टगुणा सिता च षड्भागा ।
मधुना कुर्यान्मोदकमक्षमितं भक्षयेद् रात्रौ ॥२१९॥

अभयाद्योऽयं योगो मोदकरूपो ददात्यथामोदम् ।
अनुलोमनो विरेचनकर्मणि शस्तो विबन्धेषु ॥२२०॥ अभयादिमोदकः ॥

## घृततैलानि

त्रिफलाक्वाथप्रस्थं दत्वा वासारसस्य च प्रस्थम् ।
भृङ्गरजोरसप्रस्थं प्रस्थं छागं पयश्चापि ॥२२१॥

विपचेद् घृतस्य प्रस्थं कल्कैः कर्षोन्मितैरिमैः द्रव्यैः ।
त्रिफला कृष्णा द्राक्षा चन्दनसैन्धवबलामेदाः ॥२२२॥

काकोल्यौ मरिचं स्यात् शुण्ठी कमलं पुनर्नवा च सिता ।
द्विनिशा मधुकं, त्रिफलाघृतमूर्ध्वस्थान् गदान् हन्ति ॥२२३॥ त्रिफलाघृतम् ॥

त्रिफला रजनीयुग्मं हरेणुका सारिवे प्रियङ्गुश्च ।
सुरदारु द्वे पर्ण्यौ बालुकतगरे विशालाख्या ॥२२४॥

दन्तीदाडिमकेशरनीलोत्पलकुष्ठसूक्ष्मबहुलाश्च ।
मञ्जिष्ठा सविडङ्गं जातीपुष्पञ्च तालीशम् ॥२२५॥

बृहती चन्दनमेतत्कृतकल्कैस्तुल्यकर्षमानमितैः ।
सर्पिःप्रस्थं विपचेन् मन्दं मन्दं चतुःसलिले ॥२२६॥

ख्यातं कल्याणघृतं पानीयं, साधितन्तु यत् पयसा ।
तत् सक्षीरं प्रथितं मानसरोगेषु दोषहरम् ॥२२७॥ कल्याणघृतम् ॥

जीवद्वत्सा कपिला या गौस्तस्याः नवं घृतप्रस्थम् ।
कर्षमितैस्तु चतुर्गुणपयसा विपचेद् भिषक् कल्कैः ॥२२८॥

त्रिफला मधुकं कुष्ठं कटुका रजनीद्वयं विडङ्गञ्च ।
कृष्णामुस्तविशालाकट्फलमुग्रा च काकोल्यौ ॥२२९॥

मेदायुग्मं सारिवयुगलं शतपुष्पहिङ्गु रास्नाश्च ।
चन्दनयुग्मं कान्ता जातीपुष्पं तुगाक्षीरी ॥२३०॥

कमलं सिताऽजमोदा दन्तीमूलं नवञ्च सङ्ग्राह्यम् ।
फलघृतमेतद्योनिव्यापत्संघं निहन्त्याशु ॥२३१॥ फलघृतम् ॥

निम्बगुडूचीवासाः पटोलपत्रं निदिग्धिका चापि ।
दशपलमिताः घटेऽपां विपचेदष्टांशशिष्टं तत् ॥२३२॥

तेन घृतस्य प्रस्थं पिचुमानैः कल्कितैः विपचेत् ।
पाठाविडङ्गनागरगजकृष्णादेवदारूष्णम् ॥२३३॥

क्षारद्वयशतपुष्पारजनीचव्यं तथा च तेजोह्वा ।
वत्सककुष्ठयवानीचित्रककटुकाकणामूलम् ॥२३४॥

मञ्जिष्ठा सातिविषा त्रिफला मोदा तथा च षड्ग्रन्था ।
भल्लातकन्तथैतैः पञ्चपलैः शुद्धगुग्गुलुतः ॥२३५॥

घृतमेतद् विनिहन्ति प्रसभं कुष्ठानि दारुणानि भृशम् ।
गण्डान् सगण्डमालान् रक्त वातान्वितं नाडीः ॥२३६॥ पञ्चतिक्तघृतगुग्गुलुः ॥

बिल्वं बलाऽश्वगन्धा बृहतीद्वयनिम्बगोखुरकाः ।
श्योनाकश्चातिबला पाटलिमन्थौ च वर्षाभूः ॥२३७॥

प्रसारणी च तथैताः दशपलमानाः पृथक् समादाय ।
सलिले वेदद्रोणे पक्त्वा पादांशशेषन्तत् ॥२३८॥

संयोज्याढकतैले तावन्मात्रे शतावरीस्वरसे ।
तैलचतुर्गुणगव्यक्षीरेणैतैः समं विपचेत् ॥२३९॥

चन्दनमूर्वाकुष्ठं सूक्ष्मैलाऽश्वाबलावचाः मांसी ।
सिन्धुशताह्वारास्नाबालं पर्ण्यश्च सुरदारु ॥२४०॥

नारायणाह्वतैलं दैत्यान् नारायणो यथा हन्ति ।
वातविकारान् सकलान् शोषं कार्श्यं क्षयञ्चापि ।।२४१।। नारायणतैलम् ।।

दशमूलविटपिमूलद्रोणेऽपामंघ्रिशेषिते पक्त्वा ।
तद्वन्माषक्वाथः प्रस्थस्तैलस्य पयसश्च ।।२४२।।

कल्कैरेतैर्भिषजा पाच्यो मन्दं पुनः मृदावग्नौ ।
दारुबलाशटिरास्नाः प्रसारणी चाश्वगन्धाऽग्निः ।।२४३।।

कुष्ठं परुषकभार्ग्यौ विदारिके रामठं वरी जीरम् ।
पौनर्नवं शताह्वा फलपूरफलञ्च गोक्षुरकम् ।।२४४।।

कृष्णामूलं सैन्धवमथ सकलो जीवनीयसंज्ञगणः ।
तैलमिदं शोषहरं वातव्याधिषु बलाधानम् ।।२४५।। महामाषतैलम् ।।

चन्दनपानीयनखाः यष्टीशैलेयपद्मकं सरलम् ।
मञ्जिष्ठा जटिलैला सेव्यं त्वक् दारु कक्कोलम् ।।२४६।।

गजकेशरञ्च पूति प्रियङ्गु मुस्तं मुरा तथा पत्रम् ।
रजनीसारिवतिक्तादेवकुसुमकुङ्कमागुरुकम् ।।२४७।।

एभिः कल्कैस्तैलप्रस्थं विपचेच्चतुर्गुणं मस्तु ।
लाक्षारसतुल्यं तत् सिद्धं बल्यं क्षयापहरम् ।।२४८।। चन्दनादितैलम् ।।

सलिलद्रोणे विमले विपचेत्तुलया प्रसारणीं तुलिताम् ।
पादावशिष्टसलिलं ग्राह्यं तैलं समं दध्नः ।।२४९।

तुल्यं काञ्जिकमानं क्षीरं तैलाच्चतुर्गुणं ग्राह्यम् ।
तैलाष्टमांशकल्कैरेतैः मन्दं मृदौ वह्नौ ।।२५०।।

मधुकं कृष्णामूलं गजकृष्णा चित्रकञ्च षड्ग्रन्था ।
सैन्धवरास्नादारुप्रसारणीनलदशतपुष्पाः ।।२५१।।

भल्लातकस्य पक्वञ्च फलं द्रव्याणि कल्कितानि स्युः ।
एतत्तैलं शस्तं वातव्याधीन् जयेत् क्षिप्रम् ।।२५२।। प्रसारणीतैलम् ।।

तिलतैलस्य प्रस्थं विपचेद् वैद्यश्चतुर्गुणे क्षीरे ।
कल्कैः पलप्रमाणैः द्रव्याणां पर्णिप्रभृतीनाम् ।।२५३।।

पर्ण्यौ बला च बृहतीद्वयमेरण्डाङ्घ्रिकश्च शतमूला ।
कङ्कुतिका सकरञ्जा सैरेयकमप्यथो दद्यात् ।।२५४।।

एतद् विष्ण्वभिधानं तैलं वातं समं विनाशयति ।
शिरसः शूलं मोहं हरति समस्तं शिरोऽभ्यङ्गात् ।।२५५।। विष्णुतैलम् ।।

तिलतैलं प्रस्थमितं विपाचयेदाढकोन्मिते सलिले ।
कल्कार्थं स्युर्गुग्गुलुसर्जरसश्रुयाह्वसिक्थानि ।।२५६।।

नवसिल्हकं पलार्धं सार्धपलं सत्फलत्रयं ग्राह्यम् ।
तावन्निम्बस्य दलं निर्गुण्ड्याश्चापि तत्तुल्यम् ।।२५७।।

सिद्धे तैले देयं कर्पूरं धवलमर्धपलमानम् ।
एतत् पञ्चगुणं स्यात्तैलं गुणवच्च शस्तञ्च ।।२५८।।

रौक्ष्यं हन्ति सशोथं शूलं वातोद्भवञ्च नाशयति ।
व्रणरोपणमपि परमं कुरुते भग्नस्य सन्धानम् ।।२५९।। पञ्चगुणतैलम् ।।

तिलतैले प्रस्थार्धे द्रव्याण्येतानि मिश्रयेद् विधिना ।
कर्षमितानि लवङ्गं मुचकुन्दं बालकन्त्वभयम् ।।२६०।।

श्रीखण्डं सकुलञ्जनमेले रत्नद्युतिं ततो दद्यात् ।
कर्पूरं कर्षार्धं सप्ताहाद् भानुपाकेन ।।२६१।।

सिद्धं हिमांशुतैलं शिरसः शूलं द्रुतं विनाशयति ।
मनसः प्रसादजननं निद्राजननञ्च संशमनम् ।।२६२।। हिमांशुतैलम् ।।

सर्जरसारुणयष्टीमधुयष्टीसारिवामधूच्छिष्टैः ।
पलमानैरैरण्डं तैलं सिद्धन्तु पिण्डाख्यम् ।।२६३।।

चर्मदलं त्वपनयति त्वग्दोषान् वातशोणितं प्रबलम् ।
विदधाति चर्म मृदुलं स्निग्धं निर्दोषमस्त्रावि ।।२६४।। पिण्डतैलम् ।।

मरिचं तालं त्रिवृता करवीरं रक्तचन्दनं मुस्तम् ।
मांसी शिला निशे द्वे दारु विशाला तथा कुष्ठम् ।।२६५।।

अर्कपयो गोमयतः स्वरसस्त्वेतानि कर्षमानानि ।
अर्धपलञ्च विषं स्यात् कटुतैलं प्रस्थमानञ्च ।।२६६।।

गोमूत्रं तद्द्विगुणं सलिलं विमलं तथा भवेद् द्विगुणम् ।
तन्मरिचाद्यं तैलं हरति समस्तानि कुष्ठानि ।।२६७।। मरिचादितैलम् ।।

भृङ्गरजःस्वरसेन त्रिपलायःकिट्टभागतश्चापि ।
सारिवकल्केन पचेत्तैलं खालित्यपलितघ्नम् ।।२६८।। भृङ्गराजतैलम् ।।

जातीनिम्बपटोलात् सकरञ्जात् पल्लवाः मधूच्छिष्टम् ।
मधुकं कुष्ठं द्विनिशे कटुकाऽरुणयष्टिका लोध्रम् ।।२६९।।

पद्मकमभया तुत्थं नीलोत्पलसारिवेऽस्थि कारञ्जम् ।
आदाय तुल्यभागे पिष्ट्वा तैलं भिषग् विपचेत् ।।२७०।।

दग्धे भग्ने विद्धेऽभिहते शूले व्रणे चिराद्दुष्टे ।
त्वग्जातेऽपि विकारे नाड्यां जात्यं हि जात्यादि ॥२७१॥ जात्यादितैलम् ॥

बालं बिल्वं पिष्ट्वा सुरभीमूत्रेण पाचयेत्तैलम् ।
साजक्षीरं सजलं बाधिर्यं हरति तैलं तत् ॥२७२॥ बिल्वतैलम् ॥

व्याघ्री दन्ती सवचा तुलसी व्योषं ससैन्धवं शिग्रु ।
कल्कैरेतैः सिद्धं तैलं नासागदान् हन्ति ॥२७३॥ व्याघ्रीतैलम् ॥

तिलतैलं प्रस्थमितं छागीदुग्धं भवेच्च तत्तुल्यम् ।
भृङ्गरसश्च चतुर्गुण एरण्डं तगरमूलञ्च ॥२७४॥

शतपुष्पा जीवन्ती रास्नासैन्धवकृमिघ्नबीजानि ।
त्वक् शुण्ठी मधुयष्टी पलमानानि प्रदेयानि ॥२७५॥

बिन्दुत्रयमथ दद्यात् नासारन्ध्रद्वये भिषक् क्रमशः ।
नासारोगान् सर्वान् पीनसप्रभृतीन् निहन्त्याशु ॥२७६॥ षड्बिन्दुतैलम् ॥

आसवारिष्टाः

स्वरसं गृहकन्यायाः द्रोणमितं स्थापयेन् मृदो भाण्डे ।
तत्र तुला तु गुडस्याधेया स्यान्माक्षिकार्धतुला ॥२७७॥

लौहं भस्मार्धतुलामानं देयं ततश्च प्रक्षेप्यम् ।
त्रिकटु लवङ्गं वह्निश्चातुर्जातं विडङ्गञ्च ॥२७८॥

ग्रन्थिकगजपिप्पल्यौ चव्यं हपुषा वरा निशे धान्यम् ।
लोध्रं कटुका मुस्तं रास्ना सुरदारु कपिकच्छूः ॥२७९॥

मूर्वा त्वमृता दन्ती पुष्करमूलं बला तथाऽतिबला ।
त्रैकण्टकं शताह्वा पूगश्चाकल्लकं ताप्यम् ॥२८०॥

पौनर्नवद्वयं स्यादर्धपलं धातकी तथाऽष्टपला ।
सिद्धो यकृद्विकारं वह्नेर्मान्द्यं विनाशयति ॥२८१॥ कुमार्यासवः ॥

चूर्णं लोहस्य कटुत्रिकमथ दद्याद् यवानिकां त्रिफलाम् ।
मुस्तं वह्निविडङ्गे प्रत्येकं स्यात् कुडवमानम् ॥२८२॥

विंशतिपलन्तु पुष्पं धातक्याश्चूर्णितं ततो देयम् ।
आढकमानं क्षौद्रं गुडमथ दद्यात् तुलामानम् ॥२८३॥

सलिलं द्रोणद्वयमपि सर्वं भाण्डे शुचौ विनिक्षिप्य ।
कुर्यादासवविधिना सिद्धो लोहासवो नाम्ना ॥२८४॥

लोहासव इति विदितो योगः पाण्ड्वामये प्रशस्ततमः ।
शोथे ग्रहणीरोगे जठरे योज्यो यकृद्रोगे ॥२८५॥ लोहासवः ॥

सारिवयुगलं मुस्तं लोध्रं न्यग्रोधपिप्पलामलकम् ।
बालं शटी च पद्मकपाठे त्वमृता तथोशीरम् ॥२८६॥

द्वे चन्दने यवानी कटुका चैलाद्वयं गदं पत्रम् ।
अभया सुवर्णपत्री चतुष्पलं स्यात्तु प्रत्येकम् ॥२८७॥

द्विद्रोणे सन्धेयं सलिले त्रितुला गुडस्य प्रक्षेप्या ।
द्राक्षा षष्टिपला दशपलमानं धातकीपुष्पम् ॥२८८॥

आसव एष प्रशस्तः शोणितरोगे व्रणे गुदस्थगदे ।
उपदंशेऽनिलरक्ते त्वग्दोषे मेहपिडकासु ॥२८९॥ सारिवाद्यासवः ॥

पञ्चाङ्गं धत्तूरात् वेदपलं तावदेव वृषमूलम् ।
मधुकं कृष्णा व्याघ्री शुण्ठी भार्गी च नागाह्वम् ॥२९०॥

तालीशं स्याद् द्विपलं धातकिपुष्पं तथा च प्रस्थैकम् ।
द्राक्षा विंशतिपलिका शतपलिका शर्करा ग्राह्या ॥२९१॥

मधुनस्त्वर्धतुला स्याद् द्विद्रोणे सज्जले तु संस्थाप्यम् ।
कनकासवः प्रशस्तः श्वासे कासे क्षतक्षीणे ॥२९२॥ कनकासवः ॥

सितचन्दनञ्च मुस्तं ह्रीबेरं चोत्पलं सकाश्मर्यम् ।
लोध्रप्रियङ्गु पद्मकरक्तारुणचन्दनं पाठा ॥२९३॥

न्यग्रोधश्च किरातो मागधिका पर्पटश्च गन्धशटी ।
रास्नामधुकपटोलं चाम्रात्वक् काञ्चनाराच्च ॥२९४॥

मोचरसः प्रत्येकं पलमानं धातकीसुमप्रस्थः ।
द्राक्षा विंशतिपलिका चैकतुला शर्करा ग्राह्या ॥२९५॥

सलिले द्विद्रोणमिते संस्थाप्यं तत्तु मासपर्यन्तम् ।
शस्तः शुक्रविकारे मेहे चोष्णानिलाख्यगदे ॥२९६॥ चन्दनासवः ॥

ताम्बूलस्य स्वरसो द्रोणमितोऽथो गुडस्तदर्धः स्यात् ।
प्रस्थद्वयञ्च धातकिपुष्पं पलिकञ्चतुर्जातम् ॥२९७॥

ताम्बूलासव एषस्त्वनुभूतो हृद्भवेषु रोगेषु ।
हृद्दौर्बल्ये पादस्थितशोथेऽतीव लाभकरः ॥२९८॥ ताम्बूलासवः ॥

कुटजस्याङ्घ्रितुला स्याद् द्राक्षा शुद्धा तदर्धमाना च ।
पुष्पं मधूकजातं काश्मर्यं दिक्पलोन्मानम् ॥२९९॥

वेदद्रोणे सलिले पक्त्वा तुर्यावशेषिते क्वाथे ।
दद्यात् गुडस्य तु तुलां विंशतिपलकानि धातक्याः ॥३००॥

भाण्डे निधाय मासं यावत् कल्पं विधानतः कुर्यात् ।
कुटजारिष्टः शमयेदतिसारं सप्रवाहणकम् ॥३०१॥ कुटजारिष्टः ॥

खदिरस्तुलार्धमानः सुरदारु च तत्समं समादेयम् ।
द्वादशपलेन्दुलेखा दार्वी विंशतिपलोन्माना ॥३०२॥

त्रिफला विंशतिपलिका ह्यष्टद्रोणे जलेऽमले विपचेत् ।
द्रोणे शिष्टकषाये दद्यान्मधुनस्तुलाद्वितयम् ॥३०३॥

एकतुलां तु सितायाः विंशतिपलकानि धातकीपुष्पात् ।
कक्कोलनागकेशरजातीफलदेवकुसुमैलाः ॥३०४॥

त्वक्पत्रञ्च पृथक् स्युः पलतस्तुलिताश्चतुष्पला कृष्णा ।
संस्थापयेद् विधानाद् घृतभाण्डे मासमात्रं तत् ॥३०५॥

खदिरारिष्टः कुष्ठं सकलं ग्रन्थीन् द्रुतं विनाशयति ।
खदिरः कुष्ठघ्नानां श्रेष्ठः चरकेण संप्रोक्तः ॥३०६॥ खदिरारिष्टः ॥

द्राक्षार्धतुलां सलिले द्विद्रोणे क्वाथयेद् विधानज्ञः ।
पादशृते त्वथ शीते दद्याच्छुद्धां गुडद्वितुलाम् ॥३०७॥

मरिचप्रियङ्गुकृष्णात्वक्पत्रैलेभकेशरं पलिकम् ।
विंशतिपलानि मदकृद् दत्वा भाण्डे निधातव्यम् ॥३०८॥

सिद्धो द्राक्षारिष्टो बलकृन्मलशोधनः परं हृद्यः ।
क्षीणे क्षते गलामयकासश्वासेषु निर्दिष्टः ॥३०९॥ द्राक्षारिष्टः ॥

रोहितवल्कन्तु तुलामानं विपचेच्चतुर्घटे सलिले ।
पादशृते च गुडस्य द्वितुलां प्रस्थञ्च धातक्याः ॥३१०॥

दद्यात् पलं त्रिजातं त्रिफलां पञ्चोषणं दृढे भाण्डे ।
सिद्धोऽरिष्टो हन्याद् याकृतप्लीहोदरं गुदजम् ॥३११॥ रोहितकारिष्टः ॥

हयगन्धा तु तुलार्धा मुशली विंशतिपला नवा ग्राह्या ।
मञ्जिष्ठा रजनीद्वयपथ्यामधुकार्जुनत्रिवृताः ॥३१२॥

रास्नाविदारिमुस्तं प्रत्येकं दशपलं समादेयम् ।
चित्रकवचाद्विचन्दनसारिवयुगलं पलाष्टमितम् ॥३१३॥

क्षुण्णं सलिलद्रोणे वसुसंख्ये साधयेद् विधानज्ञः ।
पादशृते च कषाये मधुनो देयं तुलात्रितयम् ॥३१४॥

व्योषस्य द्विपलं स्यात् षोडशपलिकञ्च धातकीपुष्पम् ।
त्रैजातञ्च चतुष्पलमथ तत्तुल्यं प्रियङ्गु स्यात् ॥३१५॥

गजकेशरं द्विपलिकं दत्वा स्नेहाप्लुते दृढे भाण्डे ।
स्थाने पिहितेऽवाते सम्यक् स्थाप्यन्तु मासान्तम् ॥३१६॥
सिद्धोऽरिष्टः पीतो हन्यान्मूर्च्छामपस्मृतिं शोषम् ।
विविधान् वातविकारान् भ्रमरोगं मानसांश्च गदान् ॥३१७॥ अश्वगन्धारिष्टः ॥

दशमूलं प्रत्येकं पञ्चपलं चित्रकन्तु पञ्चगुणम् ।
तत्तुल्यं पुष्करजं विंशतिपलकेऽमृतालोध्रे ॥३१८॥
धात्री षोडशपलिका द्वादशपलिका दुरालभा ग्राह्या ।
अष्टपलानि तु खदिरो बीजकसारस्तथा पथ्या ॥३१९॥

द्वे द्वे पले तु दद्याद् योजनवल्ली च सारिवा दारु ।
मधुकं कृमिजिद्भार्गी दधिफलपौनर्नवे चव्यम् ॥३२०॥
अक्षो मांसी कान्ताऽसितजीरं पिप्पली शटी रास्ना ।
त्रिवृता पूगं रजनी शतपुष्पा पद्मकं मुस्तम् ॥३२१॥

गजकेशरश्च शृङ्गी शक्रयवाः जीवकर्षभौ चापि ।
मेदा समहामेदा काकोल्यौ चर्द्धिवृद्धी च ॥३२२॥

सर्वं जलेऽष्टगुणिते विपचेत्तुर्यांशशेषितं यावत् ।
मृद्भाण्डे सुस्निग्धे क्षिप्त्वा संस्थापयेद् वैद्यः ॥३२३॥

द्राक्षामाढकतुलितां विपचेन्नीरे चतुर्गुणे विधिना ।
कृत्वा त्रिपादशेषं शीतं तस्मिन् विनिक्षेप्यम् ॥३२४॥

प्रस्थद्वयन्तु मधुनो भवेच्चतस्रस्तुलाश्च शुद्धगुडात् ।
त्रिंशत्पलानि मदकृच्चन्दनकक्कोलवैदेह्यः ॥३२५॥

जातीफलं लवङ्गं बालं त्वक्पत्रकेशरैलाह्वाः ।
द्वे द्वे पले पृथक् स्युः शाणोन्माना च कस्तूरी ॥३२६॥

संस्थापयेच्च विधिना जातरसं पाययेतु रोगार्तम् ।
सिद्धो दशमूलाख्योऽरिष्टो बल्यश्च वातघ्नः ॥३२७॥

वातव्याधौ शोथे शोषे ग्रहणीभवे गदे पुंसाम् ।
स्त्रीणां प्रसूतिरोगे प्रसवोत्तरमिष्यते पथ्यः ॥३२८॥ दशमूलारिष्टः ॥

एकतुला स्यादभया मृद्वीकायाः भवेत्तथाऽर्धतुला ।
दशपलमितं विडङ्गं तद्वत् कुसुमं मधूकस्य ॥३२९॥

द्रोणचतुष्टयसलिले विपचेत्तुर्यावशेषसलिलं तत् ।
शीतीभूते तस्मिन् दद्याद् वैद्यो गुडस्य तुलाम् ॥३३०॥

प्रक्षेपे गोक्षुरकं त्रिवृता धान्यं महौषधं चविका ।
सुरवारुणी मधुरिका द्विपलं दन्ती च मोचरसः ॥३३१॥
संस्थाप्यं मासैकं यावद् विधिना दृढे तु मृद्भाण्डे ।
अनुलोमयति समीरं ह्यभयारिष्टो गुदार्शोघ्नः ॥३३२॥ अभयारिष्टः ॥

एकां तुलां त्वशोकाद् विपचेत् सलिलेऽमले चतुर्द्रोणे ।
पादश्रृते च गुडस्य द्वितुलां प्रस्थञ्च धातक्याः ॥३३३॥
दद्याच्च मुस्तशुण्ठीजीरकदार्व्युत्पलं तथा त्रिफला ।
आम्रास्थिकृष्णजीरकवासाचन्दनमतः पलतः ॥३३४॥
मृत्पात्रे संस्थाप्यं सन्धानार्थं दृढे च सुस्निग्धे ।
सिद्धोऽशोकारिष्टो स्त्रीणां प्रदरं विनाशयति ॥३३५॥ अशोकारिष्टः ॥

अर्जुनवल्कतुला स्यादर्धतुला निर्मला च मृद्वीका ।
विंशतिपलं मधूकजपुष्पं नीरे चतुर्द्रोणे ॥३३६॥
विपचेत् पादश्रृतेऽथो विंशतिपलिकश्च धातकीपुष्पम् ।
एकतुलाश्च गुडस्य प्रक्षेप्यं सच्चतुर्जातम् ॥३३७॥
हृद्येनार्जुननाम्ना द्रव्येणातः कृतोऽर्जुनारिष्टः ।
विविधान् हृदयव्याधीन् बल्यः शीघ्रं विनाशयति ॥३३८॥ अर्जुनारिष्टः ॥

अमृता तुलामिता स्याद् दशमूलं तत्समं समं विपचेत् ।
द्रोणचतुष्टयसलिले पादश्रृते सिद्धशीतेऽस्मिन् ॥३३९॥
त्रितुलां गुडस्य दद्यात् षोडशपलिकानि जीरकाणि ततः ।
पर्पटकस्तु द्विपलः पलमानं वत्सकाद्बीजम् ॥३४०॥
कटुकातिविषे व्योषं सप्तच्छदनागपुष्पघनसंज्ञम् ।
संस्थापयेत्तु विधिना मृत्पात्रे मासमात्रं तत् ॥३४१॥
अमृतारिष्टः ख्यातो जीर्णज्वरनाशने प्रशस्ततमः ।
रक्तविकारान् यकृतो रोगान् मेहांश्च नाशयति ॥३४२॥ अमृतारिष्टः ॥

ब्राह्मी समूलशाखापत्रा विंशतिपलोन्मिता ग्राह्या ।
पञ्च पलानि वरीमिशिविदार्युशीराभयानां स्युः ॥३४३॥
सलिलद्रोणे विपचेत् पादश्रृते दशपलं शुभं क्षौद्रम् ।
सितया सपञ्चविंशतिपलया मदकृत्तु पञ्चपलम् ॥३४४॥
प्रक्षेपार्थं त्रिवृता कणा लवङ्गं वचा त्वचं कुष्ठम् ।
हयगन्धाऽमृतवल्ली जन्तुघ्नोऽक्षश्च कर्षमितः ॥३४५॥

संस्थाप्यं तत्सर्वं दृढमृत्पात्रे सुवर्णपत्रयुतम् ।
सारस्वताभिधोऽयं सदरिष्टो भाति मेध्यतमः ।।३४६।। सारस्वतारिष्टः ।।

कैरातो मञ्जिष्ठाऽतिविषा रक्तश्च चन्दनं प्रस्थम् ।
विपचेद् वेदद्रोणे पादशृते गुडतुलाद्वितयम् ।।३४७।।

रजनी दारु समुस्तं कर्कटशृंगी वचाऽभया शुण्ठी ।
धन्वयवासः पर्पटनिदिग्धिके पिप्पलीमूलम् ।।३४८।।

निम्बत्वक् ह्रीबेरं कर्चूरं पौष्करं तथा च कुटजत्वक् ।
कृष्णा मधुकं दार्वी बीजं शिग्रोः कलिङ्गाश्च ।।३४९।।

पलमानं प्रक्षेप्यं संस्थाप्यञ्चापि मासपर्यन्तम् ।
हन्याद् यकृतो रक्तस्य गदान् जीर्णज्वरांश्चापि ।।३५०।। किराताद्यरिष्टः ।।

।। इति षोडशाङ्गहृदये प्रियव्रतशर्मकृते भेषजकल्पनाप्रकरणं चतुर्थम् ।।४।।

# ५. रसशास्त्रम्

## रसः

देहरसो हि शिवस्य प्रथितो रसनाच्च सर्वधातूनाम् ।
रस इति सूतः ख्यातः पारदनामा रसेन्द्रश्च ।।१।।

संसारार्णवपारं नीत्वा मुक्तिं ददाति दयितोऽसौ ।
भुक्तिञ्चापि समस्तव्याध्युदधेः पारदः सार्थः ।।२।।

## रसशास्त्रम्

रससंस्कारान् कर्मणि सहचरितद्रव्यकरणसमवायान् ।
वर्णयति प्रविभागाद् रसशास्त्रं तद् विदुस्तज्ज्ञाः ।।३।।

## रसशाला

रसशाला तु विधेया रमणीया वास्तुवेत्तृभिः कुशलैः ।
शस्ते रम्ये देशे जनबाधावर्जिते विपुले ।।४।।

मुशलोदूखलकर्तरिचालनिशूर्पं समाहरेत्तु भिषक् ।
खल्वान् मूषाः यन्त्रप्रभृतीन्यत्रोपकरणानि ।।५।।

कर्मकराः रसवैद्यस्यानुगताः सत्यवादिनः शुचय ः ।
निर्लोभाश्च परिश्रमनिरतास्तत्कर्मकुशलाः स्युः ।।६।।

## परिभाषा

### क्षारपञ्चकम्

मुष्कक्षारो यवजः क्षारश्चासौ पलाशतरुजातः ।
स्वर्जिक्षारस्तिलजः क्षारः क्षारास्तु पञ्च मताः ॥७॥

### क्षाराष्टकम्

स्नुक्काण्डात्तु पलाशात् शिखरिभवस्तिन्तिडीजतिलजौ च ।
अर्काद् यवतः स्वर्जिः क्षाराष्टकमेतदुद्दिष्टम् ॥८॥

### अम्लपञ्चकम्

नारङ्गाम्लं वेतसनिम्बवम्लं मातुलुङ्गजम्बीरे ।
फलपञ्चाम्लकमेतत् कथितं पञ्चाम्लफलवर्गः ॥९॥

### अम्लवर्गः

चाङ्गेरी चणकाम्लं निम्बुकवृक्षाम्लबीजपूराख्यम् ।
दाडिमनारङ्गफलं वेतसमम्लञ्च कर्कन्धु ॥१०॥

करमर्दञ्चुक्राख्यं तिन्तिडिकायाः फलञ्च जम्बीरम् ।
सामान्यात् कथितोऽसौ वर्गोऽम्लानां बुधैस्तज्ज्ञैः ॥११॥

### पञ्चतिक्तम्

अमृता निम्बान्मूलत्वग् वासा कण्टकारिका त्वपरा।
पत्रं पटोलवल्ल्याः कथितोऽयं पञ्चतिक्तगणः ॥१२॥

### पञ्चगव्यम्

गव्यं दधि च क्षीरं सर्पिः मूत्रन्तथा गवाञ्च शकृत् ।
सम्मिलितं समभागैर्भिषजोक्तं पञ्चगव्यं तत् ॥१३॥

### पञ्चामृतम्

गोः क्षीरं दधि सर्पिः माक्षिकमथ चापि शर्करा तुल्या ।
पञ्चामृतमिति विद्यात् कर्मणि सकले रसाभिज्ञैः ॥१४॥

### पञ्चमृत्तिकाः

इष्टकचूर्णं गैरिकमथ वल्मीकस्य मृत्तिका भस्म ।
लवणं पञ्चममिष्टं निर्दिष्टाः मृत्तिकाः पञ्च ॥१५॥

### मधुरत्रिकम्

आज्यं गुडोऽथ माक्षिकमेतन् मधुरत्रिकं बुधो विद्यात् ।
मधुरत्रयमपि चैतत् ख्यातं विज्ञैस्त्रिमधुरञ्च ॥१६॥

क्षीरत्रयम्

अर्कात् स्नुह्याः क्षीरं न्यग्रोधाच्चापि साधु निगृहीतम् ।
क्षीरत्रयमिति विदितं योज्यं रसकर्मसु प्रयतम् ।।१७।।

दुग्धवर्गः

करिणी बडवा धेनुस्त्वविका छागी तथोष्ट्रिका नारी ।
महिषी गर्दभपत्नी काकाह्वोदुम्बरी चार्कः ।।१८।।
स्नुग् दुग्धिका च पिप्पलतिल्वकवृक्षौ तथा च वटवृक्षः ।
एषां दुग्धैः ख्यातो रसयोज्यो दुग्धवर्गोऽसौ ।।१९।।

तैलवर्गः

कंगुणिघोषालाबूश्रीफलकारीरनिम्बसिद्धार्थाः ।
बाकुचिकोमा चाक्षं प्रत्यक्पुष्पी च जीमूतम् ।।२०।।
तिलदन्तीतुम्बुरुकाङ्कोलारुष्करपलाशधत्तूरम् ।
रसकर्मणि प्रयोज्यो बीजानां तैलवर्गोऽयम् ।।२१।।

विड्वर्गः

पारावतो मयूरः कुक्कुटनामा च दूरदृष्टियुतः ।
प्राज्यः कपोतपोतस्तेषां शकृता तु विड्वर्गः ।।२२।।

श्वेतवर्गः

तगरः कुटजः कुन्दो गुञ्जा जीवन्तिका तथा कमलम् ।
एषां वर्गः श्वेतः रसवैद्यैरेष विख्यातः ।।२३।।

रक्तवर्गः

खदिरो कुसुम्भलाक्षे मञ्जिष्ठा रक्तचन्दनश्चाक्षी ।
बन्धूकश्च सुमनसां सारः स्वाद् रक्तवर्गोऽयम् ।।२४।।

पीतवर्गः

आरग्वधं पलाशो रजनीद्वितयञ्च पीतवर्गोऽसौ ।
रसकर्मणि प्रयोज्यो विविधे वैद्यैर्विशेषज्ञैः ।।२५।।

कृष्णवर्गः

त्रिफला नीली पङ्कः कासीसं कृष्णवर्गसंज्ञोऽसौ ।
रसवैद्यैः रसकर्मणि योज्यो रागाप्तये बहुशः ।।२६।।

ककाराष्टकम्

कूष्माण्डं कर्कटिका कालिङ्गं कारवेल्लकस्य फलम् ।
कौसुम्भं कर्कोटी कालम्बी काकमाची च ।।२७।।

पारदरतः ककाराष्टकमेतद् वर्जयेत् सदा प्रयतः ।
यस्मात् सेवितमेतत् कुर्याद् विविधान् विकारांस्तु ॥२८॥

### ककारादिगणः

कूष्माडं कालिङ्गं कङ्कुः कोलं कुसुम्भिका कदली ।
कर्कोटी कर्कटिका कतकं काकाह्वमाची च ॥२९॥

काञ्जिकमथो कपित्थं सकुलत्थं कारवेल्लिकाप्रसवः ।
एष ककारादिगणो वर्ज्यो रससेवने मनुजैः ॥३०॥

### मूत्रपञ्चकम्-पित्तपञ्चकम्

हस्त्यश्वछागनारीसुरभीणां मूत्रपञ्चकं विनिर्दिष्टम् ।
मत्स्यनराश्वगवां स्यात् सर्बाहिणां पञ्च पित्तानि ॥३१॥

माहिषछागाविखरद्विपकरभाश्वात्तथा च गोः मूत्रम् ।
मूत्राष्टकमिति विदितं विहितं विविधेषु कार्येषु ॥३२॥

द्विपखरकरभतुरङ्गात् पुंसां मूत्रं सदा शुभं प्रोक्तम् ।
अन्यासाञ्च स्त्रीणां गोमूत्रं सर्वदा प्रथितम् ॥३३॥

### द्रावकपञ्चकम्

गुञ्जाटंकणसुमनःसाराः सर्पिस्तु पञ्चमश्च गुडः ।
द्रावकपञ्चकमेतत् ख्यातं रसकर्मसु प्राज्ञैः ॥३४॥

### मित्रपञ्चकम्

आज्यं गुञ्जा गुग्गुलु सौभाग्यं पञ्चमं तथा क्षौद्रम् ।
मित्राणां पञ्चानामेष गणः कीर्तितः प्राज्ञैः ॥३५॥

### लवणपञ्चकम्

सैन्धवमथ सामुद्रं सौवर्चलरोमके तथा च विडम् ।
लवणस्य पञ्चकं तत् ख्यातं सैन्धवमथो मुख्यम् ॥३६॥

### लवणत्रयम्-लवणद्वयम्

सैन्धवविडसौवर्चलमेतत् लवणत्रयं विनिर्दिष्टम् ।
विडरहितं लवणद्वयमेतत् ख्यातं विशेषज्ञैः ॥३७॥

### क्षारत्रयम्-क्षारद्वयम्

यवजः स्वर्जिक्षारः क्षारद्वयमेतदभिहितं प्राज्ञैः ।
सौभाग्येन च सहितं क्षारत्रयमेतदेव स्यात् ॥३८॥

नियामकगणः

सर्पाक्षी शरपुंखा पुनर्नवा स्याद् बला च नागबला।
मूर्वाकरञ्जपाठाः मण्डूकी मत्स्यलोचना दूर्वा ।।३९।।

सहदेवी तामलकी गोजिह्वा तण्डुलीयकश्च वरी।
वर्गो नियामकोऽसौ कथितो गिर्याखुकर्ण्यौ च ।।४०।।

मारकवर्गः

चित्रकगोक्षुरजातीदन्तीमुस्तं तथा च शरपुंखा।
कटुतुम्बी जीमूतं कन्या विषमुष्टिका लज्जा ।।४१।।

षड्ग्रन्था सर्पाक्षी वज्री लाक्षा भवेच्च सहदेवी।
जलकृष्णा निर्गुण्डी लाङ्गलिका माणकश्चार्कः ।।४२।।

बाकुचिवायसमाचीविष्णुक्रान्ताः बला जया शुण्ठी।
कोशातकी च रम्भा गजशुण्डी सूकरी रजनी ।।४३।।

मत्स्याक्षी त्वथ दार्वी पुनर्नवा वन्ध्यका च कर्कोटी।
धत्तूरं तिलपर्णी मण्डूकी कर्कटी त्वमृता ।।४४।।

तुलसी हरीतकी स्यात् शिग्रुर्मुशली तथा च गिरिकर्णी।
भृङ्गारुष्करकिंशुकसर्षपबीजकगवाक्ष्यश्च ।।४५।।

हिङ्गु चसैन्धवलवणं प्रसारणी सोमवल्लिका च तथा।
मारकवर्गस्तु भवेद् योज्यो रसमारणे प्राज्ञैः ।।४६।।

रसपङ्कः

गन्धकप्रभृतिद्रव्यैः द्रवसहितैः पेषितो यदा हि रसः।
सुश्लक्ष्णः पङ्कनिभो भवति त्वेषो हि रसपङ्कः ।।४७।।

सत्त्वम्

धातूनां ध्मातानां वह्नौ निर्गत्य चागतः सारः।
सत्त्वं तत् सम्प्रोक्तं प्राप्यं तच्चौषधिभ्यश्च ।।४८।।

ढालनम्

संद्रावितधातूनां निक्षेपस्तरलतैलप्रभृतिचरः।
ढालनमुक्तं प्राज्ञैः रसशास्त्रज्ञैः प्रयोज्यं तत् ।।४९।।

आवापः

वङ्गादिद्रुतधातौ द्रव्यान्तरपिप्पलादिचूर्णानाम्।
निक्षेपस्त्वावापः कथितश्चापि प्रतीवापः ।।५०।।

निर्वापः

धात्वादीनां वह्नौ तप्तानां यन्निपातनं तरले ।
निर्वापः स तु कथितः शोधनकर्म प्रशस्तं तत् ॥५१॥

ताडनम्

नालेनाध्मानं यद्धातोः परिशोधनप्रयोजनकम् ।
श्लिष्टस्यापि पृथक्त्वाधानं तत्ताडनं कथितम् ॥५२॥

भावना

चूर्णितधातुप्रभृतेः सम्मर्द्य रसैस्तु शोषणं विधिना ।
सा भावना निगदिता बहुशो रसकर्मसु ख्याता ॥५३॥

शोधनम्

पेषणनिर्वापादिकमिह यत् क्रियते मलापहरणाय ।
प्राकृतरूपाधाने साधनमिह शोधनं प्रोक्तम् ॥५४॥

अमृतीकरणम्

कृष्णायःप्रभृतीनां मृतरूपाणां पुनस्तु शिष्टानाम् ।
दोषाणां निर्हृतये संस्कारः सोऽमृतीकरणम् ॥५५॥

यन्त्राणि

दोलायन्त्रम्

भाण्डस्यार्धं स्वरसैः क्वाथैर्वा पूरयेद् भिषक् सलिलैः ।
पार्श्वच्छिद्रपिनद्धो दण्डः स्थाप्यश्च भाण्डमुखे ॥५६॥

तस्मिन् पोट्टलिबद्धं द्रव्यं संलम्बयेत्तु भाण्डान्तः ।
संस्वेद्यं विधिवत्तद् दोलायन्त्रं बुधैः कथितम् ॥५७॥

बालुकायन्त्रम्

वासोमिश्रितमृद्भिर्लिप्तां कूपीं विशोषितां सम्यक् ।
रसगर्भां तु स्थाल्यां संस्थाप्यापूरयेद् प्राज्ञः ॥५८॥

आकण्ठं सिकताभिः भाण्डाधो ज्वालयेत्ततो वह्निम् ।
एतद् रसकर्महितं ख्यातं सद्बालुकायन्त्रम् ॥५९॥

डमरुकयन्त्रम्

भाण्डोपरि विन्यस्य स्थालीमपरामधोमुखीञ्च ततः ।
दृढयेत् सन्धिं वदने डमरुकयन्त्रन्त्विदं कथितम् ॥६०॥

## पातालयन्त्रम्

भूमौ हस्तप्रमाणं गर्तं कृत्वा न्यसेत्ततस्तस्मिन् ।
पात्रं पात्रेऽन्यस्मिन् तद्रूपे विन्यसेद् द्रव्यम् ॥६१॥

वदनं तस्य निरोध्यं सच्छिद्रेण प्रगं शरावेण ।
एतत् पात्रमधोगे पात्रे न्युब्जं न्यसेद् विधिना ॥६२॥

सुदृढं सन्धि बद्ध्वा सम्यङ मृद्भिः प्रपूर्य गर्तश्च ।
वह्निं तूर्ध्वं दद्यादिति पातालाख्ययन्त्रं तत् ॥६३॥

## ऊर्ध्वपातनयन्त्रम्

डमरुकयन्त्रसमानं जलयातायातविधिविधानयुतम् ।
मूर्ध्न्यूर्ध्वगपात्रस्थं प्रथितं तत्तूर्ध्वपातनकम् ॥६४॥

## पुटपाकः

सम्पुटितं सद् द्रव्यं विधिवद् बद्धं शरावयुगमध्ये ।
वह्निगुणं त्वतिशयितं लभते तस्मात् पुटं शस्तम् ॥६५॥

## गजपुटम्

चतुरस्त्रन्तूत्सेधे दैर्घ्यायामे सपादहस्तमितम् ।
गर्तं कृत्वोत्पलकैरर्धं भृत्वा न्यसेद् द्रव्यम् ॥६६॥

संपुटितं पुनरर्धं शिष्टं संपूरयेत् समं छगणैः ।
गजपुटमेतत् कथितं सर्वपुटेषु प्रधानतमम् ॥६७॥

इत्थं दैर्ध्यायामाकृतिभिर्भिन्नानि तानि जानीयात् ।
वाराहपुटकपोताह्वपुटे कुक्कुटपुटादीनि ॥६८॥

## मूषा

द्रव्यस्याधानार्थं यत् पात्रं मृत्तिकादिसंविहितम् ।
सपिधानं दृढगात्रं मूषा सा वह्निपाकार्था ॥६९॥

करणाकारविभेदाद् बह्व्यो मूषा हि वर्णिताः शास्त्रे ।
वज्रादयः समेषां प्रामाण्यं त्वाकराज्ज्ञेयम् ॥७०॥

## अग्न्याधानी

अग्न्याधानी भस्त्रा-हसन्तिका-कोष्ठिकाविभेदेन ।
कर्तव्या रसकर्मणि प्राज्ञैरावश्यकी या स्यात् ॥७१॥

## पारदः

### विशुद्धः पारदः

अन्तर्नीलच्छायो बहिरुज्ज्वलकान्तिरर्कप्रतिमो यः।
पारद एष विशुद्धो ग्राह्यो रसकर्मसु प्राज्ञैः ॥७२॥

शुद्धः पारद एव ग्राह्यः सकलप्रयोगकार्येषु।
अविशुद्धो हि तु नैकान् व्याधीन् जनयेद् भृशं घोरान् ॥७३॥

### पारदस्य नैसर्गिकाः दोषाः

नागो वङ्गो वह्निर्गिरिचापल्ये मलं त्वसह्याग्निः।
गरलं दोषा एते सूतेऽष्टौ सन्ति नैसर्गाः ॥७४॥

नागाद् व्रणश्च कुष्ठं वङ्गाद् वह्नेर्भवेत्तु सन्तापः।
गिरितः स्फोटो बीजाघातश्चपलान्मलाज्जाड्यम् ॥७५॥

मोहोऽसह्यानलतः गरलान्मृत्युर्भवेत्ततः प्राज्ञाः।
पारदमेतैर्दोषैर्मुक्तं शुद्धं प्रयुञ्जीरन् ॥७६॥

### सप्त कञ्चुकाः

पारदमावृण्वन्तः परधातुकृतास्ततः समाश्लिष्टाः।
चूर्णीभूतास्तु मलाः कञ्चुकसंज्ञां भजन्ते ते ॥७७॥

भेदी द्रावी मलकृद् ध्वाङक्षी पाटनकरी च पर्पटिका।
अन्धकरीति रसस्य प्रोक्तास्ते कञ्चुकाः सप्त ॥७८॥

दोषाणाञ्च मलानां परिहाराय प्रयुज्यते शुद्धिः।
तदनन्तरमष्टादश संस्काराः वार्तिकैः कार्याः ॥७९॥

### पारदशोधनम्

पारदमिह समरजसा चूर्णस्यामर्दयेद् बुधस्त्रिदिनम्।
द्विगुणाद् वस्त्राद् गालितमथ खल्वे विन्यसेच्च ततः ॥८०॥

तुल्यं निस्तुषलशुनं सस्मादर्धन्तु सैन्धवं लवणम्।
कल्केऽस्मिन् रसराजो मर्द्यो यावद् भवेद् कृष्णः ॥८१॥

त्यक्त्वा कृष्णं कल्कं प्रक्षाल्यो वारिणा रसः सम्यक्।
एवं रसं विशुद्धं लब्ध्वा तं योजयेन्नियतम् ॥८२॥

कण्टकिपलाशसलिलैः संपेष्यं हिङ्गुलं शुभं भिषजा।
चाङ्गेरीस्वरसैर्वा जम्बीरस्य द्रवैरथवा ॥८३॥

यन्त्रेणोर्ध्वनिपातननाम्ना शुभ्रं रसन्तु सङ्गृह्य ।
रजनीचूर्णे षोडशकांशे वाऽम्लेन पटुना च ।।८४।।
संपेषयेद् दिनद्वयमथ वस्त्राद् गालयेद्रसं विमलम् ।
शुद्धोऽसौ रसराजः योज्यो योगेषु सर्वेषु ।।८५।।

पारदस्याष्टादश संस्काराः

स्वेदनमर्दनमूर्च्छनसोत्थापनपातनान्यथो बोधः ।
नियमनदीपनगगनग्रासाः गर्भे द्रुतिश्च बहिः ।।८६।।
चारणजारणरञ्जनसारणसङ्क्रामणानि वेधश्च ।
सेवनमेतेऽष्टादश संस्काराः पारदस्य स्युः ।।८७।।
पूर्वेऽष्टौ तु रसायनकर्मणि शस्ता बुधैश्च तनुवेधे ।
अपरे दश रसविज्ञैः वेधे योज्यास्तु लोहानाम् ।।८८।।

स्वेदनम्

चित्रकमगधामरिचैः विश्वार्द्रकसिन्धुजन्मसत्रिफलैः ।
षोडशकांशैः काञ्जिकपूर्णे स्वेद्यो रसस्त्रिदिनम् ।।८९।।
दोलायन्त्रे नित्यं कल्कः काञ्जिकयुतस्तु परिवर्त्यः ।
स्वेदनमेतज्ज्ञेयं शिथिलीकरणं हि दोषाणाम् ।।९०।।

मर्दनम्

मर्दनमथो बहिर्मलनिर्हरणाय त्रिवासरं कार्यम् ।
त्रिफला-राजी-रजनी-लशुनार्द्रकलवणगृहधूमैः ।।९१।।

मूर्च्छनम्

चित्रककन्यात्रिफलावारिभिरथ मर्दयेत्तु सप्तदिनम् ।
मूर्च्छनमेतत् त्रिमलं हन्ति विधत्ते च पिष्टित्वम् ।।९२।।

उत्थापनम्

स्विन्नं काञ्जिकवारिभिरम्लैः प्रक्षालयेत्तु रसराजम् ।
उत्थाप्यते तथाऽसौ स्वस्मिन् रूपेऽहितं हित्वा ।।९३।।

पातनम्

ऊर्ध्वाधस्तिर्यग्भिः पातनयन्त्रैर्निपातितो विधिवत् ।
सूतो भवति विशुद्धो वङ्गाहिकृतान् मलान् हित्वा ।।९४।।

बोधनम्

बोधनकर्म क्लैब्यं हरति रसेन्द्रस्य मर्दनादिकृतम् ।
तस्माद् भूर्जे बद्ध्वा सलवणसलिले रसः स्वेद्यः ।।९५।।

नियामनम्

भृङ्गलशुननवसादरचिञ्चामुस्तैस्तु स्वेदयेत् सम्यक् ।
एतन्नियामनं स्याच्चापल्यनिवृत्तिकरणं तत् ॥९६॥

दीपनम्

यामं काञ्जिकसलिलैः स्वेदनमिह दीपनं मतं प्राज्ञैः ।
येन रसो ग्रासार्थी जारणयोग्यश्च संभवति ॥९७॥

जारणम्

सूते क्षिप्तं विधिवद् गन्धाद्यं जार्यते विशेषज्ञैः ।
तज्जारणमिह कथितं पारदगुणकर्मवृद्धिकरम् ॥९८॥

मूर्च्छना

गदघातकतां नेतुं रसराजे नैकशस्तु या विधिभिः ।
क्रियते क्रिया मता सा रसविज्ञैः मूर्च्छना बलदा ॥९९॥

गन्धयुता निर्गन्धा द्विविधैषा सा पुनर्द्विधा त्वाद्या ।
अन्तर्धूमा च बहिर्धूमा विधिभेदतः ख्याता ॥१००॥

आदित एव तु वदनं कूप्याः संरुध्य जारणं बलेर्यत् स्यात् ।
सा मूर्च्छनाऽभिशस्ता त्वन्तर्धूमाभिधा विज्ञैः ॥१०१॥

गन्धे जीर्णे कूपीवदनं संरुध्य पाचनं यत् स्यात् ।
सा मूर्च्छना रसस्य ज्ञेया विज्ञैः बहिर्धूमा ॥१०२॥

गन्धविमूर्च्छितसूतः सुचिरं संसेवितोऽपि सन् मनुजैः ।
न विकारं प्रकरोति प्रसभं नैकान् करोत्यन्यः ॥१०३॥

रसपुष्पे मुग्धरसे रसकर्पूरे च गन्धरहिता स्यात् ।
गन्धयुता रसपर्पटि-रससिन्दूरादिषु ख्याता ॥१०४॥

कज्जली

अर्धसमानद्विगुणेन बलेश्चूर्णेन पारदो घटितः ।
भवति तु कज्जलकल्पो मसृणः सैवास्ति कज्जलिका ॥१०५॥

रसपर्पटी

विद्राव्य कज्जलीं या कदलीपत्रे निधाय पर्पटिका ।
निष्पाद्यते रसज्ञैः रसपर्पटिकासमाख्या सा ॥१०६॥

संग्रहणीनिग्रहणे रसपर्पटिका भवेत् परं शक्ता ।
ग्रहणीबलदा फलदा विधियुक्ताऽन्येषु रोगेषु ॥१०७॥

## रससिन्दूरम्

कज्जलिकां तां विधिना निर्माय विपाच्य काचकूप्युदरे ।
सिन्दूरतुल्यवर्णं रससिन्दूरं तु गृह्णीयात् ॥१०८॥

रससिन्दूरं युक्त्या सेवितमपहरति रोगसंघातान् ।
भिषजा प्रयुक्तमनघं विविधैरनुपानभेदैस्तु ॥१०९॥

## मकरध्वजः

स्वर्णं तोलकसम्मितमष्टगुणं पारदञ्च संगृह्य ।
षोडशतोलकबलिना पिष्ट्वा तत् कज्जलीं कुर्यात् ॥११०॥

विधिवद् विभाव्य सलिलैरोषधिजैः काचकूप्यां तत् ।
सैकतयन्त्रे क्रमशस्तीव्राग्नौ पाचयेत् प्राज्ञः ॥१११॥

मकरध्वज इव मनुजो भवति मनोज्ञः सुवर्णबलवीर्यः ।
यत्सेवनेन नूनं योगो मकरध्वजः ख्यातः ॥११२॥

अस्मिन् योगे स्वर्णं चतुर्गुणञ्चेद् विनिक्षिपेद् वैद्यः ।
श्रीसिद्धो मकरध्वज एष ख्यातो विशिष्टफलः ॥११३॥

## पारदमारणम्

विधिभिर्विविधैर्विहितं धातूनां पारदादिकानाञ्च ।
यद् भस्मत्वाधानं तन्मारणमुच्यते गदहृत् ॥११४॥

पर्णस्वरसैः सूतं संमर्द्य स्थापयेत्तु कर्कोटयाः ।
कन्दजकल्के पुटितं नागपुटे पाचयेत् सम्यक् ॥११५॥

इत्थं पारदभस्म प्रभवति नैकार्तिनाशने कुशलम् ।
बलशुक्रकरं हृद्यं वृद्धत्वनिवारणं परमम् ॥११६॥

क्षेत्रीकृतनिजकायः प्राक्कृत्यैः पञ्चभिः परं शुद्धः ।
अगदः पथ्यनिषेवी सेवेत रसं रसायनकम् ॥११७॥

### गन्धकः

निर्मलकोमलकान्तो रजनीतुल्यप्रभः प्रभादीप्तः ।
सौगन्धिकस्तु विदितः श्रेष्ठो रसकर्मसु प्राज्ञैः ॥११८॥

## गन्धकशोधनम्

अग्नावायसपात्रे गव्यघृतं तापयेत्तु रसकर्मा ।
तप्ते गन्धकचूर्णं विनिक्षिपेत् तुल्यपरिमाणम् ॥११९॥

द्रुतमथ गन्धकमग्नौ पयसा पूर्णोदरे शुचौ पात्रे ।
मुखरोधकवस्त्रोपरि कुशलः संपातयेद् विधिना ॥१२०॥

दुग्धान्तर्गतगन्धं संगृह्य क्षालयेत्ततः सलिलैः ।
एवं त्रिवारविहितो गन्धो नितरां भवेच्छुद्धः ॥१२१॥

शुद्धो गन्धो हन्ति प्रसभं कुष्ठानि तानि सर्वाणि ।
जठराग्निं दीपयति प्रतिकुरुते सूतदोषांश्च ॥१२२॥

गन्धकवटी

अर्धपलो बलिभागश्चित्रं मरिचं कणा च कर्षमितम् ।
विश्वौषधं पलार्धं यवजो लवणत्रयं कोलम् ॥१२३॥

निम्बुरसेन विमर्द्य प्रयतो गुटिकां विधाय कोलसमाम् ।
दद्याच्छूले ग्रहणीरोगे मान्द्ये तथा वह्नेः ॥१२४॥

गन्धकरसायनम्

त्रिफलाचूर्णपलैकं त्वर्धपलं गन्धकस्य शुद्धस्य ।
कर्षं लौहाच्चूर्णं मिश्रीकृत्याखिलं यत्नात् ॥१२५॥

मधुसर्पिर्भ्यां लीढं नियमाद् गन्धकरसायनन्त्वेतत् ।
सर्वान् व्याधीन् हन्ति प्रसभं सिद्धं वयःस्थापि ॥१२६॥

हिङ्गुलम्

ओड्रकुसुमसमवर्णं सुमनोज्ञं कान्तिमद् विशुद्धञ्च ।
गुरुतामण्डितमगदं दरदं ग्राह्यं समाख्यातम् ॥१२७॥

हिङ्गुलशोधनम्

निम्बुकरसेन दरदं चूर्णितरूपं विभावयेद् विधिना ।
वारान् सप्त सुधौतं कुर्याद् बहुशोऽम्भसा तदनु ॥१२८॥

तत आतपे विशोष्य प्रयतः कामं प्रयोजयेद् विमलम् ।
अगदङ्कारि तु हिंगुलमखिलेषु व्याधिजातेषु ॥१२९॥

हिङ्गुलेश्वरः

मागधिका वत्सविषं समभागं हिङ्गुलं समादाय ।
वटिका विहिता खल्वे ज्वरमनिलोत्थं द्रुतं हन्ति ॥१३०॥

अभ्रकम्

अभ्रं महारसेषु प्रमुखं वर्णैश्चतुर्विधं ख्यातम् ।
श्वेतं पीतं रक्तं कृष्णं तत्रासितं श्रेष्ठम् ॥१३१॥

कृष्णश्चापि चतुर्विधमुदितं मण्डूकनामवज्राह्वे।
नागपिनाके तेष्वपि वज्राभ्रकमेव सङ्ग्राह्यम् ॥१३२॥

नीलाञ्जनसमवर्णं स्निग्धं गुरुतायुतं तथा मृदुलम्।
शुभ्रं विमोच्यपत्रं श्रेष्ठं त्वभ्रं समाख्यातम् ॥१३३॥

अभ्रकशोधनम्

अभ्रं दहनोत्तप्तं बदरीक्वाथे निषेचयेद् विधिना।
वारान् सप्त प्रयतः पेषणतः शुद्धिमायाति ॥१३४॥

धान्याभ्रककरणम्

पादांशधान्ययुक्तं गगनं विन्यस्य कम्बलान्तरितम्।
बद्धं सूत्रेण दृढं स्थाप्यं नीरे दिनैकं तत् ॥१३५॥

सुक्लिन्नं तदनु दृढं मर्द्यं करतो भृशं यतः सलिले।
स्रवति तु सर्वं गगनं संशोष्यश्चातपे तदनु ॥१३६॥

धान्याभ्रकमिति विदितं संस्कृतमभ्रं सुधान्यसहितं यत्।
तद् ग्राह्यं रसविज्ञैः मारणकार्ये गुणैर्युक्तम् ॥१३७॥

अभ्रकमारणम्

धान्याभ्रकमिह पिष्ट्वा पर्णस्वरसेन चक्रिकाकृतिषु।
कृत्वा गजनामपुटे विपचेदभ्रं मृतिं यावत् ॥१३८॥

मृतमभ्रं निश्चन्द्रन्त्वरुणं सूक्ष्मञ्च वारितरम्।
स्पर्शसुकोमलमच्छं जानीयात्तन्त्रविद् वैद्यः ॥१३९॥

विंशत्यादिशतान्तः पुटयोगो रोगशमनसाधनकः।
तत्परतस्तु सहस्रं यावद् रासायनः शस्तः ॥१४०॥

अमृतीकरणम्

मृतगगनेन समानं गव्यं सर्पिर्विमिश्र्य खलु विपचेत्।
मन्दानलेन विधिवत्त्वमृतीकृतमभ्रमच्छं स्यात् ॥१४१॥

मृताभ्रगुणाः

कासश्वासनिषूदनमभ्रं सन्तापनाशनं परमम्।
बल्यं वृष्यं मेधाजननञ्चौजस्करं प्रोक्तम् ॥१४२॥

शृंगाराभ्रम्

द्विपलं वज्राभ्ररजः शाणमितं चन्द्रसंज्ञकं कोषम्।
सलिलं गजपिप्पलिका त्वक्पत्रं देवकुसुमञ्च ॥१४३॥

मांसी त्वक् तालीशं नागसुमं कुष्ठधातकीपुष्पे ।
त्रिफला व्योषञ्च पृथक् शाणार्धमितञ्च संङग्राह्यम् ॥१४४॥

जातीफलं तथैला शाणद्वयमानतः समादेये ।
ग्राह्यो गन्धकनामा कोलमितः शोधितो विधिना ॥१४५॥

कोलार्धः स्यात् सूतः सर्वन्त्वेकत्र मिश्रणीयं तत् ।
वटिकाः कार्याश्चणकोपमिताः बल्याः सुवृष्याश्च ॥१४६॥

नागर्जुनाभ्रम्

वज्राभ्रं दशशतधा पुटितं पार्थत्वचः कृते क्वाथे ।
सप्त दिनानि च भावितमथ छायाशोषितं खल्वे ॥१४७॥

वटिका कृता तु भिषजा प्रथिता नागार्जुनाभ्रनाम्नीयम् ।
हृद्रोगं विनिहन्ति क्षिप्रं शूलं ज्वरं शोथम् ॥१४८॥

अभ्रकसत्त्वपातनम्

पादिकसौभाग्यरजःसहितं मुशलीरसेऽभ्रकं पिष्टम् ।
कोष्ठ्यां ध्मातं गाढं मुञ्चति सत्त्वं परं स्वच्छम् ॥१४९॥

## तालकादिविज्ञानीयम्

तालकम्

तालं द्विविधं प्रोक्तं पत्राढ्यं पिण्डतालसंज्ञञ्च ।
प्रथमं शस्तं कर्मणि हेयन्त्वपरं तथाऽल्पगुणम् ॥१५०॥

विमलं सुवर्णवर्णं स्निग्धं गुरु पत्रतालकं ख्यातम् ।
तनुभिः पत्रैर्घटितं पिण्डाकृति पिण्डतालं स्यात् ॥१५१॥

शोधनम्

दलतालं चूर्णीकृतमथ भाव्यं शुभ्रचूर्णसलिलेन ।
वारान् सप्त प्रयत्नादित्थं तालं भवत्यमलम् ॥१५२॥

मारणम्

आदाय शुद्धतालं पिष्ट्वैकदिनं पुनर्नवास्वरसे ।
कुर्यात् सम्मर्द्य ततः समरूपाश्चक्रिकाः श्लक्ष्णाः ॥१५३॥

घर्मे संशोष्य पचेद् विधिना यन्त्रे तु भस्मसंज्ञे ताः ।
स्थाल्यर्धं क्षारेण प्रपूर्य पौनर्नवेनापि ॥१५४॥

शिष्टन्त्वर्धं तेन क्षारेणैव प्रपूरयेद् वैद्यः ।
वह्निं प्रदापयेत्तत् कुर्यात् सद्योमृतन्तालम् ॥१५५॥

सृततालगुणाः

तालं मृतमपहरति द्रुतमतिकठिनं फिरङ्गजं रोगम्।
कुष्ठानि वातरक्तं वीसर्पं रक्तदोषांश्च ॥१५६॥

रसमाणिक्यम्

दलतालं कर्षद्वयमानं कूष्माण्डजातसलिलेन।
विधिवद् विभावनीयं वारान् सप्ताथवा त्रीन् तत् ॥१५७॥

दध्नाऽम्लेन ततस्तत् पुनरपि भाव्यं विधानतो भिषजा।
उष्णोदकेन तदनु प्रक्षाल्यं नैकशः सम्यक् ॥१५८॥

संस्थाप्याभ्रदलान्तर्न्यस्य शरावे ततस्तु संपुटिते।
लिप्त्वा बदरीपल्लवकल्कैः सन्धि न्यसेद् धर्मे ॥१५९॥

सैकतयन्त्रे विपचेद्धोरात्रितयन्तु मध्यबलवह्नौ।
माणिक्याभं शीते विन्देत् सरसन्तु माणिक्यम् ॥१६०॥

तालविकृतौ भेषजम्

तालकविकृतौ मनुजः खादेत् ससितं हितं सिताजाज्याः।
चूर्णं, कूष्माण्डरसस्त्वथवा पेयस्त्रिवारं हि ॥१६१॥

## मनःशिला

स्वरूपम्

मनःशिला या त्वशिला रक्तोत्पलसन्निभा च गुरुदीप्ता।
सैव ग्राह्या वैद्यैः रसकार्ये शोधनार्थञ्च ॥१६२॥

शोधनम्

चूर्णितमनःशिला सा चूर्णजले पातिता विधानेन।
त्रिदिनं यावच्छुद्धा भवति तथा दोषनिर्मुक्ता ॥१६३॥

गुणाः

कटुतिक्ता खलु कुनटी कासश्वासौ द्रुतं विनाशयति।
भूतघ्नी च विषघ्नी कण्डूघ्नी दीपनी ज्वरहृत् ॥१६४॥

मनः शिलाविकारे भैषजम्

मनःशिलाजविकारान् हन्ति तु पीतं पयोऽन्वितं मधुना।
त्रिदिनाद् भवति हिताशी वान्त्यादिभ्यो द्रुतं मुक्तः ॥१६५॥

## शङ्खविषम्

शोधनम्

चूर्णितशङ्खविषं सद्वासोबद्धं विपाचयेत् प्राज्ञः ।
दोलायन्त्रे स्वरसैः प्रत्यग्रैस्तण्डुलीयस्य ॥१६६॥

मृद्वग्निना दिनैकं मल्लः सञ्जायते तथा विमलः ।
इत्थं विधिना युक्तो विविधान् व्याधीन्निवारयति ॥१६७॥

गुणाः

मल्लः कृच्छ्रश्वासं कुष्ठानि तथा हरेज्ज्वरान् विषमान् ।
श्लीपदगदं फिरङ्गं विविधानि विषाणि चोग्राणि ॥१६८॥

## स्फटिका

शोधनम्

स्फटिका तप्ते पात्रे लौहमये भर्जिता तथा स्फुटिता ।
चूर्णीकृता च विमला भवति सुयोज्या प्रयोगेषु ॥१६९॥

गुणाः

स्फटिका कषायतिक्ता व्रणशोथहरी भवेद् विषापहरी ।
त्वङ्नेत्ररोगशमनी चक्षुष्नी स्तम्भनी चापि ॥१७०॥

निरुणद्धि रक्तसरणं श्लथयोनिं मुद्रितां करोत्येषा ।
विषमज्वरे प्रशस्ता मुखरोगे दन्तदौर्बल्ये ॥१७१॥

## खटिका

शोधनम्

खटिकां शुभ्रे पात्रे संस्थाप्य क्षालयेत् शुभैः सलिलैः ।
घटिकामात्रेणासौ शुध्यति शस्तैर्गुणैर्घटिता ॥१७२॥

गुणाः

खटिका स्फटिकातुल्या किञ्चिन्न्यूना परं गुणेषु मता ।
शोथे पित्ते दाहे प्रस्वेदे च व्रणे योज्या ॥१७३॥

## गोदन्ती

शोधनम्

गोदन्ती निम्बुजले विमले वा द्रोणपुष्पिकास्वरसे ।
स्विन्ना यामार्धेन प्रभवति शुद्धा प्रयोज्या च ॥१७४॥

मारणम्

गोदन्तं सुविशोधितमनले विपचेत् शरावसंपुटितम् ।
सुन्दरमिन्दुसकाशं नियतं सञ्जायते भस्म ॥१७५॥

गुणाः

गोदन्तं सुमृतं सज्जीर्णं ज्वरहारि वेदनापहरम् ।
शिरसो रोगे श्वासे कासे चैवाभयङ्कारि ॥१७६॥

शङ्खः

शोधनम्

खण्डीकृतन्तु शङ्खं विमलं संस्थाप्य चाथ पोट्टल्याम् ।
दोलायन्त्रे निम्बुकसलिलैः संस्वेदयेत् कामम् ॥१७७॥

यामचतुष्टयमात्रं, तदनु प्रक्षालयेज्जलैरुष्णैः ।
इत्थं शुध्यति शुभ्रः शङ्खो दोषानपास्य निजान् ॥१७८॥

मारणम्

वारिधिजातं विधिना विपचेद् विमलं शरावसंपुटितम् ।
हस्तिपुटे द्विकवारं शङ्खः शुद्धो भवेदित्थम् ॥१७९॥

गुणाः

शङ्खः क्षारीयत्वादम्लं तीक्ष्णं करोत्युदासीनम् ।
शूलेऽतः परिणामिनि शस्तो गुणदो जरत्पित्ते ॥१८०॥

शम्बूकः

शोधनम

शम्बूकः स्थालिगतः निम्बवाद्यम्लेन पाचितो विधिना ।
यामार्धेन विशुद्धो भवति प्राज्यः प्रयोगेषु ॥१८१॥

मारणम्

शम्बूको हन्तव्यः शङ्खवदथवा कुमारिकास्वरसैः ।
पुटितस्त्वपेत्य दोषान् सूक्ष्मतरां भस्मतां भजते ॥१८२॥

गुणाः

शम्बूकभस्म विधिना दत्तं परिणामजे तु शूलगदे ।
अचिराच्छूलं तीव्रं साम्लत्वञ्चापि नाशयति ॥१८३॥

## शुक्तिः

शोधनम्

दोलायन्त्रे पाकाद्धरितजयन्त्याः सुपल्लवस्वरसैः ।
यामैकेन तु शुक्तिर्मुक्तागर्भा भवेद् विमला ॥१८४॥

मारणं गुणाश्च

शङ्खवदस्याः मारणमपि कथितं सम्पुटस्थितायास्तु ।
शूलघ्नं जठरघ्नं हृद्बल्यं शुक्तिकाभस्म ॥१८५॥

## वराटिका

शोधनमारणप्रभृतिव्यापारो रोगयोगकर्मगुणाः ।
ज्ञेया वराटिकायाः, शङ्खवदमलां प्रयुञ्जीत ॥१८६॥

## मृगश्टृङ्गम्

ग्राह्यलक्षणम्

कीटानुपहतकायं गुरुतासहितञ्च दार्ढ्यसंवलितम् ।
दीर्घं नैकप्ररोहं मृगश्टृङ्गञ्चोत्तमं कथितम् ॥१८७॥

मारणम्, श्टृङ्गभस्मगुणाश्च

खण्डं खण्डं कृत्वा मृगश्टृङ्गं दाहयेच्छुचि त्वनले ।
सम्यग्दग्धं ज्ञात्वा खल्वे सञ्चूर्णयेद् वैद्यः ॥१८८॥

पिष्ट्वार्कक्षीरेण प्रयतः कुर्यात्तु चन्द्रिकाः विधिना ।
संशोष्याथो घर्मे संपुटितं तत् पुटेद् वह्नौ ॥१८९॥

इत्थं त्रिवारपुटनान्मृगश्टृङ्गं जायते परं भस्म ।
तद्भस्म हन्ति तीव्रं हृच्छूलं पार्श्वशूलञ्च ॥१९०॥

## टङ्कणः

शोधनम्

दत्वा टङ्कणचुर्णं क्षुद्रकटाहे तु तीक्ष्णलौहमये ।
वह्नौ सुभर्जयेत्तद् दर्व्या सञ्चालयन् सततम् ॥१९१॥

सम्यक्पुष्पितरूपं नष्टजलं तद्धि शुद्धमधिगच्छेत् ।
कासे वह्नेर्मान्द्ये चार्तवरोधे प्रयोक्तव्यम् ॥१९२॥

## नरसारः

शोधनम्, गुणाश्च

नरसारन्तु त्रिगुणे सलिले विमले तु घोलयेद् वैद्यः ।
पूतं वस्त्रेण ततः पात्रस्थं पाचयेद् वह्नौ ॥१९३॥

शुष्के नीरे तलगं शुचिनरसारं समाहरेद् विमलम्।
नरसारो गुल्मघ्नो वह्निकरः पाचनः सरणः ॥१९४॥

## धातवः

### सप्त धातवः

स्वर्णं रजतं ताम्रं वङ्गं नागन्त्वयस्तथा यशदम्।
सप्तैते संख्याताः खनिजास्ते धातवः प्राज्ञैः ॥१९५॥

### सामान्यशोधनम्

धातुं वह्निसुतप्तं स्नपयेत् काञ्जीजले तथा तक्रे।
वारत्रयं कुलत्थक्वाथे तैले गवां मूत्रे ॥१९६॥

एवं कृतास्तु सर्वे जायन्ते धातवः परं शुद्धाः।
सामान्यतो विशिष्टं शोधनमग्रे तु वक्ष्यामः ॥१९७॥

## सुवर्णम्

### ग्राह्यसुवर्णम्

वह्नौ तप्तं बालारुणसमकान्ति प्रघर्षणाच्च पुनः।
शाणे कुङ्कुमवर्णं स्वर्णं विद्यात्तु तज्जात्यम् ॥१९८॥

### शोधनम्

सूचीवेध्यानि बुधः पत्राण्याहृत्य जात्यकनकस्य।
मृत्पञ्चकेन तदनु त्वम्लैः पिष्टेन संलिप्य ॥१९९॥

विपचेत् पुटे कपोते वारान् सप्त प्रयत्नतो विधिना।
एवं स्वर्णं शुद्धं भवति विकारान् परित्यज्य ॥२००॥

### मारणम्

स्वर्णदलं कर्षमितं संयोज्य रसेन तुल्यमानेन।
सम्मर्द्य पेषणीयं निम्बुजलैः क्षालयेत्तदनु ॥२०१॥

हिङ्गुलगन्धशिलानां नरसारस्यापि कार्षिकं भागम्।
दत्वा मर्द्यं विधिना त्वम्लैः संशोष्य घर्मे च ॥२०२॥

विपचेत् पुटितं तावद्यावन्निश्चन्द्रिकं भवेन्नितराम्।
इत्थं धातुश्रेष्ठं स्वर्णं विमलं भवेद् योज्यम् ॥२०३॥

### स्वर्णभस्मगुणाः

मृतकनकं मधुरं स्याद् वृष्यं हृद्यं परञ्च चक्षुष्यम्।
मेध्यं रसायनं तद् विषहरणं सद्य ओजस्यम् ॥२०४॥

## रजतम्

ग्राह्यस्वरूपम्

छेदे निकषे वह्नौ यत् स्यान्नक्षत्रराजकान्तियुतम् ।
रम्यं गुरुतायुक्तं रजतं तच्छस्यते जात्यम् ॥२०५॥

शोधनम्

पत्रीकृतन्तु रजतं वह्नौ तप्तं त्वगस्त्यजस्वरसे ।
निर्वापयेत् त्रिवारं त्वेवं शुद्धं भवेद् रजतम् ॥२०६॥

मारणम्

शुद्धं राजतचूर्णं तुल्यं सूतं तथा च शुद्धबलिम् ।
सम्पेषयेत् कुमारीस्वरसे विपचेत्ततः पुटितम् ॥२०७॥

रजतं मारितमित्थं भवति नितान्तं रजः पुटैः स्वल्पैः ।
भिषजा कर्मसु योज्यं विमलं प्राज्यं तु भस्मैतत् ॥२०८॥

रजतभस्मगुणाः

रजतं मृतं सुशीतं मेध्यं बल्यं भवेत् परं वृष्यम् ।
परमं रसायनं स्यादायुष्यं योनिशुद्धिकरम् ॥२०९॥

## ताम्रम्

ग्राह्यताम्रम्

श्लक्ष्णं विमलं कठिनाघातसहं रम्यमोड्रपुष्पाभम् ।
मार्दवयुतं सदाकरजातं ताम्रन्तु जात्यं स्यात् ॥२१०॥

ताम्रभेदौ

म्लेच्छन्त्वथ नेपालं द्विविधं ताम्रं निगद्यते प्राज्ञैः ।
प्रवरं नेपालं स्यादवरं म्लेच्छं तु कृष्णाभम् ॥२११॥

ताम्रस्याष्टौ दोषाः

मूर्च्छा भ्रमो विदाहः स्वेदः क्लेदः प्रसक्तर्छर्दिश्च ।
अरुचिस्तापो मानस इत्यष्टौ शुल्वके दोषाः ॥२१२॥

शोधनम्

ताम्रदलं सन्तप्तं वह्नौ स्नपयेद् रसे तु चाङ्गेर्याः ।
इत्थं शोधितताम्रं मृतिकरणे तत् प्रयुञ्जीत ॥२१३॥

मारणम्

ताम्रदलानि तु लिप्त्वा निम्बुरसापिष्टकज्जलीकल्कैः ।
घर्मे विशोष्य पुटयेदित्थं म्रियते त्रिवारेण ॥२१४॥

अमृतीकरणम्

सुमृतं ताम्रं सार्धांशबलिं पञ्चामृतेन संपेष्य ।
चक्रिकरूपं कृत्वा पुटयेत् तन्मल्लसंपुटितम् ॥२१५॥

वारत्रयेण विधिनानेनामृतभावमञ्जसा याति ।
दोषाष्टकेन रहितं योज्यं योगेषु सद्गुणदम् ॥२१६॥

ताम्रभस्मगुणाः

ताम्रं मारितमुष्णं वह्निकरं जीर्णपाण्डुरोगघ्नम् ।
शूले तथाऽम्लपित्ते यकृति श्वित्रे विषे च हितम् ॥२१७॥

हृदयार्णवरसः

अमृतीकृतन्तु ताम्रं द्विगुणितकज्जलिसमन्वितं पिष्ट्वा ।
त्रिफलाजलेन वायसमाचीस्वरसैस्तु सम्मर्द्य ॥२१८॥

वटिकाः गुञ्जापादप्रमिताः कुर्याद् बुधः प्रयोगार्थम् ।
हृदयार्णवसंज्ञोऽयं योगो हृद्रोगसंहारी ॥२१९॥

आरोग्यवर्धनी

रसगन्धकलोहाभ्रात् शुल्वाच्चाप्याहरेत् समं भस्म ।
द्विगुणा त्रिफला देया त्रिगुणञ्च शिलाजतु क्षेप्यम् ॥२२०॥

गुग्गुल शुद्धं देयं चतुर्गुणञ्चापि चित्रकान्मूलम् ।
कटुका सर्वसमा स्यात् सर्वं सञ्चूर्णितं कुर्यात् ॥२२१॥

निम्बजपत्रस्वरसैः मद्यं यावद् दिनद्वयं तदनु ।
कोलाकारा वटिका कार्याऽऽरोग्यस्य सङ्गमनी ॥२२२॥

नागार्जुनेन कथिता वटिका सारोग्यवर्धनी नृणाम् ।
मलशोधनी ज्वरघ्नी कुष्ठघ्नी सर्वरोगघ्नी ॥२२३॥

## लौहम्

लौहभेदाः

कान्तं तीक्ष्णं मुण्डं त्रिविधं लौहं निगद्यते प्राज्ञैः ।
मुण्डं त्ववरं तीक्ष्णं कान्तं वा मारणे युञ्ज्यात् ॥२२४॥

शोधनम्

सूक्ष्मं चूर्णं लौहाद् वह्नौ सन्ताप्य तदनु निर्वाप्यम् ।
त्रिफलोदके तु वारान् सप्तेत्थं शोध्यते लौहम् ।।२२५।।

भानुपाकः

शुद्धं लौहं विमले सलिले प्रक्षाल्य सद्वराक्वाथैः ।
सार्धं निधाय खल्वे भानुमयूखैश्च संशोष्यम् ।।२२६।।

एवं वारान् सप्त प्रयतः कुर्यादिदं विधानज्ञः ।
संपन्नो रविपाको जानीयादिति तदा वैद्यः ।।२२७।।

स्थालीपाकः

लौहं भानुविपक्वं सलिलक्षालितमतो दृढस्थाल्याम् ।
त्रिफलाक्वाथेन समं वह्नौ पक्त्वा जलं शोष्यम् ।।२२८।।

पुटपाकः

स्थालीपक्वं लौहं सम्मर्द्य पुनस्तथौषधिस्वरसैः ।
कृतचक्रिकं विपाच्यं नागपुटे मल्लसंपुटितम् ।।२२९।।

इत्थं पुटितं लौहं शतवारं वा सहस्रशः सम्यक् ।
भवति प्रशस्तं कर्मसु गुणवत् क्रमशस्तु वीर्याढ्यम् ।।२३०।।

निरुत्थीकरणम्

मारितलौहं गव्यं सर्पिः शुद्धस्तथा च गन्धाश्मा ।
कन्याम्भसा विमर्द्यश्चान्ते चूर्णीकृतं सम्यक् ।।२३१।।

गजपुटपुटितं विधिना लौहं तद्वै शरावसंपुटितम् ।
भवति निरुत्थं योज्यं वैद्यैः सर्वप्रयोगेषु ।।२३२।।

लौहभस्मगुणाः

लौहं लेखनमगदं पाण्डुघ्नं सर्वशोथशूलहरम् ।
मेदःप्रमेहहारि क्रिमिहरमर्शोघ्नमुदरघ्नम् ।।२३३।।

नवायसम्

त्रिकटु त्रिफला त्रिमदं सममानं लौहभस्म नवभागम् ।
लीढं सर्पिर्मधुना तच्चूर्णं पाण्डुरोगघ्नम् ।।२३४।।

सप्तामृतलौहम्

त्रिफला यष्टीमधुकं प्रत्येकं पलमितं पृथक् दद्यात् ।
कर्षद्वयञ्च सूक्ष्मं लौहरजो मर्दयेद् दिवसम् ।।२३५।।

घृतमधुसहितं लीढ्वा गोदुग्धञ्चेत् पिबेन्नरो रात्रौ।
सप्तामृतमिदममृतं नेत्रगदान् हन्ति शीर्षरुजः ॥२३६॥

## मण्डूरम्

### शोधनम्

मण्डूरन्त्वतितप्तं वह्नौ क्षिप्तं ततश्च गोमूत्रे।
सप्तावृत्या नूनं भवति विशुद्धन्तु मण्डूरम् ॥२३७॥

### मारणम्

चूर्णीकृतमण्डूरं त्रिफलाक्वाथेन यत्नसंपिष्टम्।
पुटितं त्रिंशद्वारं मारितममलं भवेन्नूनम् ॥२३८॥

### मण्डूरभस्मगुणाः

मण्डूरं सुमृतं स्याद् रूक्षं शोणितविवर्धनं बल्यम्।
पाण्डौ शोथे कामलिरोगिषु शस्तं तथा प्लीह्नि ॥२३९॥

### पुनर्नवामण्डूरम्

वर्षाभूरथ शुण्ठी त्रिवृता मरिचानि चित्रकं मगधा।
पुष्करमूलं क्रिमिजित् सुरदारु वरा हरिद्रे च ॥२४०॥

दन्ती चविकावत्सकफलतिक्तामुस्तकं समं ग्रन्थि।
सर्वद्विगुणं ग्राह्यं मण्डूरं मारितं सम्यक् ॥२४१॥

अष्टगुणे गोमूत्रे पक्त्वा संस्थापयेच्छुचौ भाण्डे।
पौनर्नवाद्यमेतन्मण्डूरं पाण्डुरोगघ्नम् ॥२४२॥

## वङ्गम्

### वङ्गभेदौ

वङ्गं द्विविधं खुरकं मिश्रकमिति कथ्यते विधानज्ञैः।
खुरकं श्रेष्ठ ख्यातं कर्मसु मिश्रं निकृष्टं स्यात् ॥२४३॥

खुरकं मृदु रजतप्रभमचिरद्रावं भवेच्च निःशब्दम्।
मिश्रं परुषं धूसररूक्षं द्रावेऽतिकठिनञ्च ॥२४४॥

### शोधनम्

वङ्गं वह्नौ दर्व्यां संद्राव्यामलघटे तु सपिधाने।
चूर्णोदकपरिपूर्णे निक्षेप्यं सम्यगवधानात् ॥२४५॥

इत्थं सप्तावृत्या वङ्गं शुद्धिं परां समायाति।
मारणकर्मणि वैद्यः शुद्धं वङ्गं प्रयुञ्जीत ॥२४६॥

मारणम्

विमलं वङ्गं वह्नौ लौहकटाहे प्रतापयेद् विधिना ।
विद्रुतमात्रे चूर्णं प्रत्यक्पुष्प्यास्तु पादमितम् ॥२४७॥

दत्वा स्वल्पं स्वल्पं लौहजदण्डेन चालयेत् सततम् ।
यावद् भस्मीभूतं सकलं मल्लेन संवृत्य ॥२४८॥

एकदिनं सन्ताप्यं वह्नौ शीतं स्वतस्ततो ग्राह्यम् ।
शुभ्रं कुन्देन्दुसमं भस्म प्राज्यं बुधैर्वङ्गात् ॥२४९॥

बहुशः सलिलक्षालितमथ हीनं क्षारतः सुधौतञ्च ।
भस्म प्रयोजनीयं वैद्यैः सर्वप्रयोगेषु ॥२५०॥

वङ्गभस्मगुणाः

वङ्गं हन्ति प्रमेहान् शुक्रञ्चौजो बलञ्च वर्धयति ।
मेध्यं रसायनं तच्छ्वेतासृग्दरगदं हरति ॥२५१॥

स्वर्णवङ्गम्

कर्षत्रयमितवङ्गं दर्व्यां संस्थाप्य तापयेद् वह्नौ ।
विद्रुतमात्रे तस्मिन् समभागं पारदं दद्यात् ॥२५२॥

शीघ्रं खल्वे दत्त्वा त्वम्लैः सैन्धवयुतैश्च सम्मर्द्यम् ।
तदनु क्षालितवदने गन्धकमथ रससमं दद्यात् ॥२५३॥

नरसारकञ्च तद्वत् संपेष्यं श्लक्ष्णचूर्णतां यावत् ।
कूप्यां निधाय विधिना सैकतयन्त्रे चतुर्यामम् ॥२५४॥

निर्धूमे सञ्जाते कूपीमवतार्य तत्तलस्थलगम् ।
वङ्गं सुवर्णवर्णं गृह्णीयात् सर्वमेहघ्नम् ॥२५५॥

## नागम्

स्निग्धं गुरु मृदु छेदे मलिनोज्ज्वलमन्तरे तथा यत् स्यात् ।
श्यामं बहिश्च सद्यो द्रवति हि नागन्तु तज्जात्यम् ॥२५६॥

शोधनम्

नागन्त्वायसदर्व्यां स्थितमग्नौ द्रावयेद् विधानज्ञः ।
निर्वापयेच्च तदनु स्वच्छे चूर्णोदके त्वरितम् ॥२५७॥

एवं दोषान् सकलान् हित्वा नागं भवेत् परं शुद्धम् ।
पक्षवधास्रविकारश्वयथुक्षयकर्तृ कत्वादीन् ॥२५८॥

मारणम्

शुद्धं नागं विधिना लौहकटाहे दृढे परिद्राव्य ।
शुष्काश्वत्थजवल्कलचूर्णं तस्मिस्तु निक्षेप्यम् ।।२५९।।

मन्दं मन्दं मुहुरथ दर्व्या तच्चालयेत् सदावहितः ।
यावच्चूर्णीभूतं नागं संदृश्यते विमलम् ।।२६०।।

तद् भस्म सञ्चितन्त्वावृत्य शरावेण दाहयेद् भूयः ।
ज्वलदङ्गारनिभं तन्नागजभस्माहरेत् प्राज्ञः ।।२६१।।

बहुशस्तोयक्षालितमथ निःक्षारञ्च तच्छिलासहितम् ।
सम्मर्द्य निम्बुसलिलैः पुटयेद् वारत्रयं विधिवत् ।।२६२।।

इत्थं कज्जलिकाभं लब्धं स्यान्नागजं वरं भस्म ।
योज्यं योगेषु ततो दोषविहीनं गुणाढ्यञ्च ।।२६३।।

नागभस्मगुणाः

मृतनागं ग्रहणीगदमनिलव्याधींस्तथाऽन्त्रशोषञ्च ।
रक्तार्शःप्रदरादीन् हन्ति प्रमेहञ्च विधियुक्तम् ।।२६४।।

## यशदम्

ग्राह्ययशदम्

छेदे शुभ्रं स्निग्धं मृदुलं शीघ्रं द्रुतं भवेद् यच्च ।
गुरुतायुक्तं यशदं तज्जात्यं कथ्यते प्राज्ञैः ।।२६५।।

शोधनम्

चूर्णोदके तु यशदं विद्राव्य प्रक्षिपेद् विशुद्ध्यर्थम् ।
सप्तावृत्त्या नूनं यशदं योज्यं भवेद् विमलम् ।।२६६।।

मारणम्

यशदं विमलं नीत्वा लौहकटाहे द्रुतं ततो योज्यम् ।
प्रत्यक्पुष्पीचूर्णैः स्वल्पं स्वल्पं मुहुश्चाल्यम् ।।२६७।।

चूर्णीभूतं सम्यक् तदनु शरावेण संवृतं कृत्वा ।
दिनमेकं संदाह्यं वह्नौ रक्तं भवेद् भस्म ।।२६८।।

यशदभस्मगुणाः

यशदं तुवरं नेत्र्यं बल्यं पाण्डुप्रमेहरोगहरम् ।
कासं श्वासं शोषं विविधं स्रावञ्च नाशयति ।।२६९।।

## उपधात्वादयः

### स्वर्णमाक्षिकम्

ग्राह्यस्वर्णमाक्षिकम्

स्निग्धं गुरुतायुक्तं श्यामच्छायान्वितं बहिः किञ्चित् ।
निकषे स्वर्णाभासं दीप्तच्छवि जात्यमिह ताप्यम् ।।२७०।।

शोधनम्

जात्यं सुवर्णमाक्षिकमादाय प्रताप्य तीक्ष्णाग्नौ ।
निर्वाप्यं निम्बुरसे त्रिसप्तकृत्वो विधानज्ञैः ।।२७१।।

शुद्धन्त्वनेन विधिना दोषान् हित्वा समान् भवेत्ताप्यम् ।
एतत् सुवर्णमाक्षिकममलं योगेषु युञ्जीत ।।२७२।।

मारणम्

शुद्धं ताप्यं बलिना समभागेनाथ साधु संयोज्य ।
खल्वे निम्बुकसलिलैः यत्नात् संपेषयेद् वैद्यः ।।२७३।।

कृतचक्रिकं पुटान्तःस्थमिदं विधिना निधापयेदग्नौ ।
पञ्चपुटैरिदमेवं भस्मीभवति प्रयोज्यञ्च ।।२७४।।

स्वर्णमाक्षिकभस्मगुणाः

वृष्यं सुवर्णमाक्षिकममलं नेत्र्यं रसायनं विषहृत् ।
पाण्डौ श्वयथौ शोषे मेहे जीर्णज्वरे फलदम् ।।२७५।।

### तुत्थम्

ग्राह्यतुत्थस्वरूपम्

तुत्थं मयूरकण्ठच्छायं स्निग्धं तथा गुरु प्राज्यम् ।
विमलं ग्राह्यं विज्ञैरन्यत्त्ववरं गुणैर्हीनम् ।।२७६।।

निर्मलीकरणम्

चूर्णीकृतं हि तुत्थं दशतोलं पञ्चतोलकेऽत्युष्णे ।
सलिले घोल्यञ्च ततो गाल्यं वस्त्रेण सूक्ष्मेण ।।२७७।।

अथवा सारकपत्रात् स्थाप्यं सत् काचपात्रे तत् ।
यावदुपैति सकणतां तत् कणतुत्थं प्रयुञ्जीत ।।२७८।।

शोधनम्

तुत्थं विचूर्ण्य खल्वे भाव्यं यामद्वयं नवस्वरसैः ।
निम्बुकजैर्विधिनेत्थं सद्यो जायेत शुद्धं तत् ।।२७९।।

मारणम्

इत्थं शोधिततुत्थं कृतचक्रिकमातपे तु संस्थाप्य।
परिशोष्य संपुटस्थं पुटयेत् सम्यक् लघौ हि पुटे ॥२८०॥
अथ भाव्यञ्च दिनत्रयममलं दधिमस्तुना बुधो विधिना।
वमनादिदोषहीनं तुत्थं सुमृतं भवेदेवम् ॥२८१॥

तुत्थभस्मगुणाः

तुत्थं चर्मगदापहमखिलं श्वित्रं निहन्ति मधुमेहम्।
शूलं क्रिमिगदमम्लकपित्तं सर्वं हरेन्नूनम् ॥२८२॥

## खर्परम्

खर्परभेदौ

द्विविधं खर्परमुक्तं सदलं त्वन्यत्तथा च दलरहितम्।
दर्दुरसंज्ञं प्रथमं त्वपरं स्यात् कारवेल्लाख्यम् ॥२८३॥

शोधनम्

प्रस्तरखण्डविहीनं तप्त्वा वह्नौ निधापयेत् सलिले।
ऋषिवारं निम्बुकजे शुद्धं त्वेवं भवेद् रसकम् ॥२८४॥

मारणम्

खर्परममलं नीत्वा समतालकपेषितं ततः पुटितम्।
वारत्रयमिति सुमृतं खर्परमखिलं प्रयुञ्जीत ॥२८५॥

खर्परभस्मगुणाः

रसकं मेहे प्रदरे नेत्रगदे चापि रक्तपित्ताख्ये।
जीर्णज्वरेऽथ शोषे युञ्जात् श्वासे त्वतीसारे ॥२८६॥

## कासीसम्

कासीसभेदौ

द्विविधं स्यात् कासीसञ्चूर्णाख्यञ्चापरं तु पुष्पाख्यम्।
श्वेतञ्चेषत्पीतं पूर्वं त्वपरं हरिद्वर्णम् ॥२८७॥

शोधनम्

भृङ्गस्वरसे स्विन्नं यामैकं जात्यपुष्पकासीसम्।
भवति विशुद्धं सद्यो योज्यं नैकप्रयोगेषु ॥२८८॥

गुणाः

पाण्डुहरं शिवत्रघ्नं तुवरं नेत्र्यं परं ज्वरान्तकरम् ।
आर्तवरोधे पलिते फलदं प्लीह्नि क्रिमिघ्नञ्च ॥२८९॥

## अञ्जनम्

शोधनम्

त्रिफलाक्वाथे पेषितमथवा स्वरसे तु भृङ्गराजस्य ।
दिनसप्तकेन शुद्धिं व्रजति त्वञ्जनमतः परमाम् ॥२९०॥

गुणाः

सौवीराञ्जनममलं शीतं वीर्ये च रक्तपित्तहरम् ।
विषहृन्नेत्रगदघ्नं व्रणहितकारि प्रशस्तञ्च ॥२९१॥

## शिलाजतु

स्वरूपम्

ग्रीष्मे रविसन्तापात् तीक्ष्णात् प्रस्तरलवाः विमुञ्चन्ति ।
सघनं निर्यासं तच्छिलाजतु स्याद् बहुच्छायम् ॥२९२॥

शोधनम्

चूर्णीकृत्य शिलाजं त्वायसपात्रे निधाय प्रक्षेप्यम् ।
द्विगुणं प्रतप्तनीरं तस्यार्धः स्याद् वराक्वाथः ॥२९३॥
तीव्रातपसन्तप्तं यामं वस्त्रेण गालयेत् प्राज्ञः ।
पुनरपि तत्पात्रस्थं घर्मे स्थाप्यं दिवा प्रखरे ॥२९४॥
ऊर्ध्वं जलस्तरे यत् कृष्णाभं गाढमायाति ।
तत् संगृह्य प्रयत्नात् पात्रेऽन्यस्मिंश्च निक्षेप्यम् ॥२९५॥
एवं पात्रे पात्रे परिवर्त्यं यावदच्छकान्ति स्यात् ।
सलिले तलगतकलुषे ग्राह्यं शैलेयमूर्ध्वस्थम् ॥२९६॥

गुणाः

ओजस्यन्तु शिलाजतु मूत्रलमगदं रसायनं परमम् ।
मेदःप्रमेहशमनं बल्यं पाण्डुश्वयथुहृच्च ॥२९७॥

## गैरिकम्

शोधनम्

दत्वा सुवर्णगैरिकममले खल्वे विचूर्णितं पयसा ।
गव्येन भावितं तत् परमां शुद्धिं व्रजत्यचिरात् ॥२९८॥

गुणाः

तुवरं सुवर्णगैरिकमहिमं दाहापहं विषघ्नञ्च ।
नेत्र्यं रक्तप्रदरे पित्तास्रे च व्रणे युञ्ज्यात् ।।२९९।।

## रत्नानि

नव रत्नानि

माणिक्यं गुरुरत्नं मरकतमुक्ते च वज्रनीलाख्ये ।
वैडूर्यं गोमेदं नव रत्नानि प्रवालञ्च ।।३००।।

## मौक्तिकम्

शोधनम्

मौक्तिकमनघं दोलायन्त्रे स्वरसे नवे जयन्त्यास्तु ।
यामैकं संस्वेदितमखिलं योज्यं भवत्यमलम् ।।३०१।।

मुक्तापिष्टिः

पाटलजलेन सार्धं पेषितममलं सुचूर्णितं सूक्ष्मम् ।
मौक्तिकमुदिता पिष्टिर्योज्या विविधेषु रोगेषु ।।३०२।।

मारणम्

मौक्तिकममलं सुरभीपयसा शुचिना च यत्नतः पिष्टम् ।
व्यावृत्त्या लघुपुटगं पक्वं सुमृतं भवेन्नूनम् ।।३०३।।

मौक्तिकभस्मगुणाः

मौक्तिकमतुलं हृद्यं वृष्यं बल्यं हिमञ्च दाहघ्नम् ।
नेत्र्यं ज्वरहृन्मेध्यं शोषहरं श्वासकासघ्नम् ।।३०४।।

## प्रवालम्

शोधनम्

रक्तच्छायं विद्रुममादाय स्वेदयेद् बुधो यन्त्रे ।
यामैकं तु जयन्त्याः स्वरसेनैवं विशुद्धं स्यात् ।।३०५।।

प्रवालपिष्टिः

पाटलजलपरिपिष्टं विमलप्रवालं तु शुभ्रमौक्तिकवत् ।
पिष्टिर्भवति प्रयोज्या वैद्यैर्नैकेषु रोगेषु ।।३०६।।

मारणम्

संपिष्टं गोदुग्धे विमलप्रवालं बुधैः प्रयत्नेन ।
पुटितं विधिवत् सुमृतं ग्राह्यं रोगेषु योज्यञ्च ।।३०७।।

प्रवालभस्मगुणाः

क्षारं कफवातहरं क्षयनुन्नेत्र्यं तथा च बलकारि ।
रक्तास्रघ्नं कासश्वासहरं विद्रुमं ज्वरहृत् ॥३०८॥

## विषोपविषाणि

### वत्सनाभम्

शोधनम्

वत्सकनाभं चणकाकृतिखण्डं तत्र खण्डयित्वादौ ।
पात्रे गोमूत्रेणाप्लाव्य स्थाप्यं तथा घर्मे ॥३०९॥

प्रत्यहमपनीय पुनः सुरभीमूत्रं नवं विनिक्षेप्यम् ।
इत्थं दिनत्रयात् तन्निस्त्वक् कृत्वाऽऽतपे शोष्यम् ॥३१०॥

एवं दोषान् हित्वा वत्सकनाभं परं विशुद्धं स्यात् ।
मात्रादीन् समवेक्ष्य प्रयतो विधिना प्रयुञ्जीत ॥३११॥

### कारस्करः

शोधनम्

कारस्करस्य बीजं गोमयगर्भे दिनत्रयं स्थाप्यम् ।
त्वचमपनीय ततस्तद् वारिक्षालितमथो भर्ज्यम् ॥३१२॥

सर्पिषि यावत् खरतां द्रुतमेव विचूर्ण्यमवतार्य ।
इत्थं विशुद्धबीजं वैद्यो योगेषु युञ्जीत ॥३१३॥

### अहिफेनम्

शोधनम्

ऋषिवारं त्वहिफेनं भाव्यं प्रत्यग्रभृङ्गवेररसैः ।
इत्थं निर्गतदोषं प्राज्ञो योगेषु युञ्जीत ॥३१४॥

### जयपालः

शोधनम्

नवजयपालकबीजान्यादाय विभेदयेद्बुधो द्वेधा ।
रसनां हरितां त्यक्त्वा पोट्टल्याश्चापि सङ्गृह्य ॥३१५॥

दोलायन्त्रे विपचेत् सुरभीपयसा ततस्तु यामैकम् ।
एवं त्रिवारकरणाज्जयपालः शुद्धिमायाति ॥३१६॥

## धत्तूरः

शोधनम्

धत्तूरस्य तु बीजान्यादाय स्वेदयेद् बुधः प्रयतः ।
दोलायन्त्रे विधिवत् सुरभीपयसा तु यामैकम् ।।३१७।।
प्रक्षाल्य चोष्णसलिलैर्भास्करकिरणैर्विशोषयेत्तदनु ।
इत्थं कानकबीजं शुद्धं जायेत निःशङ्कम् ।।३१८।।

## भङ्गा

शोधनम्

भङ्गाशुष्कदलानि प्रचुरे सलिले निमज्जयेत् प्राज्ञः ।
निष्पीड्याथो गव्ये सर्पिषि संभर्जयेद् वह्नौ ।।३१९।।
मन्दं मन्दं भृष्टां यत्नात्तामाहरेत् समवतार्य ।
शुद्धामेवं वैद्यः सर्वप्रयोगेषु युञ्जीत ।।३२०।।

## गुञ्जा

शोधनम्

चूर्णीकृत्य तु गुञ्जाबीजान्याधाय वस्त्रपोट्टल्याम् ।
स्वेद्यान्यभितो दोलायन्त्रे यामद्वयं यावत् ।।३२१।।
सुरभीदुग्धे विमले वह्नौ मन्दे प्रयत्नतो वैद्यैः ।
गुञ्जा भवति विशुद्धा सेत्थं योज्या प्रयोगेषु ।।३२२।।

## भल्लातकम्

शोधनम्

फलमारुष्करमिष्टकचूर्णयुतं घर्षयेद् बुधस्तीव्रम् ।
पोट्टलिकागतममलैस्तप्तजलैः क्षालयेद् बहुशः ।।३२३।।
इत्थं स्नेहविहीनं घर्षाद् वै वल्कतो विहीनं तत् ।
भल्लातकं विशुद्धं वैद्यो योगेषु युञ्जीत ।।३२४।।

## स्नुहीक्षीरम्

द्विपलं क्षीरं स्नुह्याः तोलद्वितये नवेऽम्लिकादलजे ।
स्वरसे संयोज्य पुनर्धर्मे संशोषयेत् प्राज्ञः ।।३२५।।
शुष्कं स्वरसं ज्ञात्वा क्षीरं सर्वं समाहरेत् सम्यक् ।
एवं शुद्धं विधिवत् स्नुह्याः क्षीरं प्रयुञ्जीत ।।३२६।।

।। इति षोडशाङ्गहृदये प्रियव्रतशर्मकृते रसशास्त्रप्रकरणं पञ्चमम् ।। ५ ।।

# ६. स्वस्थवृत्तम्

## स्वस्थवृत्तम्

या चर्या नरवर्यैः सेव्या परिणामकालसुखदात्री ।
चेष्टाहाराचारैः स्वस्थानां वृत्तमुदितैषा ॥१॥

रोगानुत्पत्तिरिदं वैद्यकविद्याप्रयोजनं प्रथमम् ।
उत्पन्ने सति शमनन्तेषामेतद्‌भवेदपरम् ॥२॥

प्रक्षालनाद्धि पङ्कस्यास्पर्शः सम्मतो बुधैः श्रेयान् ।
तद्वत् स्वास्थ्यं रक्षेद् येन गदा नैव जायेरन् ॥३॥

आहारञ्चाचारं चेष्टाः सेवेत मानुषो विधिना ।
येन तनौ दोषाद्याः वैषम्यं नाप्नुयुः गदकृत् ॥४॥

एतन्निमितमिह वै मनुजैः सेव्या सदा यथोद्दिष्टम् ।
दिनचर्या निशिचर्या चर्या सर्वर्तुषु प्राज्या ॥५॥

## दिनचर्या

प्रत्यूषे तु प्रयतः पुरुषः शय्यां द्रुतं परित्यज्य ।
शौचविधिं खलु कुर्याद् दैनन्दिनमीश्वरं स्मृत्वा ॥६॥

मूत्रपुरीषोत्सर्गं मुखधावनमत्र दन्तपवनञ्च ।
कुर्यान्नित्यं विधिना कायमलानां विशुद्ध्यर्थम् ॥७॥

शय्यां त्यक्त्वा प्रातर्निशि वासितमम्बु शीतलं पिबति ।
यः स सदा नीरोगः स्वस्थो लभते वयो दीर्घम् ॥८॥

चङक्रमणं शुचिदेशे नित्यं बलवर्धनाय कर्तव्यम् ।
व्यायामं योगासनमथवा कुर्याद् बलापेक्षम् ॥९॥

किञ्चिद् विश्रम्य ततस्तैलाभ्यङ्गं जलेन परिषेकम् ।
नद्यां मुदावगाहनमथवा कुर्यात्तु तापहरम् ॥१०॥

स्नात्वा देवोऽभीष्टो ध्येयः पूज्यो हृदा समाराध्यः ।
प्राणायामश्च नरैः कार्यो मनसो निरोधार्थम् ॥११॥

स्वल्पाहारं कृत्वा प्रयतः कुर्यात्तु वृत्तिकार्याणि ।
मनसो योगाच्छान्तो परहिंसार्वाजतो धीमान् ॥१२॥

प्रागेव यामयुग्मादाहारं स्वानुकूलमश्नीयात् ।
सात्त्विकमिष्टं पौष्टिकमथ लघु कोष्णञ्च सुस्निग्धम् ॥१३॥

एकान्ते शुचिदेशे मशकादिविवर्जिते च वातयुते ।
बन्धुसुहृद्भिरुपेतो भोजितभृत्यः प्रसन्नमनाः ॥१४॥

ताम्बूलादिसुवासितवदनो विश्रम्य तूलशय्यायाम् ।
सुहृदां गोष्ठीषु कथावार्त्तां कुर्यान् मनोरुचिराम् ॥१५॥

दिवसे स्वापं न नरः कुर्यात् प्रतिषेद्धुमथ तनोर्गुरुताम् ।
नियतं ग्रीष्मर्तुमृते शोषव्रणिताद्यवस्थाश्च ॥१६॥

अपराह्णे प्रातर्वत् पुनरपि निजकार्यतत्परो भूयात् ।
स्वं स्वं कार्यं सर्वे मनुजाः कुर्वन्तु सन्निष्ठाः ॥१७॥

सायं वयोऽनुसारं रुचिभेदेनाथ कन्दुकक्रीडाम् ।
कुर्याच्चङ्क्रमणादि व्यायामं रञ्जनं मनसः ॥१८॥

मनसः समाधिकामो देवानां मन्दिरं शुभं गच्छेत् ।
एकान्तं वोपवनं जह्नुसुतातीरपुलिनं वा ॥१९॥

## रात्रिचर्या

रात्रौ किञ्चित् कार्यं कृत्वा भुक्त्वा च संविशेच्छयने ।
नातिकठोरे शुभ्रास्तरणे मशकप्ररोधियुते ॥२०॥

ऋतुकाले निजपत्न्या सन्तानार्थं व्यवायमथ कुर्यात्।
अतिसन्तानो वर्ज्यः परिवारे सुखसमृद्ध्यर्थम् ॥२१॥

शुक्रं चरमं धातुं जीवितमूलं नरः सदा रक्षेत् ।
ब्रह्म चरन् खलु यत्नाद् दीर्घायुष्ट्वाय सौख्याय ॥२२॥

निद्रा दिवसश्रान्तिं तनुमनसोर्हरति लीलयाऽशेषाम् ।
येन पुनर्नूतनतां धत्तेऽतो भूतधात्री सा ॥२३॥

## ऋतुचर्या

वर्षाशरद्धिमान्ता ऋतवः शिशिरश्च माधवो ग्रीष्मः ।
पूर्वे त्रयो विसर्गस्तत्वपरे चादानकालः स्यात् ॥२४॥

आद्ये सोमः प्रबलः क्रमशो भवति प्रकृष्टबलकारी ।
अपरस्मिंस्तु दिनेशः क्रमशस्तैक्ष्ण्याद् बलं हरति ॥२५॥

## वर्षर्तु चर्या

वर्षासु वाष्पदोषादग्निर्मान्द्यं भजेन्मलिनवपुषाम् ।
दोषास्ततः प्रकोपं यान्ति विशेषात्तु गन्धवहः ॥२६॥

अग्निं रक्षन् प्रयतः लघ्वन्नानि प्रकाममुपयुञ्ज्यात् ।
सर्वं पुराणधान्यं मधुमिश्रारिष्टपानञ्च । ॥२७॥

उदकं स्वच्छं पेयं शृतशीतं तप्तमेव सति शीते ।
लवणस्नेहाम्लयुतं भोज्यं वातस्य शमनार्थम् ॥२८॥

शुचितां तनोः प्रकुर्यात् स्वेदादिनिवारणं विशेषात्त ।
नित्यं प्रघर्षमर्दनसेकैः गन्धाक्तचूर्णैश्च ॥२९॥

वासो दध्यात् निर्मलशुभ्रं जलशोषकञ्च शुष्कञ्च ।
वासञ्चापि निवातं क्लेदविहीनं सुखं कुर्यात् ॥३०॥

सोपानत्को विचरेन्नैव कदाचित् पदातिरनुपानत् ।
दूषितजलसंपर्कञ्चार्द्रत्वं परिहरेद् दूरात् ॥३१॥

दिवसे चावश्याये स्वापं मन्थं प्रभूतसलिलकृतम् ।
सरिदुदकं व्यायामं धर्मं धर्मं त्यजेद् ग्राम्यम् ॥३२॥

## शरदृतुचर्या

वर्षासञ्चितपित्तं सहसा तिग्मांशुतीक्ष्णतरकिरणैः ।
शरदि प्रकोपं गच्छद् दाहादिविकारकारि स्यात् ॥३३॥

अन्नं पानं मधुरं तत्र विधेयं सतिक्तकं सुलघु ।
शीतं पित्तप्रशमं मात्राकालादि सुविचार्य ॥३४॥

पित्तस्य शोधनार्थं काले काले विरेचनं विधिना ।
तिक्तौषधसंसिद्धं सर्पिश्चापि प्रयुञ्जीत ॥३५॥

घर्मं वसाञ्च तैलं गुरु मांसं स्वापमप्यवश्याये ।
दिवसे चापि, क्षारं दधि प्राग्वातं त्यजेच्छरदि ॥३६॥

## हेमन्तर्तु चर्या

हेमन्ते त्वतिशीते शीतमरुत्स्पर्शयोगसंरुद्धः ।
अग्निर्भवति बलीयान् गुरुभोज्यद्रव्यपाकपटुः ॥३७॥

तस्मात्तदा मनुष्यो मधुरस्निग्धाम्लयुक्तलवणरसान् ।
सेवेत गोरसादीन् मिष्टान्नञ्चापि नवधान्यम् ॥३८॥

तैलं तूलं तरणिं ताम्बूलं तनु तनूनपातञ्च ।
तरुणीं सेवेत तदा हेमन्ते पीड्यते न हिमैः ॥३९॥

व्यायामं विधियुक्तं तैलाभ्य ङ्गञ्च नित्यमनु कृत्वा ।
स्नायादुष्णेन सुखं सलिलेन हिमागमे मनुजः ॥४०॥

उष्णं तोयं सोष्णं वासो वासञ्च संवृतं शयनम् ।
कम्बलसतूलपट्टीकलितं शीतर्तुसंसेव्यम् ॥४१॥

हेमन्ते परिहार्यं लघ्वन्नं वातलानि रूक्षाणि ।
प्रमिताहारं सोदकमन्थं शीतप्रवातञ्च ॥४२॥

## शिशिरर्तु चर्या

आदानकालप्रथमः शिशिरर्तुस्तेन रौक्ष्यप्रारम्भः ।
मेघप्रवातवर्षाजनितं शीतस्य भूयस्त्वम् ॥४३॥

हैमन्तिकी तु चर्या तस्माच्छिशिरेऽपि युज्यते सुखदा ।
भूयो नित्यं शैत्याद् रक्षेदात्मानमनिलाच्च ॥४४॥

## वसन्तर्तु चर्या

शीते निचितः श्लेष्मा दिनकरकिरणैः प्रकोपमुपयाति ।
तस्माद् वसन्तकाले कफजाः रोगाः प्रजायन्ते ॥४५॥

तत्संशोधनकामो वमनं विधिना नरः प्रयुञ्जीत ।
गुर्वम्लादिकभोज्यं त्याज्यं वर्ज्यो दिवास्वापः ॥४६॥

कफशमनार्थं योज्यं भोज्यं गोधूमचणकयवयुक्तम् ।
व्यायामश्च निषेव्यः शौचविधिः कोष्णसलिलेन ॥४७॥

चङ्क्रमणं बहु कार्यं प्रातः सायं सपुष्पविपिनेषु ।
पेयं मधु मधुपैरिव मधुजनितारिष्टकल्पयुतम् ॥४८॥

## ग्रीष्मर्तुचर्या

आदत्ते तु निदाघे सूर्यो निजरश्मिभिर्जगत्स्नेहम् ।
अत एव याति कृशतां दौर्बल्यञ्चापि लोकोऽस्मिन् ॥४९॥

तत्र स्निग्धं शीतं द्रवमधुरं भोजनं जनाय हितम् ।
शीतं मन्थं सक्तोः लप्सीं दध्नश्च सेवेत ॥५०॥

शाल्यन्नं सघृतं स्यात् सेव्यं शीतं सशर्करञ्च पयः ।
शयनं गृहे सुशीते दिवसे रात्रौ सुखे हर्म्ये ॥५१॥

शीतलजलपरिषेको नद्यां स्नानं हितञ्च प्रत्यूषे ।
अनुलेपनं शरीरे चन्दनसारस्य शीततरम् ॥५२॥

यन्त्रव्यजनैर्वातं तदभावे तालनिर्मितैर्व्यजनैः ।
शीतं सेवेत नरः सुखमास्यामासने मृदुले ॥५३॥

साम्लं कटूष्णलवणं भोज्यं ग्रीष्मे विवर्जयेन्नियतम् ।
शुष्कं रूक्षञ्च बहु व्यायामञ्चातपे गमनम् ॥५४॥

आहारः

स्तम्भास्त्रयः प्रसिद्धा आहार-स्वप्न-शुक्रसंरक्षाः ।
कायस्तिष्ठति तेषु प्रयतस्तस्माद् भवेत् पुरुषः ॥५५॥

प्राणानामपि मूलं त्वन्नं पुरुषोऽस्ति नैव तेन विना ।
अत आहारः कार्यो विधिना बलपुष्टितुष्टिकरः ॥५६॥

क्षणभङ्गुरं शरीरं प्रतिपलमपचीयते निजारब्धैः ।
तत्पूर्त्यैं बलशक्त्याधानार्थं ग्राह्य आहारः ॥५७॥

प्रकृतिकरणसंयोगाः राशिर्देशो विशिष्टकालश्च ।
भोक्ता भोजननियमश्चेत्यष्टौ ज्ञेयभावाः स्युः ॥५८॥

आहारं गृह्णीयात् सात्म्यं मात्राञ्च देशकालादि ।
आत्मानञ्च समीक्ष्य प्रतिषेधार्थन्तु रोगाणाम् ॥५९॥

पूर्वाहारे जीर्णे क्षुधि जातायां पुनस्तु भुञ्जीत ।
अध्यशनं विषमाशः समशनमेतानि हेयानि ॥६०॥

पूर्वं भुक्तेऽजीर्णे पुनरशनं ज्ञेयमहितमध्यशनम् ।
विषमाशनन्तु विषमं मात्राकालादिभिः प्रोक्तम् ॥६१॥

समशनमिह तत् प्रोक्तं पथ्यापथ्यस्य यत्र साङ्कर्यम् ।
त्रिविधो मिथ्याहारस्त्वेष नरैः सर्वथा त्याज्यः ॥६२॥

प्रायो यामानन्तरमेव पुनः सर्वदा नरोऽश्नीयात् ।
प्रागशनान्न तु जरणं बलहानिः स्याद् विलम्ब्यशनात् ॥६३॥

द्वौ भागावन्नेन द्रवतस्त्वेकं प्रपूरयेज्जठरे ।
रिक्तस्त्वेकः स्थाप्यः दोषाणां सम्यगयनाय ॥६४॥

तक्रान्तस्त्वाहारो दिवसे रात्रौ स एव दुग्धान्तः ।
प्रत्यूषे जलपानं मनुजं रक्षेत् सदा स्वस्थम् ॥६५॥

माषाः कफपित्तकराः दध्यपि कफपित्तकोपनं कुरुते ।
मत्स्याः कफपित्तकराः वृन्ताकं श्लेष्मपित्तकरम् ॥६६॥

दधि रात्रौ न कदाचित् स्यन्दकरं धीमताऽशने ग्राह्यम् ।
नोष्णं नाम्लं पैत्तिककाले पित्तप्रकृतिभिश्च ॥६।७।

कफजे समुद्गसूपं सक्षौद्रं पैत्तिके च सामलकम् ।
घृतशर्कराशमेतं वाते दधि गृह्यतां सुखदम् ॥६८॥

शालीन् षष्टिकमुद्गान् प्रत्यग्रफलानि सैन्धवञ्च यवान् ।
पय आन्तरीक्षमुदकं सर्पिर्मधु चाभ्यसेत् पुरुषः ॥६९॥

पृथुकान् सक्तून् माषान् दधि मत्स्यान्नैव शीलयेन्मनुजः ।
अत्यभ्यासेन यतो रोगान् जनयन्ति घोरतरान् ।।७०।।

## सद्वृत्तम्

सद्वृत्तं तु मनुष्यैः परिपाल्यं प्राणिदेहरक्षायै ।
मनसः प्रशमश्च भवेद् येन समाजेषु शान्तिश्च ।।७१।।

कामक्रोधपरिग्रहवर्जी व्यसनेषु चाप्यनासक्तः ।
दाता सान्त्वपरः स्यादरुजो यः सेवते वृद्धान् ।।७२।।

श्रद्धाविश्वासपरः सद्भक्त्या पूजयेत्तु भगवन्तम् ।
सद्ग्रन्थाध्ययनेषु प्रयतः स्याच्चित्तशुद्ध्यर्थम् ।।७३।।

निश्छलता हृदि वाण्यां कोमलता कौशलञ्च कर्मगतम् ।
विलसन्ति पुंसि यस्मिन् तेन भवे किं न लब्धं स्यात् ।।७४।।

आचारस्तु सतां वै सुरतरुसदृशो रसायनं फलति ।
येन जरारुग्रहितो लभते सुखहितचिरायुष्ट्वम् ।।७५।।

## जनपदोद्ध्वंसः

पुरुषः स्वस्थो भूयात् तिष्ठेत् स्वस्थः सदा समाजश्च ।
अन्योन्याश्रयभूतौ तौ तस्मात्तत् प्रयतनीयम् ।।७६।।

अन्नं जलञ्च वायुस्त्रयमेतज्जीवनस्य संस्तम्भाः ।
तस्मात्तेषां शुद्धौ नित्यं मनुजैः प्रयतितव्यम् ।।७७।।

राज्ञामधर्मदोषाद् वायुः सलिलं धरा च कालश्च ।
संदूषिताः भवेयुर्मरकः प्रसरेत्तदा लोके ।।७८।।

सम्यगुपायाचरणाद् राज्ञः कर्तव्यनिष्ठकर्मण्यैः ।
वाय्वादीनां शुद्ध्या सम्यग्बुद्ध्या जयेन् मरकम् ।।७९।।

वायुः शोध्यः सर्षपनिम्बप्रसवात् ससर्जरसपुरतः ।
धूपैर्यज्ञविधानैः ऋतुसन्धौ प्रायशः पुरुषैः ।।८०।।

सलिलं कतकक्षोदक्षेपण-छानन-खरांशुतापैश्च ।
क्वलथनाधिवासनाभ्यां निष्यन्दनतो भवेच्छुद्धम् ।।८१।।

मार्जन्या गृहभूमिं परितो नित्यं विशोधयेन्नियतम् ।
तदनु क्षालनमभितः सलिलैर्जन्तुघ्नयुक्तैश्च ।।८२।।

ग्रामे मार्त्तिकभूमिं मार्जन्या सर्वतस्तु संशोध्य ।
सुरभीमाहिषगोमयकल्कैः संलेपयेन्नित्यम् ।।८३।।

शूर्पेण धान्यजातं संशोध्य जलैः सुधावितं बहुशः ।
तद्वत् फलञ्च शाकं विधिवत् प्रक्षाल्य सेवेत ।।८४।।

हस्ते मार्जनिशूर्पौ दधती नित्यन्तु शीतला देवी ।
संप्रेरयति मनुष्यान् सुखकामांस्तत्प्रयोगार्थम् ।।८५।।

वस्त्राणि शुद्धधौतान्यनुरूपाणि प्रमाणतो दध्यात् ।
शय्यास्तरणादीनि प्रायो घर्मे विशोष्याणि ।।८६।।

शत्रव इव मनुजानां सततं छिद्रप्रहारिणो रोगाः ।
तस्मात् स्वास्थ्यविधाने चर्याद्ये न प्रमदितव्यम् ।।८७।।

इच्छेद् यः सम्पत्तिं स्वास्थ्यं नित्यं मनोवपुषोः ।
हितसुखदीर्घञ्चायुः स भवेन्मनुजः सदाचारी ।।८८।।

हितभुङ मितभुङ नित्यं विहरति हितमेव दानशीलो यः ।
व्यसनेऽसक्तः क्षान्तः समदर्शी स्यादरोगः सः ।।८९।।

वपुषा वाचा मनसा सर्वविधां धारयन् सदा शुचिताम् ।
आहारे व्यवहारे युक्तः स्वास्थ्यं सुखं लभते ।।९०।।

दोषाणां समभावो मनसो देहस्य पूर्णतो यत्र ।
यश्च विमुक्तो रोगाद् रागाज्जीवद्विमुक्तः सः ।।९१।।

समभावो दोषाणामग्निश्च समः समौ च धातुमलौ ।
सत्वेन्द्रियप्रसादो यस्य नरोऽसौ मतः स्वस्थः ।।९२।।

।। इति षोडशाङ्गहृदये प्रियव्रतशर्मकृते स्वस्थवृत्तप्रकरणं षष्ठम् ।। ६ ।।

# ७. रसायनम्

लाभोपायो नियतः शस्तानां सद्रसाद्यधातूनाम् ।
ज्ञेयं रसायनं तत् स्वस्थस्योर्जस्करञ्चैव ।।१।।

शस्तरसादिविधानात् वयसा तरुणं पुमांसमास्थाप्य ।
दत्ते दीर्घञ्चायुः स्मृतिमेधादींश्च देहबलम् ।।२।।

त्रिविधं स्यात् फलभेदादाजस्रं काम्यकञ्च नैमित्तम् ।
द्विविधं विधानभेदात् कुटचां वातातपीयञ्च ।।३।।

च्यवनप्राशो विदितो लोके बहुशो रसायनो योगः ।
येन सुवृद्धश्च्यवनो जीर्णोऽपि बभूव तरुणाग्र्यः ।।४।।

आमलकं भल्लातं नागबला पिप्पली च हयगन्धा ।
मुख्यरसायनयोगा अश्मजतु स्वर्णभस्मापि ।।५।।

ब्राह्मी च शङ्खपुष्पी यष्टीमधुकस्य केवलं चूर्णम् ।
मेध्यं रसायनं स्याद् विशेषतो देहबलदश्च ।।६।।

सर्वरसायनयोगाः सिध्यन्ति मनःशरीरशुद्धानाम् ।
अत एव शुद्धदेहः युञ्जात् प्रयतः सदाचारम् ।।७।।

क्रोधायासनिवृत्तिः हिंसा रितिर्मनःप्रशान्तिरतिः ।
शस्तरसायनफलदो गुरुवृद्धार्चा जितात्मत्वम् ।।८।।

।। इति षोडशाङ्गहृदये प्रियव्रतशर्मकृते रसायनप्रकरणं सप्तमम् ।।७।।

# ८. वाजीकरणम्

वाजीव भवेद्धृष्टः स्थिरवेगः शुक्रवृद्धियुक् येन ।
स्वस्थस्योर्जस्करणं वाजीकरणं भवेत्तद्धि ।।१।।

रतिसुखमस्मिन्निहितं निहितं दुर्लभमथाप्यपत्यसुखम् ।
तस्माद् वाजीकरणं सेव्यं पुंभिः सुखावाप्त्यै ।।२।।

अग्र्यं वाजीकरणं रूपवती स्त्री प्रहर्षिणी तरुणी ।
तदनु च वृष्यौषधयः गोक्षुरमाषात्मगुप्ताद्याः ।।३।।

घृतपरिपूर्णं षष्टिकभक्तं भुङक्ते तु माषयूषेण ।
तदनु पिबति यः क्षीरं वर्षति शुक्रं स गोवृषवत् ।।४।।

बीजं कपिकच्छूनां नृणां वृष्यं न केवलं यूनाम् ।
स्थविराणामपि चेतश्चञ्चलयति वानरी गुटिका ।।५।।

भङ्गाया अपि योगाः नियतं कुर्वन्ति मानिनीभङ्गम् ।
मदयति मदनानन्दः कामिजनान् मोदको मदनः ।।६।।

।। इति षोडशाङ्गहृदये प्रियव्रतशर्मकृते वाजीकरणप्रकरणमष्टमम् ।।८।।

# ६. रोगविज्ञानम्

अर्त्तिकरं वैषम्यं धातूनां रुग्विकारपर्यायः ।
तत्सम्यग्विज्ञानं रोगचिकित्सार्थमनिवार्यम् ॥१॥

आगन्तुश्च निजोत्थः द्विविधो रोगो निमित्तभेदेन ।
आद्योऽभिघातजनितः दोषोत्पन्नस्तथा त्वितरः ॥२॥

आदौ रोगिपरीक्षा रोगपरीक्षा ततस्तु कर्तव्या ।
तदनु द्रव्यपरीक्षा कर्मारम्भश्च तत्पश्चात् ॥३॥

त्रिविधा स्मृता परीक्षा भवति यया तत्त्वतो ज्ञानम् ।
प्रत्यक्षं स्यात् प्रथमं त्वनुमानाप्तोपदेशौ च ॥४॥

ज्ञानं यदिन्द्रियाणामर्थैः सह सन्निकर्षतो भवति ।
तत्प्रत्यक्षं ख्यातं मूलं सर्वप्रमाणानाम् ॥५॥

अनुमानं प्रत्यक्षादनु जनितं भवति लिङ्गिनो ज्ञानम् ।
लिङ्गाद्व्याप्तिपुरस्सरमुक्तं त्रिविधं त्रिकालञ्च ॥६॥

आप्ताः दोषविमुक्ता आप्तज्ञानाः निरस्तसन्देहाः ।
सत्यपरायणमनसस्तेषां विज्ञानमुपदेशः ॥७॥

आप्तोदेशभूतं शास्त्रं रोगाकृतेः परिज्ञानम् ।
तदनन्तरं परीक्षा प्रत्यक्षेणानुमानेन ॥८॥

पूर्वं प्रश्नपरीक्षा पञ्चभिरथ चेन्द्रियैस्तदनु कार्या ।
इति षड्विधा परीक्षा रोगिजनानां विनिर्दिष्टा ॥९॥

दोषं दूष्यं कालं बलमनलं देहप्रकृतिवयसी च ।
सत्त्वं सात्म्यं देशं कुलवृत्तं पूर्वतोवृत्तम् ॥१०॥

सूक्ष्मतया सुपरीक्ष्यं येन विकारो भवेत् परिज्ञातः ।
सर्वैर्भावैर्यस्माद् भिषजां कर्माश्रितं तत्र ॥११॥

दोषाद्याः संप्रोक्ताः प्रोक्ताः दूष्यास्तथा च धातुमलाः ।
कुलवृत्तन्त्वपि महितं कुलजा मेहादयो यस्मात् ॥१२॥

नाडीं मूत्रपुरीषे जिह्वां शब्दं दृगाकृती स्पर्शम् ।
रोगाक्रान्तशरीरे स्थानान्यष्टौ परीक्षेत ॥१३॥

सनिदानपूर्वरूपात् रूपात् संप्राप्तितस्तथोपशयात् ।
रोगं विधिना प्राज्ञो वैद्यः प्रयतः परीक्षेत ॥१४॥

रोगोत्पादकहेतुर्वैद्यैरेतन्निदानमिति गदितम् ।
तत् सन्निकृष्टमेकं त्वपरं स्याद् विप्रकृष्टाख्यम् ॥१५॥

बाह्याभ्यन्तरभेदादपि तज्ज्ञेयं बुधैर्द्विधाभूतम् ।
क्रिम्यादि बाह्यहेतुः दोषास्त्वाभ्यन्तरं बीजम् ॥१६॥

भाविव्याधिज्ञापकलिङ्गं स्यात् पूर्वरूपसंज्ञं तत् ।
सामान्यञ्च विशिष्टं तद् द्विविधं स्यात्तथाऽव्यक्तम् ॥१७॥

आगतरोगज्ञापकलिङ्गं रूपं भवेत्तु प्रव्यक्तम् ।
संस्थान-चिह्न-लक्षण-लिङ्गाकृतयस्तु पर्यायाः ॥१८॥

हेतुव्याधिविपर्यय-तद्विपरीतार्थकार्यकर्त्रीणाम् ।
अन्नौषधचेष्टानां सुख उपयोगः खलूपशयः ॥१९॥

दोषेण क्रुद्धेन प्रसृतेन स्थानसंश्रितेनाथ ।
जन्म विकारस्यासौ संप्राप्तिस्त्वागतिर्जातिः ॥२०॥

एतन्निदानपञ्चकमामयविज्ञानसाधनं परमम् ।
तेन भिषग्भिरवश्यं रोगाः संवीक्ष्य विज्ञेयाः ॥२१॥

दोषाणां षडवस्था आमयनिर्वृत्तिसाधने ज्ञेयाः ।
सञ्चय-प्रकोप-प्रसराधिष्ठानव्यक्तिभेदाख्याः ॥२२॥

सञ्चयभावः स्थाने दोषस्योन्मार्गगामिता कोपः ।
दोषाणां कुपितानां प्रसरः स्याद् देहसञ्चरणम् ॥२३॥

गत्वाऽऽश्रयतेऽन्यतमं स्थानं तं स्थानसंश्रयं विद्यात् ।
निर्वृत्तिस्तु तदा स्यादव्यक्ता पूर्वरूपस्य ॥२४॥

व्यक्तिस्तदधिष्ठाने सम्यग् रोगस्य प्रस्फुटीभावः ।
यस्यां रूपं व्यक्तं भवति रुजायाः समस्तायाः ॥२५॥

अन्त्यावस्था भेदो यस्यां व्रणिता विदीर्यते विकृतिः ।
जीर्णो भवति च रोगः कालाद् वै धातुपाकेन ॥२६॥

एताः कालावस्था विज्ञाय बुधो हितां क्रियां कुर्यात् ।
आदित एव यथा नो रोगो दुःसाध्यतां गच्छेत् ॥२७॥

चत्वारिंशत् पैत्ताः वातविकारास्त्वशीतिसंख्या स्युः ।
विंशतिरेवं कफजाः रोगाः नानात्मजाः प्रोक्ताः ॥२८॥

रोगान्निदानपञ्चकविधिना सम्यक् परीक्ष्य युक्तिज्ञः ।
निर्णीय निपुणवैद्यः सिद्धचिकित्सां प्रयुञ्जीत ॥२९॥

सर्वान् रोगविशेषान् वेत्ति च सर्वं प्रयोज्यभैषज्यम् ।
देशं कालं मानं यो वैद्योऽसौ भवेत् सफलः ।।३०।।

## ज्वरः

मिथ्याहारविहाराद् दुष्टा आमाशये स्थिताः दोषाः ।
सन्तापं तनुमनसोः जनयन्ति गदो ज्वरस्त्वेषः ।।३१।।

अरतिर्मुखवैवर्ण्यं वैरस्यं जृम्भिका वपुर्मर्दः ।
अरुचिर्गुरुता दाहश्चाक्ष्णोस्तत्पूर्वरूपाणि ।।३२।।

जृम्भाऽत्यर्थं पवनाद् दाहः पित्तात् कफाद् भवेदरुचिः ।
एवं दोषविकल्पो ज्ञेयोऽव्यक्तस्य रोगस्य ।।३३।।

कारणभेदात् प्राज्ञैस्त्वष्टविधोऽसौ ज्वरो विनिर्दिष्टः ।
सप्तविधस्तु निजः स्यादेकस्त्वागन्तुकः प्रोक्तः ।।३४।।

वातजपित्तजकफजाः द्वन्द्वोत्पन्नाः कृतश्च संघातात् ।
एवं सप्तविधः स्याज्ज्वररोगो दोषभेदेन ।।३५।।

दोषाणां संघातो नैकविधो भवति तत्कृतोऽपि गदः ।
अभिघातादागन्तुः क्रियते भूताभिषङ्गादेः ।।३६।।

कम्पो विषमो वेगः शोषो मुखकण्ठतालुजिह्वानाम् ।
निद्रानाशो रौक्ष्यं शिरसि रुजा त्वङ्गमर्दश्च ।।३७।।

वैरस्यञ्चास्ये स्यादाध्मानं गाढविट्कता शूलम् ।
जृम्भाधिक्यं लिङ्गान्येतानि स्युर्ज्वरेऽनिलजे ।।३८।।

तीव्रो वेगः सरणं तिक्ताम्लवमिस्तृषा वपुर्दाहः ।
स्वेदो मूर्च्छा कटुता वक्त्रे पाको मुखादीनाम् ।।३९।।

पीतत्वञ्च पुरीषे मूत्रे नेत्रे तथा भ्रमस्त्वरतिः ।
लिङ्गान्येतानि स्युर्ज्वररोगे पित्तसंभूते ।।४०।।

मन्दो वेगः शैत्यञ्चालस्यं स्तब्धता तथा गात्रे ।
मूत्रादिश्वेतत्वं गौरवमरुचिर्वमिस्तृप्तिः ।।४१।।

उत्क्लेशस्त्वल्पा रुक् स्रोतोरोधः प्रसेककासौ च ।
नासास्रावस्त्वेतल्लिङ्गं कफजज्वरे विद्यात् ।।४२।।

मुक्तत्वेऽप्यनुबन्धो धातुगतत्वाज्ज्वरे भवेद् यस्मिन् ।
कृच्छ्रत्वं विषमत्वं वेगादीनां स वै विषमः ।।४३।।

सन्ततसततान्येद्युस्तृतीयकचतुर्थकाः स्मृताः पञ्च ।
विषमज्वरस्य भेदाः कथिताश्चरकादिभिस्तन्त्रे ॥४४॥

दाहः पूर्वोऽन्यतमे शीतः सञ्जायतेऽपरस्मिंश्च ।
दाहाभिप्रायोऽन्त्यः शीताभिप्रायकस्त्वाद्यः ॥४५॥

धातुगतोऽपि पुराणो रसप्रभृतिस्थो भवेज्ज्वरः क्रमशः ।
शुक्रस्थस्तु न सिध्यति मांसादिगतश्च कृच्छ्रः स्यात् ॥४६॥

वर्षादिषु सञ्जातो वाताद्यैः प्राकृतो ज्वरः ख्यातः ।
अन्येषु वैकृतः स्याद् दुःसाध्यः प्राकृतो वालात् ॥४७॥

अन्तर्दाहाधिक्ये त्वन्तर्वेगं ज्वरं बुधो विद्यात् ।
बाह्ये तापे त्वधिके तं जानीयाद् बहिर्वेगम् ॥४८॥

अरुचिः प्रसेकगुरुते मुखवैरस्यं तथा च हृल्लासः ।
क्षुन्नाशः स्तब्धत्वं वेगस्तीव्रो ज्वरे सामे ॥४९॥

कार्श्यं क्षुधा लघुत्वं सन्तापस्यापि मार्दवं यत्र ।
अष्टाहदोषसरणे लिङ्गानि स्युर्ज्वरेऽनामे ॥५०॥

तरुणस्तु सप्तरात्रं द्वादशरात्रं भवेत्तु मध्यमकः ।
अत ऊर्ध्वं तु पुराणः जीर्णः स्यात्तु त्रिसप्ताहात् ॥५१॥

बलवति रोगिणि दोषे स्वल्पे चोपद्रवैः ज्वरो रहितः ।
अचिरोद्भूतः साध्यो जातश्चैकेन दोषेण ॥५२॥

स्वेदो लघुता तृष्णा मलसरणञ्चास्यगन्धराहित्यम् ।
क्षवथुश्चात्र बुभुक्षा ज्वरमोक्षस्येति लिङ्गानि ॥५३॥

## रक्तपित्तम्

धर्माच्छ्रान्तेः क्रोधादत्यर्थस्त्रीव्यवायतः सततम् ।
तीक्ष्णोष्णक्षारगणैरम्लैः लवणैः कटुद्रव्यैः ॥५४॥

पित्तं विदग्धमाशु स्वगुणैर्दग्ध्वा च शोणितं भूयः ।
कुरुते तु रक्तपित्तं येनासृक् पित्तसंयुक्तम् ॥५५॥

ऊर्ध्वं नासारन्ध्रान्नेत्रात् कर्णान्मुखात्ततो याति ।
गुदतोऽधस्ताच्छिश्नाद् योनिमुखाद् रोमकूपैश्च ॥५६॥

श्वा काको यत् खादति प्रीत्या तज्जीवसाधनं रक्तम् ।
नात्ति तु रक्तं पित्तं वैद्यैरेतत् परीक्ष्यं स्यात् ॥५७॥

कफसंसृष्टन्तूर्ध्वगमनिलानुगमस्ति यद्ध्यधोगं तत् ।
उभयगमथो द्विदोषानुगमिति दोषानुबन्धेन ।।५८।।

ऊर्ध्वं साध्यं निम्नगमथ कृच्छ्रं वर्जितं तथोभयगम् ।
निरुपद्रवञ्च तरुणं साध्यमसाध्यन्तु विपरीतम् ।।५९।।

## पाण्डुरोगः

अत्यायासोऽपोषणमतितीक्ष्णं लवणमम्लमृत्सेवा ।
क्षपयित्वा खलु रक्तं नयति शरीरन्तु पाण्डुरताम् ।।६०।।

दौर्बल्यं पाण्डुत्वं त्वचि गात्रग्लानिरौक्ष्यमविपाकः ।
विण्मूत्रे वैवर्ण्यं मृद्भक्तिः पाण्डुरूपाणि ।।६१।।

## कामला

पित्तप्रकोपिद्रव्यप्रषेवणात् कोपमाप्नुवत् पित्तम् ।
रक्तं मासं दग्ध्वा नयति रुजं कामलासंज्ञाम् ।।६२।।

वर्षामण्डूकरुचिर्हारिद्रनखाक्षिचर्ममूत्रमुखः ।
रोगी हतेन्द्रियः स्याद् बलहीनोऽपाकदाहकृशः ।।६३।।

आश्रयभेदाद् द्विविधा शाखाश्रित-कोष्ठसंश्रिते ख्याता ।
चिरकालीना कृच्छ्राऽसाध्या स्यान्नष्टसंज्ञाग्निः ।।६४।।

## अतिसारः

आहारैरतिशीतस्निग्धोष्णस्थूलरूक्षगुर्वाद्यैः ।
मिथ्यायुक्तैश्च भयाच्छोकाद्दुष्टाम्बुमद्याच्च ।।६५।।

वेगावरोधकरणात् क्रिमिदोषाद् विषप्रयोगतो विषमात् ।
द्रवमलसरणं बहुशो यत्र प्रोक्तोऽतिसारोऽसौ ।।६६।।

अब्धातुः परिवृद्धः संशम्याग्निं ततः शकृन्मिश्रः ।
वातेनाधो निसृतस्त्वतिसारं षड्विधं कुर्यात् ।।६७।।

वातात् पित्ताच्च कफाद् भवति चतुर्थस्तथा त्रिदोषाच्च ।
शोकभयाद्यैरपरः षष्ठस्त्वामेन सञ्जातः ।।६८।।

जठरे तोदाध्माने गात्रग्लानिः पुरीषबन्धश्च ।
वातनिरोधोऽजीर्णं त्वतिसारे पूर्वरूपाणि ।।६९।।

रूक्षं फेनिलमल्पं बहुशो रुक्शब्दसंयुतन्त्वरुणम् ।
आमं पुरीषमनिलादार्तोऽतीसारकी विसृजेत् ।।७०।।

पित्तात् पीतन्त्वथवा रक्तन्तु मलं विमुञ्चति प्रचुरम् ।
तृष्णामूर्च्छादाहैः पाकेन युतो भवेद् विकलः ॥७१॥

श्लेष्मणि कफसंयुक्तं शुक्लं सान्द्रं मलन्तु विस्रं स्यात् ।
सर्वैः रूपैर्युक्तं त्वतिसारे सन्निपातकृते ॥७२॥

शोकोत्पन्ने रुधिरं विड्मिश्रं तां विनाऽथवा याति ।
शूलोपेतं बहुशो नानावर्णं मलन्त्वामे ॥७३॥

भृशदुर्गन्धि पुरीषं पिच्छिलमामं भवेच्च गुरुतायुक् ।
विपरीतैः खलु लिङ्गैरेतैः पक्वन्तु तद् विद्यात् ॥७४॥

वैकृतवर्णं विविधं हिक्कामूर्च्छाद्युपद्रुतं क्षीणम् ।
पक्वासंवृतगुदिनं त्वतिसारकिणं त्यजेज्ज्वरिणम् ॥७५॥

अत्यर्थपित्तकोपे रक्तातीसार उल्वणो भवति ।
यस्मिन् पुरीषवेगैः सार्धं रुधिरं विनिःसरति ॥७६॥

वायुर्वृद्धो निचितं त्वामं समलं प्रवाहतोऽभीक्ष्णम् ।
नुदति प्रवाहिका सा सविबन्धं शूलरक्तयुतम् ॥७७॥

यस्योच्चारेण विना मूत्रं वायुश्च गच्छतः सम्यक् ।
दीप्ताग्नेर्लघुकोष्ठे जानीयाद् विगतमतिसारम् ॥७८॥

## ग्रहणीरोगः

अग्नेः स्थानं ग्रहणी पित्तधरा वर्तते कला यस्याम् ।
पाकार्थं गृह्णाति त्वरितं पक्वं त्वधः सृजति ॥७९॥

ग्रहणीरोगे जाते मिथ्याहाराच्च मन्दिते वह्नौ ।
भुक्तमपक्वं रसतां याति न, मलतो बहिर्याति ॥८०॥

तस्मात् पुरीषदोषाः द्रवबन्धाद्याः भवन्ति पर्यायैः ।
धातुक्षयाच्च कार्श्यं लभते ग्रहणीरुजाक्रान्तः ॥८१॥

दौर्बल्यं तृड् ग्लानिर्भुक्तविदाहस्तथा चिरात् पाकः ।
गात्रे गौरवमेतद्ग्रहणीरोगस्य प्रागूपम् ॥८२॥

वाताधिक्ये जीर्णे त्वाध्मानं शब्दफेनवच्च मलम् ।
शूलं पार्श्वहृदादिषु रौक्ष्यं तृष्णा च मुखशोषः ॥८३॥

ग्रहणीरोगे पैत्ते पीताभं सद्रवं पुरीषं स्यात् ।
अम्लोद्गारोऽजीर्णं दाहो हृत्कण्ठयोश्च तृषा ॥८४॥

कफजे ग्रहणीरोगे हृल्लासच्छर्द्यरोचकाः सदनम् ।
गुरुतोद्गारो मधुरः कफसंसृष्टं पुरीषञ्च ॥८५॥

बाले ग्रहणीरोगः साध्यस्तरुणे च कृच्छ्रसाध्यः स्यात् ।
वृद्धेष्वसाध्यरूपस्त्वेवं ज्ञात्वा चरेत् प्राज्ञः ॥८६॥

## अर्शोरोगः

दोषाः कुपिता तु यदा सन्दूष्य त्वगसमांसमेदांसि ।
मांसाकुरवत् कुर्वन्त्यर्शांसि स्युर्गुदप्रभृतौ ॥८७॥

तदधिष्ठानं तिस्रो वलयो पायोः बुधैः समाख्याताः ।
षड्विधमर्शो दोषैः विरलसमस्तैः सहजमस्रात् ॥८८॥

शुष्कं स्रावि द्विविधन्त्वर्शः स्यात् शोषतोऽसृजः स्रावात् ।
वातश्लैष्मिकमाद्यन्त्वपरं रक्तान्वितात् पित्तात् ॥८९॥

लङ्घनमल्पाहारः सेवा लघुशीतरूक्षभोज्यानाम् ।
वातप्रकोपिरसवद्द्रव्याणां वातिकार्शःकृत् ॥९०॥

आतपकृशानुसेवा क्रोधः कट्वम्ललवणरससेवा ।
उष्णं विदाहि तीक्ष्णं हेतुः पित्तार्शसां ज्ञेयः ॥९१॥

मधुरस्निग्धाभ्यासः लवणाम्लगुरूणि प्राग्दिशो वातः ।
शीतश्चाव्यायामो हेतुः श्लेष्मार्शसां कथितः ॥९२॥

विष्टम्भोऽन्नस्य वपुर्दौर्बल्यं जाठरन्तथाध्मानम् ।
अत्युद्गारविबन्धौ गुदजानां पूर्वरूपाणि ॥९३॥

बह्वनिलास्तु प्ररोहाः शुष्काः श्यावारुणाः भृशं परुषाः ।
बिस्फुटिताग्राः रूक्षाः स्तब्धा विशदाः भवेयुस्ते ॥९४॥

पीडा पार्श्वांसशिरःकट्यादिषु हृद्ग्रहो भवेदरुचिः ।
उद्गारो विष्टम्भः कासश्वासाग्निवैषम्यम् ॥९५॥

गात्रं कृष्णच्छायं ग्रथितं स्तोकं सशूलशब्दञ्च ।
बहुफेनपिच्छसहितं सविबन्धं निःसृजेच्च मलम् ॥९६॥

अर्शोऽङ्कुरास्तु पित्तप्रभवाः लौहित्यसंयुताः पीताः ।
मृदवः शिथिलास्तनवः तनुरक्तस्राविणो विस्राः ॥९७॥

दाहज्वरतृण्मूर्च्छाः पाकः स्वेदोऽरुचिस्तथा मोहः ।
हारिद्रत्वं गात्रे द्रवपीताभं पुरीषञ्च ॥९८॥

श्लेष्मोल्वणास्तु गुदजाः श्वेताः मन्दव्यथास्तथा सघनाः ।
स्थिरमूला अथ गरवः स्निग्धा कण्डूयुताः स्तिमिताः ॥९९॥

लालाप्रसेकपीनसछर्द्यरुचिक्लैब्यवह्निमान्द्यानि ।
गात्रं पाण्डु प्रवाहणसहितं सकफं पुरीषं स्यात् ॥१००॥

रक्तप्रभवाः गुदजाः पित्ताकृतिसंयुताः भृशं रक्ताः ।
गाढपुरीषामृदिताः सहसा रक्तं स्रवन्त्युष्णम् ॥१०१॥

रक्तक्षयाच्च पुरुषः पाण्डुः सञ्जायते भृशन्तु कृशः ।
विट् कठिना त्वग्रूक्षा रोधोऽपानस्य वायोश्च ॥१०२॥

अर्शोरोगः प्रायोऽनेकगदोत्पत्तिकृद् भवेद्दुःखः ।
सर्वैर्दोषैर्जनितः सर्वशरीरार्दकः कृच्छ्रः ॥१०३॥

अचिरोत्पन्नन्त्वर्शः सुखसाध्यञ्चैकदोषसंभूतम् ।
द्वन्द्वजमर्शः कृच्छ्रं यच्च स्याद् वत्सराज्जातम् ॥१०४॥

चिरजः सहजस्त्वर्शोरोगो यश्च त्रिदोषसञ्जातः ।
सोऽसाध्यः स्याद् विविधैः रोगैरुपसृष्टरूपश्च ॥१०५॥

## अजीर्णम्

वह्निविकारादन्नं सम्यक् जीर्णं भवेन्न चेत् कोष्ठे ।
विविधान् दोषान् जनयत्तदजीर्णं कथ्यते प्राज्ञैः ॥१०६॥

मन्दस्तीक्ष्णो विषमो वह्निः कफपित्तमारुतात् क्रमशः ।
तत्साम्यात्तु समः स्यादिति वह्नेः स्याच्चतुर्विधता ॥१०७॥

मन्दोऽग्निः पाचयितुं शक्नोति न चाल्पमप्यथाहारम् ।
तीक्ष्णोऽग्निर्बहुमात्रं भुक्तं क्षणमेव भस्मयति ॥१०८॥

सम्यक् पाकोऽथ कदाचिदपाकः स्यादन्नरस्य विषमाग्नेः ।
काले युक्तं सम्यक् निर्दोषं पचति तु समाग्निः ॥१०९॥

अन्त्यः प्राकृत उक्तः विकृताश्चान्ये नयन्त्यजीर्णगदम् ।
आमं विदग्धरूपं त्वथ विष्टब्धं मलात् क्रमशः ॥११०॥

अतिजलपानाद् विषमाहाराद् वेगावधारणात् सततम् ।
शोकान्निद्राऽयोगाच्छय्यादुःखात्ततोऽजीर्णम् ॥१११॥

आमाजीर्णे गुरुता लालास्रावश्च शोथ उत्क्लेदः ।
उद्गारस्त्वविदग्धः सपदि यथाभुक्तमायाति ॥११२॥

भ्रमतृण्मूर्च्छाः स्वेदो दाहश्च भवेद् विदग्धकेऽजीर्णे ।
उद्गारश्च सधूमः साम्लः पित्ताद् रुजो विविधाः ॥११३॥

विष्टब्धे त्वथ शूलश्चाध्मानं वातवर्चसोः रोधः ।
गात्रे पीडा स्तम्भो वातकृता वेदना मोहः ॥११४॥

आमाजीर्णात् कृच्छ्रा भवति विषूची सशूलतृष्णाऽसौ ।
छर्द्यतिसारोद्वेष्टनसहिता घोरा विनिर्दिष्टा ॥११५॥

भुक्तन्त्वलसीभूतं कोष्ठे नो चेद् व्रजत्यधो न वा तूर्ध्वम् ।
शूलादिकरं कृच्छ्रं व्याधिः सोऽलसक आख्यातः ॥११६॥

लघुतोद्गारविशुद्धिश्चोत्साहो वेगमोक्षणं सम्यक् ।
अन्नबुभुक्षा तृष्णा जीर्णाहारस्य लिङ्गानि ॥११७॥

## क्रिमिरोगः

क्रिमयो द्विविधाः प्रोक्ताः बाह्याश्चाभ्यन्तराः नृणां काये ।
यूकादयस्तु बाह्यास्त्वपरे गण्डूपदाद्याः स्युः ॥११८॥

शूलं ज्वरोऽतिसारो हृल्लासः पाण्डुता वपुःसदनम् ।
अन्नद्वेषश्छर्दिः हृद्रोगो लक्षणं क्रिमिजम् ॥११९॥

अध्यशने संसक्तो मधुराम्लपरो द्रवप्रियो गुडभुक् ।
शाकप्रियस्त्वचेष्टो दिनशायी पीड्यते क्रिमिभिः ॥१२०॥

## अरोचकः

अन्नं गृहीतमास्ये न स्वदतेऽसावरोचकः प्रोक्तः ।
भक्तद्वेषो द्विष्यति चान्नं दृष्ट्वा तथा श्रुत्वा ॥१२१॥

अन्ने श्रद्धाऽभावोऽभक्तच्छन्दस्तु कथ्यते प्राज्ञैः ।
तृप्तिर्यत्रात्मानं मनुते मनुजस्तु तृप्तमिव ॥१२२॥

दोषैर्मानसभावैः शोकाद्यैः स्यादरोचको विविधः ।
रोगी कषायवदनो सदन्तहर्षस्तु वातकृते ॥१२३॥

आस्यं पूति च विरसं कट्वम्लोष्णं भवेत्तु पित्तेन ।
लवणं वक्त्रं मधुरं पैच्छिल्यगुरुत्वयुक्तं स्यात् ॥१२४॥

शोकक्रोधभयाद्यैर्जातेऽथारोचके मुखं प्रकृतम् ।
सर्वं त्रिदोषजे स्याद् बहुरुङ् मोहोऽतिजाड्यञ्च ॥१२५॥

## छर्दिः

ख्याता पञ्चविधा सा दुष्टैर्दोषैः पृथक् समस्तैश्च ।
बीभत्सदृश्यजातैरन्यैरागन्तुकैश्चापि ॥१२६॥

अतिलवणाद्यैर्भुक्तैरतिमात्रैः सात्म्यभिन्नभुक्तैश्च।
क्रिमिदोषाच्छीताद्यैः बहुदोषा जायते छर्दिः ॥१२७॥

अरतिस्त्वन्नद्वेषो हृल्लासोद्गाररोधपीडाश्च।
लालास्रावाधिक्यं छर्द्याः स्युः पूर्वरूपाणि ॥१२८॥

शूलं हृत्पार्श्वादिषु मुखशोषस्तोदभेदकल्परुजाः।
शब्दप्रबलं स्वल्पं वाताच्छर्दयति कृच्छ्रेण ॥१२९॥

मूर्च्छातृष्णादाहभ्रमयुक्तो सपदि पित्ततो वमति।
पीतं सतिक्तमुष्णं कट्वम्लं दाहसहितञ्च ॥१३०॥

मुखमाधुर्यश्लेष्मप्रसेकतृप्त्योऽरुचिर्गुरुत्वञ्च।
स्निग्धं घनं कफाद् वै स्वल्परुजं स्वादु छर्दयति ॥१३१॥

शूलाविपाकतृष्णाश्वासारुचिमोहदाहसंयुक्ता।
छर्दिस्त्रिदोषजाता लोहितनीलोष्णसान्द्रा स्यात् ॥१३२॥

आगन्तुकी तु छर्दिः बीभत्सादामतश्च कृमिदोषात्।
गर्भिण्या अपि वैद्यैः दोषप्राबल्यतो ज्ञेया ॥१३३॥

विण्मूत्रयोः समानं गन्धं वर्णञ्च यत्र छर्द्यां स्यात्।
याऽतिप्रसक्तवेगा सासृक्पूया च साऽसाध्या ॥१३४॥

## तृष्णा

भयशोकाद्यैः श्रमतो दौर्बल्याद् वा प्रकोपितं पित्तम्।
वातयुतं मुखतालुस्थितमथ जनयेद् भृशं तृष्णाम् ॥१३५॥

तृष्णा सप्तविधोक्ता वाताद्यैः क्षतकृता क्षयाच्च तथा।
आमाद् भुक्तात्तासां लिङ्गान्येतानि वक्ष्यन्ते ॥१३६॥

वातजतृषि बहुतोदः शिरसि विरसता विवर्धनं शीतात्।
दाहः पित्तादास्ये तिक्तत्वं शीतकामित्वम् ॥१३७॥

गुरुता निद्रा च मुखे माधुर्यं वह्निमन्दता च कफात्।
क्षतजा क्षतेऽतिशोणितनिर्गमतो जायते सरुजा ॥१३८॥

क्षयजा रसक्षयाद्यैर्भवति तया पीडितः कृशो मनुजः।
पिबति जलं बहु तदपि प्राप्नोति सुखं न स क्षीणः ॥१३९॥

आमजतृष्णा हृदये शूलकरी सेकसादसंयुक्ता।
स्निग्धाम्लादतिलवणात् गुरुभुक्तात् स्यात्तथा तृष्णा ॥१४०॥

घोरोपद्रवयुक्ता रोगकृशानां त्वतिप्रसक्ता च ।
शोषकरी च भृशं या सा छर्दिस्त्वन्तकृज्ज्ञेया ॥१४१॥

### अम्लपित्तम्

पित्तं स्वहेतुनिचितं कुपितं भूयो विदाहिदुष्टान्नैः ।
कथितं तदम्लपित्तं त्वम्लत्वयुतं यतः पित्तम् ॥१४२॥

अन्नस्यापरिपाकः क्लान्तिस्तिक्ताम्लकस्तथोद्गारः ।
उत्क्लेशस्त्वतिदाहो हृत्कण्ठे चाम्लपित्ते स्यात् ॥१४३॥

### शूलम्

जठरे शङ्कुस्फोटनवत्तीव्रा रुक् प्रजायते यस्मात् ।
नानात्मजो विकारो वातस्य हि शूलसंज्ञं तत् ॥१४४॥

वातिकशूलं वातप्रकोपजन्यं सतीव्ररुक् विविधम् ।
शीताद्यैः संवृद्धिं याति शमं स्वेदमर्दाद्यैः ॥१४५॥

पित्तात् सदाहतृष्णामूर्च्छं कट्वम्ललवणप्रभृतिभवम् ।
उष्णाद्यैः संवृद्धिं याति शमञ्चापि शीताद्यैः ॥१४६॥

कफजं कफप्रकोपकहेतोर्भवति प्रसेकहृल्लासि ।
निजकाले संवृद्धिं याति शमञ्चापि विपरीते ॥१४७॥

यच्छूलं परिणमति त्वाहारे जायते मरुत्कोपात् ।
कफपित्तदोषसहिताज्ज्ञेयं परिणामशूलं तत् ॥१४८॥

### गुल्मः

वातप्रधानदोषैः सञ्जातो ग्रन्थिसन्निभः कोष्ठे।
वृत्तश्चयापचयवान् गुल्मो गतिमानथाप्यचलः ॥१४९॥

सदनं वह्नेररुचिः विण्मूत्रापाननिर्गमः कृच्छ्रात् ।
आनाहोर्ध्वानिलतो चाटोपो गुल्मलिङ्गानि ॥१५०॥

### उदररोगः

सुतरां जाठररोगाः जायन्तेऽजीर्णतश्च मन्देऽग्नौ ।
वैरोधिकाध्यशनतः सुचिरं मलसञ्चयाच्चापि ॥१५१॥

प्रकुपितदोषौ रुद्ध्वा स्रोतांसि स्वेदसलिलवाहीनि ।
प्राणमपानञ्चाग्निं संदूष्य करोत्युदररोगम् ॥१५२॥

बलवर्णयोर्विनाशो नाशोऽन्नरुचेरुदर्यवलिलोपः ।
प्रागरूपं तु विदाहः पादे शोथश्च बस्तिरुजा ॥१५३॥

शोथो गात्रग्लानिर्दाहः सङ्गोऽनिलस्य समलस्य ।
आध्मानं गतिरोधो दौर्बल्यं वह्निमान्द्यञ्च ॥१५४॥

सामान्यलिङ्गमेतज्जठरगदस्याष्टभेदभिन्नस्य ।
वातादिकैः समस्तैः प्लीहक्षतबद्धसलिलैश्च ॥१५५॥

उदरं सर्वं प्रायः सलिलोदरकेऽवसानपरिणामम् ।
गच्छत्यसाध्यतां तत्त्वन्येष्वपि कृच्छ्रता परमा ॥१५६॥

## राजयक्ष्मा

वेगानामवरोधात् धातुक्षयतोऽथ साहसात् सततम् ।
विषमाशनात् त्रिदोषो भवति गदो राजयक्ष्माऽसौ ॥१५७॥

वातात् स्वरभेदः स्यात् संकोचश्चांसपार्श्वयोः सरुजः ।
दाहो ज्वरोऽतिसारो रक्तस्रावश्च पित्तात् स्युः ॥१५८॥

शिरसः परिपूर्णत्वं त्वरुचिः कासस्तथा गलोद्ध्वंसः ।
कफकोपाज्जायन्ते यक्ष्मण्येतानि लिङ्गानि ॥१५९॥

## कासः

वेगविघाताद् रसतो व्यायामादन्नरौक्ष्यतो धूमात् ।
प्राणो ह्युदानजुष्टः सन्दुष्टः कासजनकः स्यात् ॥१६०॥

तत्पूर्वरूपमुदितं गलवदने तीक्ष्णशूकपूर्णत्वम् ।
कण्ठे कण्ड्वनुभूतिश्चाहारे कष्टमरुचिश्च ॥१६१॥

वाताच्छुष्कः कासः शूलयुतः सक्तवेगसन्त्रस्तः ।
पित्तादुरोविदाहज्वरयुक् कफजस्तु सान्द्रकफः ॥१६२॥

## श्वासः

विष्टम्भिदाहिगुरुभी रूक्षाभिष्यन्दिभोजनैः सततम् ।
शीतैरसात्म्यगन्धाघ्राणाद् रजसा च धूमेन ॥१६३॥

अत्यातपात् प्रवाताद् व्यायामाद् भारतोऽपतर्पणतः ।
हिक्का श्वासश्च भवेन्नृणां वेगावरोधाच्च ॥१६४॥

वायुः श्लेष्मानुगतो दुष्टो हिक्काः करोति पञ्चविधाः ।
कफपूर्वकस्तु वातः श्वासकरो मार्गसंरोधात् ॥१६५॥

श्वासः पञ्चविधः स्यादूर्ध्वमहाक्षुद्रतमकसच्छिन्नः ।
तमकः कष्टकरः स्याद् याप्यः साध्यो नवस्तु यदा ॥१६६॥

## वातव्याधिः

वातप्रकोपहेतुभिरतिसेवितरूक्षशीतलघ्वाद्यैः ।
कुपितोऽनिलो बलीयान् जनयति विविधास्तु वातरुजः ॥१६७॥

सर्वाङ्गैकाङ्गवधश्चाक्षेपश्चार्दितं हनुस्तम्भम्
मन्याजिह्वास्तम्भौ विश्वाचीं गृध्रसीत्याद्याः ॥१६८॥

## वातरक्तम्

लवणाम्लादिकभुक्तैर्माषकुलत्थादिसेवनान् मद्यात् ।
वैरोधिकाच्च रोषाद् वातो रक्तश्च कुप्येताम् ॥१६९॥

प्रारभ्य पादमूलाद्धस्ताद् वा वर्धते च सर्वाङ्गे ।
स्पर्शाज्ञत्वं सुप्तिः सन्धिषु रुक् मण्डलोत्पत्तिः ॥१७०॥

## आमवातः

कुपितो वातो ह्यामं नीत्वा गच्छति समं कफस्थानम् ।
जनयति शूलं शोथं सज्वरमयमामवातगदः ॥१७१॥

## हृद्रोगः

अतिगुरुकषायतिक्तोष्णाहाराध्यशनयोगतः श्रमतः ।
चिन्ताशोकरुषाद्यैर्वेगाघातैश्च हृद्रोगः ॥१७२॥

दोषा विगुणास्तु रसं संदूष्य गताः स्थिताः पदं हृदयम् ।
हृद्रोगं कुर्वन्ति प्रसभं वातादिलिङ्गैश्च ॥१७३॥

## मूत्राघात-मूत्रकृच्छ्राश्मरीरोगः

मूत्राघातो रोधो मूत्रस्य क्रुद्धदोषसञ्जातः ।
कृच्छ्रं सकष्टमूत्रणमश्मरिकाऽश्मा चितो वस्तौ ॥१७४॥

अश्मर्यां सामान्यं लिङ्गं रुग् दारुणा भवेद् बस्तौ ।
तत्संरुद्धे मूत्रे क्षोभाद्रुधिरं विनिर्याति ॥१७५॥

## प्रमेहः

सन्तर्पणमतिशयितं निश्चेष्टत्वं महच्च मालिन्यम् ।
सर्वं प्रमेहहेतुः कफकृद् बीजस्य दोषश्च ॥१७६॥

कफदोषो द्रवबहुलो बस्तिगतः क्लेदमांसमेदांसि ।
मेहान् संदूष्य भृशं कुरुते नैकांश्चिरक्रियकः ॥१७७॥

दन्तादेस्तु मलिनता दाहः करयोस्तथा चरणयोश्च ।
स्निग्धत्वञ्च शरीरे तृट् स्याद्वास्यञ्च प्राग्रूपम् ।।१७८।।

मूत्रस्याविलता सप्रभूतता लिङ्गमस्ति सामान्यम् ।
वर्णादिभेदकरणाद् भेदो मेहेषु निर्दिष्टः ।।१७९।।

चरकादिभिः प्रमेहा विंशतिरनिलादिभिः कृताः प्रोक्ताः ।
मधुमेहाद्याः वाताच्चत्वारः साध्यविपरीताः ।।१८०।।

## शोथः

दुष्टान् पित्तकफासृग्भावान्नीत्वा बहिः सिराः पवनः ।
रुद्धस्तैश्च वितनुते त्वङ्मांसोत्सेधजं शोथम् ।।१८१।।

वाताद् दिवसे प्रबलश्चपलो मृदितः पुनश्च प्रोन्नमति ।
पित्तात् सदाहरागो रात्रिबली स्यात् स्थिरः कफजः ।।१८२।।

छर्दिस्तृष्णा त्वरुचिर्भक्ते श्वासो ज्वरोऽतिसारश्च ।
अङ्गानां दौर्बल्यं शोथस्योपद्रवाः कथिताः ।।१८३।।

## गलगण्ड-गण्डमालापचीरोगाः

गलदेशे सन्दुष्टः श्लेष्मा वातश्च दूषितं मेदः ।
मन्ये कुर्वन्ति गताः गलगण्डं मुष्कवल्लग्नम् ।।१८४।।

कफमेदोभ्यां जाताः गण्डाः गलकक्षवंक्षणप्रभृतौ ।
चिरमन्दपाकरुचयः कोलनिभाः गण्डमालाऽसौ ।।१८५।।

ते यदि पाकं गत्वा स्रवणान्नश्यन्ति भूय आयान्ति ।
चिरकालिकानुबन्धा कष्टकरा सापची प्रोक्ता ।।१८६।।

## श्लीपदम्

श्लेष्मप्रधानदोषैः वंक्षणशोथः क्रमेण पादचरः ।
ज्वरवेदनासमेतः श्लीपदमपि हस्तशिश्नादौ ।।१८७।।

## कुष्ठम्

त्वक् कुत्सिता तु यस्मिन् तिष्ठति शीर्णं विदीर्णपरिभग्नम् ।
तत् कुष्ठं सप्त महाकुष्ठान्येकादशाल्पानि ।।१८८।।

वैरोधिकान्नपानैः वेगाघातैः प्रभूतघर्माद्यैः ।
भुक्त्वा व्यायामरतैरध्यशनैर्जीर्णताभावे ।।१८९।।

दधिमत्स्याम्लकमूलकतिलपिष्टान्नातिलवणसेवाभिः ।
पापे कर्मणि रतिभिः मानसदोषैश्च कुष्ठं स्यात् ।।१९०।।

दोषास्त्रयोऽनिलाद्याः दूष्यं त्वग् रक्तमांसमम्बुगणः ।
एवं सप्तभिरेतैर्भवन्ति सर्वाणि कुष्ठानि ।।१६१।।

कण्डूस्त्वचि वैवर्ण्यं स्वापस्तोदः सरोमहर्षश्च ।
स्वेदविकारः प्रभवस्त्वरुषां कुष्ठस्य प्रागरूपम् ।।१६२।।

कापालं वातकृतं त्वौदुम्बरकं भवेच्च पित्तकृतम् ।
कफजं मण्डलसंज्ञं, पित्तानिलमृष्यजिह्वं स्यात् ।।१६३।।

सिध्मं वातकफोद्भवमथ पित्तश्लेष्मजं भवेत् पद्मम् ।
काकणकं सर्वभवं कुष्ठानि महान्ति सप्तेति ।।१६४।।

श्वित्रं स्रावविहीनं वातादिभवं त्रिधातुसंश्रयगम् ।
रक्ते मांसे मेदसि यथोत्तरं कृच्छ्रतां याति ।।१६५।।

### वीसर्पः

लवणाम्लातिकटूष्णाहारात् कोपेन सर्वदोषाणाम् ।
वीसर्पस्त्वात्ययिकस्त्वचि शीघ्रं सर्पणात् प्रोक्तः ।।१६६।।

रक्तं लसिका मांसं त्वग् दूष्यं वातपित्तकफदोषाः ।
श्लिष्टैः सप्तभिरेतैः वीसर्पो जायते नृणाम् ।।१६७।।

### शीतपित्तोदर्दकोठाः

शीतानिलसंस्पर्शाच्छोथो वरटीजदष्टवज्जातः ।
तच्छीतपित्तमुदितं, कफजो मण्डलयुतोदर्दः ।।१६८।।

आमाशयसंक्षोभात् पित्तकफाभ्यां भवेत्तथा कोठः ।
छर्दिनिरोधादिकृतः मण्डलरूपः सकण्डुश्च ।।१६९।।

।। इति षोडशाङ्गहृदये प्रियव्रतशर्मकृते रोगविज्ञानप्रकरणं नवमम् ।। ९ ।।

# १०. कायचिकित्सा

ज्वरचिकित्सा

तरुणज्वरे प्रवातस्नानाभ्यङ्गान्नमैथुनक्रोधान् ।
स्वप्नं दिवा कषायान् व्यायामं वर्जयेन्मनुजः ।।१।।

आदौ लङ्घनमेवोद्दिष्टं क्षयवातकामजान् हित्वा ।
दोषः सामो वह्निं हत्वा ज्वरकारकस्तु यतः ।।२।।

तृष्यति सलिलन्तूष्णं वातश्लेष्मज्वरे शृतं पथ्यम् ।
पित्तोद्भवे च शीतं तदेव तिक्तैः शृतं विहितम् ॥३॥

मुस्तापर्पटचन्दनसेव्योदीच्यैः शृतं सशुण्ठीभिः ।
दद्याच्छीतलसलिलं ज्वरिणे तृष्णाज्वरोच्छित्त्यै ॥४॥

स्वेदनलङ्घनकालाः पेया तिक्तौषधानि सर्वाणि ।
तरुणज्वरे प्रदेयान्यामगदे पाचनीयानि ॥५॥

पेया कषायकल्पः क्षीरं सर्पिर्विरेचनं ज्वरिते ।
षडहे षडहे देयं कालं वीक्ष्यामयस्यापि ॥६॥

पेया देया मगधाशुण्ठीभ्यां साधिता तु लाजानाम् ।
अथवा व्याघ्रीगोक्षुरसिद्धां दद्याज्ज्वरापहराम् ॥७॥

आमस्य पाचनार्थं समधुर्देयस्तथार्द्रकस्वरसः ।
मृत्युञ्जयेन सहितस्त्रिभुवनयशसाऽथवा चापि ॥८॥

ज्वरितं षडहेऽतीते कृतलध्वशनं सुखं ततो दद्यात् ।
अवशिष्टामे पाचनमथ च निरामे हितं शमनम् ॥९॥

नागरधान्यकबृहतीद्वयसुरदारुप्रपाचितः क्वाथः ।
देयो ज्वरिताय हितः पाचनकश्च ज्वरघ्नश्च ॥१०॥

पर्पट एकः श्रेष्ठः प्रभवति पित्तज्वरापनयनाय ।
किं पुनरेषो युक्तश्चन्दनविश्वौषधाम्भोभिः ॥११॥

व्युषितं धान्याकजलं प्रातः पीतं सशर्करं पुंसाम् ।
अन्तर्दाहं शमयत्यचिराद् दूरप्ररुढमपि ॥१२॥

अभया कृष्णामलकी चित्रकनामा गणः प्रसिद्धोऽसौ ।
सर्वज्वरनुद्दीपनपाचनकर्मा च तत्क्वाथः ॥१३॥

वासापत्रस्वरसः क्षौद्रसितामिश्रितस्तु विनिहन्ति ।
पित्तकफज्वररोगं सकामलं रक्तपितञ्च ॥१४॥

उष्णोदकेन पिबति ज्वरयुक्तो यः सशर्करां कटुकाम् ।
जयति ज्वरं नितान्तं कफपित्तोत्थं तथा जीर्णम् ॥१५॥

कट्फलपौष्करभृङ्गीव्योषयवासास्तथा सिताजाजी ।
अवलेहस्त्वष्टाङ्गो हन्ति कफं सन्निपातञ्च ॥१६॥

दशमूलस्य कषायो ज्वरमपहन्ति त्रिदोषसम्भूतम् ।
कासं श्वासं तन्द्रां पार्श्वरुजां कण्ठहृच्छूलम् ॥१७॥

जीर्णज्वरे गुडूचीक्वाथः सेव्यः सपिप्पलीचूर्णः ।
शेफालीदलसुरसस्त्वथवा सौदर्शनञ्चूर्णम् ।।१८।।

क्षुद्राऽमृता च शुण्ठी किराततिक्तश्च पौष्करं मूलम् ।
हन्ति समग्रं विविधं ज्वरमथवा पञ्चतिक्तोऽसौ ।।१९।।

अमृता किराततिक्तं करञ्जबीजं समञ्च सप्तदलम् ।
पीत्वा कषायममलं विषमज्वरतो भवेन्मुक्तः ।।२०।।

पथ्ये गोधूमकृता रोटी कृशरा च मुद्गयूषश्च ।
शाकं पटोलमिष्टं पापीतं कारवेल्लञ्च ।।२१।।

## रक्तपित्तचिकित्सा

रक्तं प्रवृत्तमादौ संगृह्णीयान्न भेषजैर्बलिनाम् ।
दुष्टं रक्तं यस्मात् कुरुते पाण्डुज्वरादिगदान् ।।२२।।

दोषस्यादौ शोधनमभिविहितं स्रोतसा तु प्रतिलोमम् ।
ऊर्ध्वगतस्य विरेकं वमनञ्चाधोगते दद्यात् ।।२३।।

लङ्घनमथवा तर्पणमस्मै देयं परीक्ष्य युक्तिज्ञैः ।
स्रोतोऽनुबद्धदोषं रोगिबलं रोगहेतुञ्च ।।२४।।

ऊर्ध्वगते सन्तर्पणमादौ मधुघृतसलाजचूर्णैस्तु ।
द्राक्षाखर्जूरकृतं वाऽधोमार्गे च पेया स्यात् ।।२५।।

क्षीणं बालं वृद्धं त्वबलं शोषानुबन्धिनं वीक्ष्य ।
स्तम्भनयोगैः शमयेच्छाल्मलिपुष्पाद्यचूर्णैस्तु ।।२६।।

गैरिकचूर्णं दूर्वास्वरसो रक्ताश्मपिष्टिझण्डुरसौ ।
आयापानं सद्यो रक्तस्तम्भनकरं परमम् ।।२७।।

वासापत्रस्वरसो मधुसहितो रक्तपित्तनुत्तरसा ।
श्वासे क्षयेऽथ कासे महितश्चायं हितो विहितः ।।२८।।

शान्ति न याति विविधैः कषाययोगैर्यदाऽस्रपित्तं यत् ।
तस्मिन् पयः प्रयोज्यं बहुवाते छागमथ गव्यम् ।।२९।।

नासाप्रवृत्तरुधिरे दूर्वास्वरसो रसः पलाण्डुभवः ।
दाडिमपुष्पभवो वा त्वाम्रास्थिकृतोऽथवा देयः ।।३०।।

मेढ्रादतिप्रवृत्ते रक्ते रोगी पिबेच्छृतं क्षीरम् ।
द्रव्यैस्तृणाह्वमूलैः पञ्चभिरेवोत्तरो बस्तिः ।।३१।।

शुण्ठयाद्युष्णं द्रव्यं वर्ज्यं नितरां तु रक्तपित्तगदे ।
सेव्यं पटोलमुद्गादि हितं शीतञ्च मधुरञ्च ।।३२।।

## पाण्डुरोगचिकित्सा

साध्यं पाण्ड्वामयिनं स्निग्धं संस्कृतघृतेन संशुद्धम् ।
विविधैरौषधयोगैरुपक्रमेद् वीक्ष्य दोषबलम् ।।३३।।

मूत्रे गव्ये भावितमयसश्चूर्णं हितन्तु सप्ताहम् ।
पयसा प्रपिबेदथवा सुरभीमूत्रेण मण्डूरम् ।।३४।।

चूर्णं नवायसाह्वं सेव्यं पौनर्नवाष्टकक्वाथैः ।
मधुघृतलीढं त्वथवा केवलपौनर्नवस्वरसः ।।३५।।

## कामलाचिकित्सा

तिलपिष्टनिभं वर्चः सृजति यदा कामलामयार्त्तस्तु ।
श्लेष्मावरुद्धमार्गं कफपित्तहरैर्विरेच्योऽसौ ।।३६।।

क्वाथः फलत्रिकादिः परमप्रशस्तोऽस्ति कामलारोगे ।
धात्रीलौहादि भिषग् दद्यात् क्वाथेन चैतेन ।।३७।।

निःस्नेहस्त्वाहारो लघुरथ सेव्यस्तु कामलारोगे ।
पित्तप्रकोपणानि त्याज्यानि विशेषतस्त्वस्मिन् ।।३८।।

पित्ते स्वस्थानगते तस्मात् संरञ्जिते पुरीषे च ।
विगतोपद्रवनिवहे ज्ञेयोऽसौ कामलामुक्तः ।।३९।।

## अतीसारचिकित्सा

साङ्ग्राहिकं न दद्यादादावामातिसारिणे वैद्यः ।
रुद्धस्त्वामो यस्माज्जनयेच्छोथोदरादिगदान् ।।४०।।

आमे विलङ्घनं स्यादादौ पश्चाच्च पाचनं देयम् ।
धान्यकनागरमुस्ताह्रीबेरश्रीफलक्वाथैः ।।४१।।

पक्वो यदाऽतिसारस्तदा विदध्यात् पुरीषसङ्ग्रहणम् ।
बिल्वाम्रास्थिकषायैः कुटजादिकषाययोगैर्वा ।।४२।।

इन्द्रयवः सातिविषः सोदीच्यघनश्च बिल्वसंयुक्तः ।
सामं सशूलरक्तं चिरजातं हन्त्यतीसारम् ।।४३।।

यदि खादेन्नवबिल्वं त्वनवगुडेन प्रगाढसम्मिश्रम् ।
मुच्येत सामशूलात् रक्तातीसारतश्चापि ।।४४।।

स्नानं वह्निं धर्मं व्यायामं तैलमर्दनञ्चापि ।
अतिसारी गुरुपाकि स्निग्धं संवर्जयेदशनम् ।।४५।।

मृदु शाल्योदनमनवैः तण्डुलप्रस्थैः कृतं सुसिद्धञ्च ।
नवतक्रेण सहाद्यात् कदलीफलशाकयूषैर्वा ।।४६।।

ग्रहणीरोगचिकित्सा

सामे रसे तु कुर्याल्लङ्घनमादौ च पाचनन्तदनु ।
लघ्वशिताय च तस्मै दीपनयोगान् हितान् दद्यात् ।।४७।।

नागरमुस्तातिविषाक्वाथः स्यादामपाचनः परमः ।
ग्रहणीरोगे सामे शस्तो, युक्त्या भिषग् युञ्ज्यात् ।।४८।।

गुटिका चित्रकप्रथमा वत्सकप्रभृतेस्तथा कषायः स्यात् ।
पर्पटिका पञ्चामृतसंज्ञा हिङ्ग्वष्टकञ्चापि ।।४९।।

श्रीफलशलाटुकल्को नागरचूर्णेन मिश्रितः सगुडः ।
ग्रहणीगदमत्युग्रं तक्रभुजा शीलितो जयति ।।५०।।

तक्रं ग्रहणीरोगे शस्तं बलकृत् परं ग्रहण्यग्न्योः ।
लघु पाके त्वथ पथ्यं वाते पित्ते कफे च हितम् ।।५१।।

द्विदलं सुतनु स्वल्पं मुद्गमसूरैः कृतं कृतं जीरैः ।
तक्रं पुराणशालेर्भक्तं स्विन्ना तथा रोटी ।।५२।।

ईषत्स्नेहन्त्वशनं कट्वादिविवर्जितं भवेत् पथ्यम् ।
शाकं पलंकिकदलीतुम्बोदुम्बरपटोलानाम् ।।५३।।

अर्शश्चिकित्सा

यद्वायोरनुलोमनमनलान्तःशक्तिवृद्धये यच्च ।
तद्भुक्तपानभेषजमवहितमनसाऽर्शसैः सेव्यम् ।।५४।।

शुष्कार्शसि तीक्ष्णं यल्लेपादिविधानमत्र शस्तं तत् ।
रजनीयुक्तं स्नुह्याः क्षीरञ्चार्कं करञ्जाद्यम् ।।५५।।

तिलभल्लातकपथ्यागुडाः समांशास्तु सर्वसम्मिश्राः ।
श्वासे कासे चार्शसि पाण्डौ प्लीह्नि ज्वरे विहिताः ।।५६।।

शूरणमोदककल्पो योगः काङ्कायनोक्तवटकश्च ।
अभयारिष्टो विजयं चूर्णञ्च प्राणदा गुडिका ।।५७।।

स्रवदस्रं रक्तार्शसि सहसा नादौ कदापि सङ्ग्राह्यम् ।
दुष्टास्रे निगृहीते नैकाः रोगाः प्रजायन्ते ।।५८।।

नवनीततिलाभ्यासात् केशरनवनीतशर्कराभ्यासात् ।
दधिसरमथिताभ्यासाद् गुदजाः शाम्यन्ति शोणितजाः ।।५९।।

लज्जालुलोध्रचन्दनतिलमोचाह्वोत्पलैस्तु संसिद्धम् ।
छागक्षीरं योज्यं रक्तार्शसि रक्तरोधकरम् ।।६०।।

शुष्केष्ववरुष्करं स्यादर्शसि कुटजं हितं तु रक्तभवे ।
कुटजावलेहयोगो रक्तार्शसि सुप्रशस्तोऽसौ ।।६१।।

अर्शसि तक्रं पथ्यं यत् स्याल्लघु दीपनन्तथा च सरम् ।
गुरु विष्टम्भि तु भुक्तं कन्दादि तथार्शसैस्त्याज्यम् ।।६२।।

## अग्निमान्द्याजीर्णचिकित्सा

सैन्धवसहितन्त्वार्द्रकभक्षणमग्रे तु भोजनस्य हितम् ।
दीपनमग्नेः रुचिकृज्जिह्वाकण्ठास्यशुद्धिकरम् ।।६३।।

हिङ्ग्वष्टकन्तु चूर्णं शुण्ठी वैका जलेन कोष्णेन ।
वह्निं दीपयतितरां हरीतकी चापि लवणेन ।।६४।।

आमाजीर्णे वमनं भुक्ताजीर्णस्य लवणतोयेन ।
तदनु च देयं तोयं धान्यकविश्वौषधात् सिद्धम् ।।६५।।

जयति विदग्धाजीर्णं पीत्वा शीताम्बु भस्म शंखभवम् ।
द्राक्षासितासमेतामभयां लीढ्वाऽपि सक्षौद्रम् ।।६६।।

स्वेदनमुदरे कुर्याद् विष्टब्धाजीर्णके यवानिकया ।
लवणोदकञ्च पेयं देया पथ्यादिगुटिका च ।।६७।।

## क्रिमिरोगचिकित्सा

अपकर्षणं विधेयं प्रथमं रोगेषु सर्वकृमिजेषु ।
प्रकृतेस्ततो विघातो हेतूनां वर्जनञ्चापि ।।६८।।

क्रिमिजित्पलाशबीजेन्द्रयवारिष्टाखुपर्णिकम्पिल्लम् ।
हरति समस्तं रोगं क्रिमिजातं पारिभद्रश्च ।।६९।।

## अरोचकचिकित्सा

दोषांस्तु शोधयित्वा दद्यादशनं मनोनुकूलमिष्टं यत् ।
कलहंसश्च यवानीषाडवमस्मिन् प्रशस्येते ।।७०।।

## छर्दिचिकित्सा

जठरोत्क्लेशप्रभवाः सर्वाश्छर्द्यो हि लङ्घनं तस्मात् ।
भिषजा पूर्वं कार्यं शोधनमनिलोद्भवं त्यक्त्वा ।।७१।।

निम्बत्वग्रसपानं सक्षौद्रं जयति पित्तकफजनिताम् ।
छर्दि, तथैव मधुनैलाचूर्णं वातपित्तभवम् ॥७२॥

तृष्णाचिकित्सा

वृक्षाम्लकोलदाडिमचाङ्गेरीचुक्रिकाभवैः स्वरसैः ।
सघनो लेपो वदने सद्यस्तृष्णां निवारयति ॥७३॥

सिद्धं विदारिगन्धादिगणे सलिलं पिबेत्तु तृष्णायाम् ।
एवं सरोजबीजैः सिद्धं तृष्णानिरोधकरम् ॥७४॥

धान्यकहिमोऽपि देयः तृट्शान्त्यै संयुतस्तथा सितया ।
मधुरिकयाऽपि शृतं यत् सलिलं तत्तृट्प्रशान्तिकरम् ॥७५॥

इक्षुरसैर्गण्डूषः क्षीरेण गुडोदकैः फलाम्लैश्च ।
गुडिका विधारितास्ये त्वेलाद्या वारयेत्तृष्णाम् ॥७६॥

अम्लपित्तचिकित्सा

प्रागम्लपित्तरोगे पर्पटसपटोलनिम्बशृतसलिलैः ।
समदनमधुसिन्धूत्थैः वमनं कार्यं विशुद्ध्यर्थम् ॥७७॥

तदनु विरेकः कार्यो विशेषतश्चेदधोगतो रोगः ।
क्वाथः कृतः पटोलादिगणात् सेव्यस्ततः पश्चात् ॥७८॥

पित्तं कफञ्च विकृतेर्हेतू नाशयति तद्द्रवत्वञ्च ।
तदनु च देयाः शमना योगाः रोगस्य संशान्त्यै ॥७९॥

धात्रीलौहं मधुना घृतेन दत्तं दिने चतुर्वारम् ।
प्राक् पश्चादशनस्य नियतं व्याधिं विनाशयति ॥८०॥

पथ्ये क्षीराहारः सक्तून् लाजैः कृतान् सितासहितान् ।
अद्यात् तीक्ष्णाम्लकटुप्रभृतीनि विवर्जयेन्नितराम् ॥८१॥

शूलचिकित्सा

हिङ्ग्वतिविषोग्रगन्धापथ्याः सौवर्चलं समं त्रिकटु ।
हिङ्ग्वादिचूर्णमद्याद् वातिकशूले जलैरुष्णैः ॥८२॥

स्वरसं शतावरीजं पैत्तिकशूली पिबेतु मधुसहितम् ।
तद्वन्मधुप्रगाढं धात्रीचूर्णं हितं लिह्यात् ॥८३॥

योगस्तु नारिकेलात् खण्डाह्वो वातपित्तजे शूले ।
शस्तस्तथाम्लपित्ते बलवृद्धिकरश्च शूलहरः ॥८४॥

कफजे वचादिचूर्णश्चार्कक्षारश्च शूलनुत् प्रपिबेत् ।
पूरकरसोऽथ मधुना सक्षारो वा रुजं हन्ति ॥८५॥

शम्बूकभस्म पीतं शङ्खभवं वा जलेन कोष्णेन ।
परिणामजं तु शूलं हन्ति सुघोरं भृशं सद्यः ॥८६॥

धात्रीलौहादिगणो योगा वै नारिकेलखण्डाद्याः ।
परिणामशूलरोगे शान्त्यर्थं संप्रयोक्तव्याः ॥८७॥

चणकस्य सूक्ष्मतान्तवनिःसृतसक्तून् मृदूंस्तथा सुरभीन् ।
परिणामशूलरोगी शान्त्यै सततं प्रयुञ्जीत ॥८८॥

व्यायाममद्यमैथुनशोकक्रोधाम्लतीक्ष्णकटुलवणम् ।
द्विदलञ्च वेगरोधं शूलार्तो वर्जयेन्नियतम् ॥८९॥

## गुल्मचिकित्सा

गुल्मे लघ्वाहारः स्निग्धश्चोष्णश्च बृंहणश्च सरः ।
पथ्यो भवति निषेव्यो नितरां नित्यन्तु गुल्मार्तैः ॥९०॥

आदौ स्नेहस्तदनु स्वेदः कुरुते तु गुल्मशैथिल्यम् ।
भेदनभेषजयोगाः भित्त्वा गुल्मं विनिघ्नन्ति ॥९१॥

चरकोक्तभेदनीयं दशकञ्च तथाऽशनिक्षमः क्षारः ।
काङ्कायनी च गुडिका हितमेतद् भेषजं गुल्मे ॥९२॥

## उदरचिकित्सा

दोषाणामतिनिचयात् संरोधात् स्रोतसां भृशं बहुशः ।
उदरं भवति हि तस्मादुदरी नित्यं विरेच्यः स्यात् ॥९३॥

अनलो मन्दो यस्मात्तस्माद् योज्यन्तु दीपनं सुलघु ।
अन्नं, जलोदरी स्यात् क्षीराहारो जलत्यागी ॥९४॥

नारायणादिचूर्णं गोमूत्रयुतोऽभयादिनिर्यूहः ।
उदरं तद् वारयति स्नुक्क्षीरस्य प्रयोगश्च ॥९५॥

शरपुङ्खायाः कल्कः प्लीहानं हन्ति सेवितस्तक्रैः ।
रोहीतकप्रयोगः यकृदर्त्तौ शस्यते प्लीह्नि ॥९६॥

## राजयक्ष्मचिकित्सा

शुद्धे कोष्ठे दीपनबृंहणमिति राजयक्ष्मणि प्रयतः ।
दद्याद् रक्षन् शुक्रं जीवितमूलं मलञ्चापि ॥९७॥

भृङ्गयर्जुनाद्यचूर्णं च्यवनप्राशो लवङ्गप्रभृतिकृतम् ।
चूर्णं घृतं बलाद्यं सेव्यं शोषे गदे नियतम् ॥९८॥

आजो रसः प्रयोज्यो दाडिमधात्रीमहौषधै सिद्धः ।
सर्पिश्च छागलाद्यं बलमांसविवर्धनं वृष्यम् ॥९९॥

छागं मांसं छागं क्षीरं सर्पिः सशर्करं मधुरम् ।
छागानाञ्च सुसेवा शयनं छागेषु यक्ष्महरम् ॥१००॥

## कासचिकित्सा

क्वाथोऽल्पपञ्चमूलैः सकणाचूर्णो हितो मरुत्कासे ।
केवलनिदिग्धिकायाः सुभृतकषायश्च लाभकरः ॥१०१॥

पैत्ते सितोपलाद्यं चूर्णं द्राक्षादिसिद्धलेहश्च ।
खर्जूरादिकलेहः पुष्करबीजप्रयोगश्च ॥१०२॥

तालीशाद्यं चूर्णं कफजे पौष्करकृतस्तथा क्वाथः ।
वासावलेहयोगश्चार्द्रकसुरसस्तथा मधुना ॥१०३॥

पञ्चोषणभृतदुग्धं कासे श्वासे प्रशस्यते कफनुत् ।
भृष्टा बिभीतकत्वक् कासं हन्याद् धृता वदने ॥१०४॥

वासास्वरसः पेयो मधुयुक्तः श्लेष्मपित्तसम्भूते ।
कासे सरक्तपित्ते क्षयरोगे च प्रशस्ततमः ॥१०५॥

व्याघ्रीहरीतकीतिप्रथितो लेहः समस्तकासहरः ।
वासापि तत्र निहिता यदि सा भूयाद् गुणोत्कृष्टा ॥१०६॥

## श्वासचिकित्सा

श्वासातुरे तु पूर्वं तैलाभ्यङ्गस्ततस्तु संस्वेदः ।
वातानुलोमनं यच्चोर्ध्वाधः शोधनं बलिने ॥१०७॥

भृङ्गयादिचूर्णयोगः शट्यादि तथा हितञ्च चरकोक्तम् ।
भार्ङ्गीगुडश्च योगाः श्वासे रोगे परं शस्ताः ॥१०८॥

## वातव्याधिचिकित्सा

स्वाद्वम्ललवणभुक्तैः स्निग्धैरभ्यङ्गतैलवस्त्याद्यैः ।
उपचारैराचारैर्वातव्याधिं शमं गमयेत् ॥१०९॥

अर्दितरोगे वटकान् माषकृतानाशयेत् सनवनीतान् ।
क्षीररसैश्चाहारञ्चोत्तरभक्तं नवं सर्पिः ॥११०॥

माषबलाकपिकच्छूकत्तृणरास्नाश्वगन्धिकैरण्डैः ।
क्वाथः कृतो निपीतो रामठलवणान्वितः कोष्णः ॥१११॥

अपहरति पक्षवातं मन्यास्तम्भं सकर्णनादरुजम् ।
अर्दकर्मादितवातं सप्ताहाज्जयति दुर्जेयम् ॥११२॥

स्वल्पो रसोनपिण्डो हरति समस्तान् मरुत्कृतान् रोगान् ।
अर्दितपक्षाघाताखिलकायव्यापिवातरुजः ॥११३॥

शेफालीदलसिद्धः क्वाथः पीतस्तु गृध्रसीं हन्ति ।
गोमूत्रमिश्रितं तत्तैलश्चै रण्डजं वापि ॥११४॥

रसराजादिकयोगाः गुग्गुलकल्पास्त्रयोदशाङ्गाद्याः ।
वातव्याधौ शस्ताः नारायणमाषतैलाद्याः ॥११५॥

## वातरक्तचिकित्सा

बाह्यं लेपाभ्यङ्गैर्विविधैः सेकैस्तथोपनाहैश्च ।
गम्भीरञ्च विरेकास्थापनवस्त्यादिभिस्तु जयेत् ॥११६॥

गुग्गुलु पीतं नियतं क्वाथेन गुडूचिकाण्डजातेन ।
जयति सवातं रक्तं तद्वन्मुण्डीतिकाचूर्णम् ॥११७॥

कैशोरगुग्गुलुः स्याद् गुडिका क्वाथश्च तन्त्रिकाकाण्डात् ।
अभ्यङ्गार्थं सानिलरक्ते तत् पिण्डतैलञ्च ॥११८॥

## आमवातचिकित्सा

कटुतिक्तं वह्निकरं लङ्घनमामानिले विरेकश्च ।
बस्तिः स्नेहापानं कालं वीक्ष्य प्रयोज्यं स्यात् ॥११९॥

पानान्नं स्यात् सिद्धन्त्वामविपाकाय पञ्चकोलगणात् ।
रुग्देशे कर्तव्योः रूक्षः स्वेदस्तु सिकताद्यैः ॥१२०॥

गुग्गुलराजो योगस्त्वामानिलजे गदे प्रयोक्तव्यः ।
रास्नासप्तकसलिलैरुष्णैः शुण्ठ्या समायुक्तैः ॥१२१॥

वैश्वानरचूर्णं यत्तद् देयं रात्रिभोजनात् पश्चात् ।
उष्णोदकेन सुखदं, देया तु सुरा च रासोनी ॥१२२॥

## हृद्रोगचिकित्सा

हृदये कुपिते वाते पेयं क्षीरं तु शालपर्णिभृतम् ।
शूले च हृदयसंस्थे मधु शार्ङ्गं भस्म युञ्जीत ॥१२३॥

अर्जुनचूर्णं पयसा गुडाम्भसा सर्पिषा पिबन्नियतम् ।
हृद्रोगरक्तपित्तक्षयरोगैः मुच्यते मनुजः ॥१२४॥

पुष्करमूलस्य रजः श्लक्ष्णं लिह्यात्तु कुसुमसारेण ।
हृच्छूलश्वासहरं कासहरञ्च क्षयापहरम् ॥१२५॥

## मुत्राघात-मूत्रकृच्छ्राश्मरीचिकित्सा

दर्भः शरश्च काशश्चेक्षुकुशौ स्यात्तु पञ्चतृणमूलम् ।
एतत्क्वाथं युञ्ज्यात् मूत्राघाते तथा कृच्छ्रे ॥१२६॥

एर्वारोस्त्रपुषस्य च बीजं कृच्छ्रं द्रुतं निवारयति ।
तण्डुलसलिलेन पिबेच्चन्दनममलञ्च कृच्छ्रघ्नम् ॥१२७॥

वरुणकुलत्थक्वाथः शिग्रुजटाक्तस्तथाऽश्मभेदयुतः ।
सूक्ष्मैलागोक्षुरकौ योगा एतेऽश्मरीघ्नाः स्युः ॥१२८॥

## प्रमेहचिकित्सा

क्वाथेन सालसारादिगणोक्तानां सुभाविताश्मजतु ।
तेनैव पीतमखिलान् मेहान् सद्यो विनाशयति ॥१२९॥

गोधूमचणककोद्रवयवमुख्याहारवान् श्रमं कुर्वन् ।
भृष्टानि सेवमानः तिक्तांश्चापि त्यजेन्मेहान् ॥१३०॥

## शोथचिकित्सा

गुग्गुलुयोगन्त्वेकं सेवेताष्टकपुनर्नवाक्वाथैः ।
शोमूत्रेण तथा वा शोथं सम्यङ्‌ निवारयति ॥१३१॥

पथ्ये गव्यं क्षीरं गोधूमो लवणवर्जितन्त्वशनम् ।
दिवसस्वप्नत्यागः परिहार्यो गुर्वभिष्यन्दी ॥१३२॥

## गलगण्ड-गण्डमाला-अपचीचिकित्सा

अशने मुद्गपटोलं यवधान्यं यच्च रूक्षकटु चान्यत् ।
छर्दिश्च रक्तमोक्षं गलगण्डे तु प्रयुञ्जीत ॥१३३॥

जलकुम्भीजं भस्म प्रपिबेत् पक्वन्तु गव्यमूत्रेण ।
कोद्रवभक्ताहारी गलगण्डस्य प्रशान्त्यर्थम् ॥१३४॥

लेपार्थं गलगण्डे गजकर्णपलाशमूलमिष्टकरम् ।
सर्षपशिग्रुकबीजातसीयवान् मूलबीजञ्च ॥१३५॥

मालां गण्डस्य हरेद् ग्रीवास्थां काञ्चनारगुग्गुलुना ।
तत्क्वाथेन निपीतेन नरः स्यात् काञ्चनावयवः ॥१३६॥

सर्षपबीजानि तथा निम्बच्छदनानि दग्धभल्लातः।
छागे मूत्रे पिष्टस्त्वपचीं हन्ति प्रलेपोऽयम् ॥१३७॥

श्लीपदचिकित्सा

शाखोटकतरुवल्कक्वाथः श्लीपदमपाकरोति हितः।
लेपश्चित्रकमूलात् सिद्धार्थकशिग्रुकल्काद् वा ॥१३८॥

कुष्ठचिकित्सा

वातोत्तरेषु सर्पिर्वमनं श्लेष्मोत्तरेषु कुष्ठेषु।
पित्तोत्तरे प्रयुञ्ज्याच्छोणितमोक्षं विरेकञ्च ॥१३९॥

आरग्वधपत्राणां लेपस्तक्रेण श्लक्ष्णसंपिष्टः।
तैलाक्तस्य नरस्य द्रुतमुन्मूलयति कुष्ठानि ॥१४०॥

योगो नवायसाह्वो गुग्गुलु पञ्चातितिक्तघृतपूर्वम्।
भल्लातकाख्यपाकः खदिरारिष्टश्च कुष्ठघ्नः ॥१४१॥

चूर्णं त्ववल्गुजस्य प्रपिबेत् कोष्णेन वारिणाऽऽतपगः।
क्षीराहारः श्वित्रं नश्यति कल्पेन चैतेन ॥१४२॥

संचूर्ण्य निम्बपुष्पं तद्वल्कं तत्फलं दलञ्च जटाम्।
पञ्चाङ्गं यः सेवेताखिलकुष्ठैः स मुच्येत ॥१४३॥

वीसर्पचिकित्सा

सम्यक् शुद्धं रोगिणमादौ पञ्चत्वचेन संलिम्पेत्।
सेकस्तस्य कषायैः पानं त्वमृतादिनिःक्वाथः ॥१४४॥

शीतपित्तोदर्दकोठचिकित्सा

रजनीखण्डन्त्वेकं पीत्वा नियतस्तु गव्यदुग्धेन।
विनिवारयति विकारान् त्वरितं वै शीतपित्तादीन् ॥१४५॥

॥ इति षोडशाङ्गहृदये प्रियव्रतशर्मकृते कायचिकित्साप्रकरणं दशमम् ॥१०॥

# ११. मानसरोगः

मतिसाधनं मनः स्यात् प्राप्ते ह्यात्मेन्द्रियार्थसंयोगे।
न भवेज्ज्ञानं सत्यपि यदि सत्त्वं नास्ति सन्निहितम ॥१॥

मनसः स्मृतौ गुणौ द्वावेकत्वमथाप्यणुत्वसंज्ञश्च ।
द्वावपि दोषौ विकृती कुरुतस्त्वेते रजस्तमसी ॥२॥

मानसदोषाः देहं दैहिकदोषाश्च मानसं यान्ति ।
अन्योन्याश्रयभूताः रोगांस्ते मानसान् कुर्युः ॥३॥

मूर्च्छा पित्ततमोजा राजसपित्तानिलाद् भ्रमो भवति ।
उन्मादेऽपस्मारेऽपि तथा दोषद्वयं हेतुः ॥४॥

एवंभूतविकाराः मानसरोगाह्वयाः बुधैः प्रोक्ताः ।
दोषद्वयशमनार्थं प्राज्ञैः सम्यक् चिकित्स्यास्ते ॥५॥

चैतसकल्याणाद्यं घृतमुन्मादस्य रोगिणां शस्तम् ।
तद्वच्चापस्मारे षड्ग्रन्था पञ्चगव्यघृतम् ॥६॥

एतैः सह शमनार्थं मानसदोषस्य चाथ कार्याणि ।
सान्त्वन-ताडन-तर्जन-विस्मापन-चित्तहननानि ॥७॥

धन्वयवासक्वाथं घृतसहितं पाययेद् भ्रमार्त्तनरम् ।
युञ्ज्याद् रसायनानि प्रवरोऽरिष्टोऽश्वगन्धाद्यः ॥८॥

द्राक्षाबलाशतावरिसिद्धं दुग्धन्तु शर्करासहितम् ।
पिबति नरो यः सद्यो भ्रममूर्च्छादीन् स वारयति ॥९॥

मृद्वीकावृक्षाम्लाम्लीकाखर्जूरदाडिमामलकैः ।
सपरूषकैस्तु विहितो मन्थो मद्यातिनाशकरः ॥१०॥

पूगमदं त्वापीतं सलिलं शीतं प्रशामयेन्नियतम् ।
धत्तूरजं विकारं पीतं दुग्धं सितासहितम् ॥११॥

कामाच्छोकात् क्रोधात् भयहर्षेर्ष्याप्रलोभजान् शमयेत् ।
मानसरोगानेतैरेवान्योन्यप्रतिद्वन्द्वैः ॥१२॥

॥ इति षोडशाङ्गहृदये प्रियव्रतशर्मकृते मानसरोगप्रकरणमेकादशम् ॥११॥

# १२. प्रसूतितन्त्रम्

बीजर्तुक्षेत्रजलं प्रभवति सामग्र्यतोऽङ्कुरोत्पत्त्यै ।
गर्भस्यापि च संभव एतैर्मिलितैश्चतुर्भिः स्यात् ॥१॥

शुक्लं स्फटिकच्छायं सान्द्रद्रवमञ्जसा रसे मधुरम् ।
मधुगन्धि सारबहुलं जानीयाच्छुद्धशुक्रं तत् ॥२॥

शशलोहितसङ्काशं यद् गाढं नो विरञ्जयेद् वासः ।
आर्तवमिति तच्छुद्धं यद् वा लाक्षारसप्रतिमम् ॥३॥

रचना कापि विचित्रा जयति जगत्यां नितम्बिनीव्रततिः ।
प्रतिमासन्तु वसन्तो यस्यां कुसुमागमं लाति ॥४॥

त्रिदिनादार्त्तवशुद्धे स्रोतसि नार्यास्तु चलितबीजेन ।
शुक्रं मिलति तदाऽसौ गर्भः स्याज्जीवसंसृष्टः ॥५॥

द्वादशरात्रमितः स्यादृतुकालो यत्र दम्पतीयोगात् ।
षोडशकलस्तु पुरुषः समुदेति सुघोरभवचक्रे ॥६॥

पीनप्रसन्नवदना प्रक्लिन्नमुखद्विजा च पुंकामा ।
हर्षयुता स्फुरिताङ्गा नारी सा त्वृतुमती ज्ञेया ॥७॥

आर्त्तवबन्धो ग्लानिर्योनिस्फुरणञ्च कृष्णता स्तनयोः ।
छर्दिः सदनं सक्थ्नोः लिङ्गं प्रायेण गर्भिण्याः ॥८॥

नानारथाङ्गयोगाद् यथा रथस्तथैव भवति गर्भोऽपि ।
समुदायात् पितृसात्म्यजरसजात्मजसत्त्वभावानाम् ॥९॥

त्वग् लोहितादि कोमलमङ्गं निर्वर्तते समं मातुः ।
परुषाणि केशदन्तास्थिनखप्रभृतीनि पितृजानि ॥१०॥

योनिविशेषश्चायुः सुखदुःखान्यात्मजानि चैतन्यम् ।
सात्म्यजभावाः स्वास्थ्यं संपत् स्वरवर्णबीजादेः ॥११॥

रसजाश्च देहवृद्धिः प्राणान्वयतृप्तिपुष्टिसोत्साहाः ।
सत्त्वात् भवन्ति भक्तिद्वेषस्मृतिशीलशौचाद्याः ॥१२॥

भूतविकारविभागादपि भावाः गर्भकस्य विज्ञेयाः ।
अभिनिर्वृत्तिर्वपुषः प्रभवेत् यत् पञ्चभूतेभ्यः ॥१३॥

शब्दः श्रोत्रं लाघवमथ सौक्ष्म्यं खाद् भवेद् विवेकश्च ।
स्पर्शस्पर्शनरौक्ष्यव्यूहप्रेरणगतिर्वायोः ॥१४॥

अग्नेः रूपं दृष्टिश्चौष्ण्यं पक्तिः प्रभा तथाङ्गेषु ।
रसनं रसश्च शैत्यं सलिलान्मृदुताऽऽर्द्रता स्नेहः ॥१५॥

गन्धो घ्राणं गौरवमूर्ती स्थैर्यं तथा पृथिव्याः स्युः ।
एवं भूतविकाराः स्वान् स्वान् जनयन्ति ते भावान् ॥१६॥

कललं प्रथमे मासि प्रजायते घनो द्वितीये तु ततः ।
सूक्ष्मश्चाङ्गविभागो मासि तृतीये तु पिण्डाभः ॥१७॥

प्रव्यक्ततरश्च पुनः मासि चतुर्थे सगर्भहृदयः स्यात् ।
तस्माद् दौहृदकांक्षा गर्भिण्याः भवति विषयेषु ॥१८॥

पञ्चममासि मनः स्यात् षष्ठे बुद्धिश्च सप्तमे व्यक्तिः ।
अ ङ्गप्रत्यङ्गादेरोजोऽष्टमकेऽस्थिरीभवति ॥१९॥

एवं क्रमेण विकसन् गर्भो गर्भाशये तु गर्भिण्याः ।
नवमद्वादशकान्ते मासि पृथिव्यां समवतरति ॥२०॥

गर्भस्थापनदशकं चरकप्रोक्तं हितं तदा प्रयोक्तव्यम् ।
बृंहणजीवनदशकं यद्वा गर्भस्य वृद्धिकरम् ॥२१॥

चूर्णं हयगन्धायाः सितया सहितश्च दुग्धसंपीतम् ।
घृतमथवा तत्सिद्धं धत्ते गर्भन्तु गर्भिण्याः ॥२२॥

प्रथमे मासि सुशीतं दुग्धं सात्म्यञ्च भोजनं प्रकृतम् ।
तदनु मधुरकैः सिद्धं मधुसर्पिभ्यां तृतीये तु ॥२३॥

क्षीरोत्थं नवनीतं मासि चतुर्थे परञ्च दुग्धघृतम् ।
षष्ठे क्षीरघृतं स्यान्मधुरौषधसाधितं तदनु ॥२४॥

क्षीरयवागूं सघृतामष्टममासे पिबेद् यथाकालम् ।
नवमेऽनुवासयेत्तां मधुरौषधसिद्धतैलेन ॥२५॥

क्रोधः शोको वर्ज्यो व्यायामो मैथुनं स्त्रिया तथायासः ।
सान्त्वपरा स्यात् हर्षप्रवणा सौम्यानुलापरता ॥२६॥

दूर्वां तण्डुलसलिलैः पिष्ट्वा तत्कल्कमञ्जसाऽश्नन्त्याः ।
तदनु च पयसः पानात् गर्भस्रावोऽवरुध्येत ॥२७॥

मधुकं बला च शुङ्गाः क्षीरितरूणां त्वचश्च शतवीर्या ।
वृक्षादनी श्वदंष्ट्रा गर्भस्रावापहाः सबिसाः ॥२८॥

गर्भे शुष्के पवनाद् गर्भिण्योत्थापनाय गर्भस्य ।
पेयं पयः सशर्करमधुयष्टीकाश्मरीसिद्धम् ॥२९॥

कुशकाशयोस्तु मूलैरेरण्डस्य श्वदंष्ट्रिकायाश्च ।
दुग्धं सिद्धंससितं गर्भिण्याः शूलनुत् परमम् ॥३०॥

प्रागेव नवममासात् संपन्नं कारयेत् प्रसूतिगृहम् ।
शस्ते देशे भूमौ करणौषध्यादिसमुपेतम् ॥३१॥

नवमे मासे पुण्येऽहनि करणे गर्भिणी मुदा प्रविशेत् ।
वृद्धोपदेशपालननिरता कालं प्रतीक्षेत ।।३२।।

प्रजननकाले ग्लानिः कुक्षेः स्रंसनमधस्तु निस्तोदः ।
योनेः स्रवणश्चावीभावो गर्भोदकस्रावः ।।३३।।

मूढे गर्भे पवनाद् विगुणेऽसम्यक् त्वपत्यपथप्राप्ते ।
कीलादिभेदभिन्ने करणीयं जानता कार्यम् ।।३४।।

सूतायाः मक्कल्लप्रख्यं शूलं निहन्ति बस्तिगतम् ।
उपकुञ्चिकासमेता पीता कृष्णा तु मद्येन ।।३५।।

प्रसवानन्तरमबला नारी पथ्यौषधान्नसुविधानात् ।
संरक्ष्या बलदानात् बृंहणमधुरैश्च वातहरैः ।।३६।।

दशमूलस्य क्वाथो विहितः सुहितश्च सूतिकानार्यै ।
बल्यत्वानिलहृत्वात्तदभावेऽरिष्टको योज्यः ।।३७।।

शुण्ठी सौभाग्याद्या द्वात्रिंशत्कश्च प्रीणनो लेहः ।
जीरकयौगा बल्याः संसेव्याः सूतिकास्त्रीभिः ।।३८।।

शोकात् क्रोधात् स्तन्यं नश्यति प्रमिताशनाच्छ्रमाच्चापि ।
ते त्यक्तव्याः सेव्याः स्तन्यजननसाधनौषधयः ।।३९।।

तृणपञ्चमूलप्रभृतिस्तन्यप्रदविड्महाकषायेण ।
शालेश्चूर्णेन पयःपीतेनावर्धते स्तन्यम् ।।४०।।

स्तन्ये दुष्टे मातुर्धान्र्या वा स्तन्यशोधनं दद्यात् ।
चरकोक्तदिक्कषायैः वर्गौ वोग्राहरिद्रादी ।।४१।।

प्रदरादियोनिरोगा उपचार्यास्तत्तदौषधग्रामैः ।
स्त्रीभिषजा प्रयतेन प्रकृतिं यायाद् रजो येन ।।४२।।

फलसर्पिश्चरितार्थं निष्फलवनितालतां हतां कुरुते ।
सफलां योनिविकारान् विविधान् हत्वा च बलदानात् ।।४३।।

रक्तं प्रवहति योनेः सरुजं सोऽसृग्दरो गदो गदितः ।
कफजस्रावात् श्वेतात् ख्यातस्त्वेषः सितप्रदरः ।।४४।।

रक्तप्रदराद् रुग्णां दीनाश्चाशोकवल्कलक्वाथः ।
कुरुतेतरां विशोकां क्षीरयुतोऽरिष्टकल्पो वा ।।४५।।

दार्वीरसाञ्जनादिक्वाथं पुष्यानुगाह्वचूर्णञ्च ।
सेवेत प्रदरार्त्ता बलया क्षीरञ्च तण्डुलकम् ।।४६।।

मुञ्चति या स्त्री कृच्छ्रात् पुष्पञ्चापि प्रपीडयते शूलैः ।
राजतभस्म सुसूक्ष्मं मधुना युञ्जीत सा नियतम् ॥४७॥

गृहकन्यायाः सद्यः स्वरसः पीतः कुमारिकासवकः ।
रजसः प्रवर्त्तनीयं वटिका हन्याद् रजोरोधम् ॥४८॥

वर्तिर्वासोबद्धा कन्यासारस्य योनिनिक्षिप्ता ।
कन्यार्त्तवं निरुद्धं निःशूलं संप्रवर्तयति ॥४९॥

इत्थं व्याधिविहीना स्वस्था स्त्री पुष्टबीजवती ।
निर्दुष्टार्भकशय्या स्वस्थं शशिवच्छिशुं सूते ॥५०॥

॥ इति षोडशाङ्गहृदये प्रियव्रतशर्मकृते प्रसूतितन्त्रप्रकरणं द्वादशम् ॥१२॥

# १३. कौमारभृत्यम्

बालं प्रजातमात्रं विशोध्य सम्यक् ससिन्धुलवणघृतैः ।
सिञ्चेत् सिद्धेन बलातैलेनायाससंखिन्नम् ॥१॥

कर्णाभ्याशे घट्टनमभिकुर्यादश्मनोः पठेन्मन्त्रम् ।
दक्षिणकर्णे, स्वस्थं शुचिहस्तो वर्धयेन्नाभिम् ॥२॥

नाभिं सिक्त्वा विधिना स्नपयेद् बालं कषायसलिलेन ।
गर्भाम्भश्च ससैन्धवसर्पिर्लेहेन निर्हार्यम् ॥३॥

ऐन्द्रीब्राह्मीग्रन्थाशंखसुमास्वर्णसर्पिषां समधु ।
लेहं दद्यादायुर्मेधाबलकृच्च प्राशार्थम् ॥४॥

प्राजापत्यविधानैः कर्तव्यान्यस्य जातकर्माणि ।
मधुसर्पिषी च बालस्त्वात्रिदिनाल्लेहयेत् प्रयतः ॥५॥

तदनन्तरं तु मातुः स्तन्यं सात्म्यं तु पाययेद् धीमान् ।
तदसम्पत्तावेव हि धात्रीं शुद्धां नियुञ्जीत ॥६॥

स्तन्याभावे छागं दुग्धं गव्यं प्रयोजयेदथवा ।
केवलमथवा सिद्धं स्थिरया लघुपञ्चमूलैर्वा ॥७॥

बालस्य नामकरणं कुर्याद् विधिना कुलोचितेन शुभम् ।
बालञ्च मण्डयित्वा मङ्गल्यैश्चन्दनाद्यैश्च ॥८॥

तस्य कुमारागारं विधिविहितं कारयेत् प्रशस्तञ्च ।
वासः शय्यास्तरणप्रभृतीनि सधूपधौतानि ॥९॥

पञ्चममासि सुपुण्येऽहनि बालञ्चोपवेशयेद् भूमौ ।
षष्ठे मासि क्रमशो विधिवत्तं प्राशयेदन्नम् ॥१०॥

जातद्विजमथ बालं क्रमशोऽपनयेत् स्तनात्तदा मातुः ।
क्षीरं यत् पूर्वोक्तं लघु बृंहणमन्नमद्याच्च ॥११॥

क्षीरान्नोभयवृत्तिस्त्रिविधो बालस्तु भुक्तप्रविभागात् ।
तन्निर्दुष्टौ स्वास्थ्यं तस्माच्छुद्ध्यै प्रयतनीयम् ॥१२॥

लेहाः कश्यपप्रोक्ताः लेहचतुष्टयमथापि सौश्रुतकम् ।
कल्याणकरश्च रसो देयो बालस्य पुष्ट्यर्थम् ॥१३॥

कासज्वरछर्दियुतस्त्वतिसारो जायते कुमाराणाम् ।
प्रायो दन्तोद्भेदे तस्मास्त्वरया चिकित्स्योऽसौ ॥१४॥

मातुः स्तन्येन युतञ्चातुर्भद्रन्तु पाययेन्मधुना ।
कासादिनाशनार्थं समधु त्वथवा विषा देया ॥१५॥

बालानामतिसारेऽतिविषा देया तु पुष्पसारेण ।
सिद्धलवङ्गचतुःसमयोगोऽतीसारशूलघ्नः ॥१६॥

बालग्रहा अनेकव्याधीनां हेतवो विनिर्दिष्टाः ।
निश्चित्य दोषदूष्यं युक्त्या भिषजा चिकित्स्यास्ते ॥१७॥

आषोडशाद्धि बालः पाल्यो भिषजा सदाऽवधानवता ।
आहारैश्च विहारैः सात्म्यैरौषधविधानैश्च ॥१८॥

इत्थं विवर्धितोऽयं प्राप्नोत्यायुर्हितं सुखञ्च चिरम् ।
सर्वैः ऋणैर्विमुक्तो जननीं राष्ट्रञ्च भूषयति ॥१९॥

॥ इति षोडशाङ्गहृदये प्रियव्रतशर्मकृते कौमारभृत्यप्रकरणं त्रयोदशम् ॥१३॥

## १४. अगदतन्त्रम्

गा इन्द्रियाणि सद्यो घ्नन्तीत्येते गदाः बुधैः प्रोक्ताः ।
विषमिति विषादजननादगदस्तेषां प्रतीकारः ॥१॥

स्थावरजङ्गमरूपं द्विविधं विषमत्र योनिभेदात् स्यात् ।
धत्तूरवत्सनाभप्रभृति क्रमशोऽहिदष्टाद्यम् ॥२॥

संयोगजश्च प्रायः कृत्रिममेतद् गराह्वयं विदितम् ।
वैरोधिकमपि काये जनयति विषवत्प्रभावांस्तु ॥३॥

तद् विषगरवैरोधिकशमनं चरकोक्तमस्त्यगदतन्त्रम् ।
अष्टाङ्गेष्वन्यतमं कल्पस्थानस्थितं प्रायः ॥४॥

धत्तूरवत्सनाभावहिफेनं रक्तिका च विषतिन्दुः ।
औद्भिदविषाणि मुख्यान्याहुर्मल्लादि भौमञ्च ॥५॥

जाङ्गमविषेषु विविधाः सर्पाणां जातयः समायान्ति ।
वृश्चिकलूताद्याश्च श्वविषं कीटादिदष्टञ्च ॥६॥

तेषां लक्षणमुदितं प्राचां ग्रन्थेषु विस्तरो नव्ये ।
विषनिर्णयो विधेयः प्रतिविषबोधो भवेद् येन ॥७॥

अगदाः बहवः प्रोक्ताश्चरकादिषु नैकधूपयोगाश्च ।
तत्रैव तेऽवलोक्याः विस्तरशो नव्यशास्त्रे तु ॥८॥

सन्ति विषघ्नाः बह्व्यस्त्वोषधयो वर्णिताः भिषग्वर्यैः ।
सर्वासां परमेकस्तिष्ठति शीर्षे शिरीषतरुः ॥९॥

पञ्चशिरीषस्त्वगदो विहितस्त्वङ्मूलपत्रफलपुष्पैः ।
ख्यातः शिरीषतरुजैः प्रवरो योगो विषघ्नोऽयम् ॥१०॥

॥ इति षोडशाङ्गहृदये प्रियव्रतशर्मकृतेऽगदतन्त्रप्रकरणं चतुर्दशम् ॥१४॥

# १५. शल्यतन्त्रम्

शल्यं मनःशरीराबाधकरं लौहपूयगर्भादि ।
तस्योद्धरणनिमित्तं धन्वन्तरिप्रोक्ततन्त्रमिदम् ॥१॥

प्रणिधानं यन्त्राणां शस्त्राणां क्षारवह्निजलजानाम् ।
निर्दिश्यतेऽत्र बहुशो व्रणविद्रध्यादिविज्ञानम् ॥२॥

यन्त्रशतं त्वेकोत्तरमिह मुख्याः सन्ति शल्यतन्त्रेऽस्मिन् ।
शल्याहरणोपायास्तेषु करः प्रथ्यते प्रवरः ॥३॥

स्वस्तिकनाडिशलाकाः सन्दंशकतालकोपयन्त्रयुताः ।
कथितास्तु षट् प्रकारा यन्त्राणां रूपभेदेन ॥४॥
शस्त्राणि विंशतिः स्युः करपत्रकुठारिमुद्रिकाद्यानि ।
अनुशस्त्राणि च काचस्फटिकजलौकानखाग्रयाणि ॥५॥
छेदन-भेदन-लेखन-वेधन-सीवन-समेषणाहरणम् ।
स्त्रावणमित्यष्टविधं शस्त्राणां कर्म निर्दिष्टम् ॥६॥
क्षारो बुधैर्निपात्यो दद्रुभगन्दरमषार्बुदार्शःसु ।
कर्तव्यमग्निकर्म ग्रन्थिसिरास्नायुरोगेषु ॥७॥
शोणितमोक्षः कार्यः शृङ्गेण जलौकसा तथालब्वा ।
दुष्टासृङ्निर्हरणस्त्वपि कार्यं तत् सिराव्यधनात् ॥८॥
सन्धानन्तु कषायाद् दहनं वह्नेश्च पाचनं रजसा ।
हिमतः स्कन्दनमेतच्चतुर्विधं रक्तरोधकरम् ॥९॥
कर्णव्यधाधिकारे नासासन्धानकर्मणः प्रथनम् ।
तद् भारतीयशल्यप्राशस्त्यन्तत्र चालोक्यम् ॥१०॥
विम्लापनमवसेचनमुपनाहः पाटनक्रिया तुर्या ।
संक्षेपाद् व्रणकार्यं शोधनरोपणविकारघ्नम् ॥११॥
विविधा बन्धविशेषाः निर्दिष्टाः रोगदेशभेदेन ।
कोशस्वस्तिकमण्डलदामस्थगिकावितानाद्याः ॥१२॥
व्रणितागारं कुर्यात् सर्वप्रथमं प्रशस्तवास्तुमये ।
स्वच्छं प्रवातवर्जं घर्माविश्यं त्वसम्बाघम् ॥१३॥
शौचैर्धूपैर्विहिताचारैः व्रणितन्तु पालयेत् प्रयतः ।
आश्वासनैश्च सुहृदां येन विरोहेद् व्रणः शीघ्रम् ॥१४॥
आत्ययिके त्वपनयनं शल्यानां युक्तिपूर्वकं कार्यम् ।
जलमग्नानां तद्वद् पाशादिजरुद्धकण्ठानाम् ॥१५॥

॥ इति षोडशाङ्गहृदये प्रियव्रतशर्मकृते शल्यतन्त्रप्रकरणं पञ्चदशम् ॥१५॥

# १६. शालाक्यम्

ग्रीवामूलादूर्ध्वं जाता रोगस्तु यत्र वर्ण्यन्ते ।
शालाक्यं तदिहोक्तं प्रायो योगात् शलाकायाः ॥१॥

नेत्ररोगाः

षट्सप्ततिर्विकाराः नेत्रभवाः सुश्रुतादिसंप्रोक्ताः ।
अधिमन्थाभिष्यन्दार्जुनपोथकिशुक्रतिमिराद्याः ॥२॥

लेपाश्च्योतनसेकैरञ्जनयोगैश्च तर्पणैर्विविधैः ।
नेत्रामयांश्चिकित्सेद् वर्तिभिरेवञ्च पुटपाकैः ॥३॥

दृष्टिगतस्तु गदो योऽन्धत्वं जनयेच्च लिङ्गनाशाख्यम् ।
नासौ भेषजसाध्यः प्रतिकुर्यात्तं तु शस्त्रेण ॥४॥

तिमिरे त्रिफलासर्पिस्त्रिफला चूर्णं घृतेन मध्वक्तम् ।
सेवेत नरः शुद्धः सततं विधिना पुराणघृतम् ॥५॥

त्रिफलां पुराणसर्पिर्वरीं पटोलञ्च मुदगमामलकम् ।
सुनिषण्णकादिशाकं निषेवमाणो जयेत्तिमिरम् ॥६॥

कर्णरोगाः

शूलं श्रुतौ प्रणादः स्रावः पाकस्तथा च बाधिर्यम् ।
एवंप्रभृतिविकाराः जायन्ते कर्णयोर्विविधाः ॥७॥

स्वेदः प्रमार्जनं स्याद् धावनमपि कर्णपूरणं विधिना ।
धूपनयोगैः कर्णस्थितरोगांस्तांस्तु प्रतिकुर्यात् ॥८॥

क्षारोऽपामार्गकृतस्तत्संसिद्धं तु बिल्वतैलञ्च ।
संप्रति कर्णगदेषु प्रयुज्यते रोगिणां बहुशः ॥९॥

लशुनार्द्रभृङ्गबेरस्वरसः कोष्णो रसो मुरुङ्ग्या वा ।
शूलनिवृत्यै विहितस्तैलं वा पूरणं कर्णे ॥१०॥

नासारोगाः

नासारोगा बहवोऽविजितप्रतिश्यायमूलका विदिताः ।
जीर्णीभूते पीनसरोगः स्यात् पूतिनस्यञ्च ॥११॥

अन्ये विविधाः रोगाः भवन्ति नासाप्रशोषदीप्ताद्याः ।
नासानाहः क्षवथुः नासापाकोऽर्बुदार्शांसि ॥१२॥

नस्यं तीक्ष्णं धूमं प्रधमनचूर्णं प्रशस्तसिद्धतैलञ्च ।
युञ्जीत भिषक् युक्त्या नासारोगप्रतीकारे ॥१३॥

सर्षपतैलान्नस्यं कट्फलचूर्णात्तदेव प्रत्यग्रात् ।
व्याघ्रीतैलं प्रायः प्रयुज्यते चापि षड्बिन्दु ॥१४॥

## मुखरोगाः

ओष्ठे त्वोष्ठप्रकोपाः भवन्ति विविधा विभिन्नदोषेभ्यः।
वाताद्यः पृथगखिलैरस्राद् वै मांसमेदोभ्याम् ॥१५॥

शीतादादन्तवेष्टाद्याः रोगाः सन्ति दन्तमूलगताः।
दन्तगताः भञ्जनक-क्रिमिदन्त-श्यावदन्ताद्याः ॥१६॥

तालुगताः गलशुण्डी-कच्छप-संघात-तालुपाकाद्याः।
रोहिण्यः शालूकन्त्वधिजिह्वाद्याश्च कण्ठगताः ॥१७॥

संशोधनञ्च कवलः प्रतिसारणनस्यधूमगण्डूषाः।
शोणितमोक्षः शस्त्रं पात्यं स्यात् कण्ठशालूके ॥१८॥

## शिरोरोगाः

शिरसोऽभितापसूर्यावर्त्तानन्तार्धभेदशंखाह्वा :।
रोगाः भवन्ति भूयः क्लेशकराः दुष्कराश्चापि ॥१९॥

शिरसो रोगषु बुधैः सर्वेषु प्रयुज्यते शिरोबस्तिः।
नस्यानि धूमलेपौ सर्पिष्पानञ्च सेकश्च ॥२०॥

त्रिफलाघृतं निषेव्यं कट्फलनस्यञ्च मार्गशुद्धिकरम्।
योगः सप्तामृतयुक् लौहो योज्यः शिरोरोगे ॥२१॥

॥ इति षोडशाङ्गहृदये प्रियव्रतशर्मकृते शालाक्यप्रकरणं षोडशम् ॥ १६ ॥

षोडशविग्रह-हृदयं लोकसमुद्भ्रान्तरीक्षदृङ्माने।
वैक्रमवर्षे काश्यां गुरुधाम्नि शुभे समाप्तिमगात् ॥२२॥

पाटलिपुत्रोपान्ते रम्यान्ते मुस्तफापुरग्रामे।
शाकद्वीपभवानां मगविप्राणां कुले जातः ॥२३॥

रामावतारसूनुः प्रेमदुलारीतनूजनुश्च कविः।
वैद्यप्रियव्रतशर्माऽऽचार्यः कर्ताऽस्य तन्त्रस्य ॥२४॥

षोडशदलमिव कमलं सकलं विश्वं सुवासयेदमलम्।
हृदयं मकरन्दमदैरेतत् स्वास्थ्यस्य सञ्जननैः ॥२५॥

षोडशकल इव चन्द्रस्त्वायुर्वेदो हि षोडशाङ्गयुतः।
सिञ्चतु वसुधां सुधया नित्यं स्पन्दयतु हृदयमिदम् ॥२६॥

विलसतु विकसतु शश्वत् पुष्यतु फलतु प्रजायुषो वेदः ।
सर्वे भवन्ति सुखिनो येन विशोको भवेल्लोकः ॥२७॥

शुष्केषु त्रिफलाकटुत्रयमयक्षेत्रेषु यस्याक्षता
साहित्येन समं कवित्वकलिता मेधा समं धावति ।
आर्याछन्दसि तत्प्रियव्रतकृतं तन्त्रं द्विरष्टात्मकं
भूयाद् वैद्यकशास्त्रकीर्तिधवलप्राज्यध्वजोद्धारकम् ॥२८॥

॥ इत्यार्यावृत्तबद्धं षोडशाङ्गहृदयं प्रियव्रतशर्मकृतं समाप्तम् ॥
शुभं भूयात्

# INDEX